MYKÉRINOS
ET LA PYRAMIDE
DIVINE

Champollion est la première collection consacrée à l'Égypte ancienne : ouvrages d'histoire et d'archéologie, textes sacrés, biographies, romans, autant de livres – inédits ou devenus rares – qui portent à la connaissance des lecteurs les richesses culturelles et la tradition spirituelle d'une des plus grandes civilisations.

Déjà parus

GUY RACHET

MYKÉRINOS ET LA PYRAMIDE DIVINE

LE ROMAN DES PYRAMIDES *****

Roman

Champollion

ÉDITIONS DU
ROCHER
Jean-Paul Bertrand

LE ROMAN DES PYRAMIDES

Khéops et la pyramide du soleil *
Le Rêve de pierre de Khéops **
Khéphren et Didoufri, la pyramide inachevée ***
Khéphren et la pyramide du sphinx ****
Mykérinos et la pyramide divine *****

ISBN 2 268 03053 9

LISTE DES PERSONNAGES
mentionnés dans le présent volume

(Sont en italique les personnages imaginaires et en caractères romains ceux qui ont eu une existence historique. Ne sont pas mentionnés les personnages très secondaires intervenant au cours des récits. Pour les personnages défunts qui apparaissent dans les volumes précédents, se référer aux listes de ces volumes.)

Amarsi. Sumérien, chef d'équipage de Djedefhor et ensuite de Nékaourê.

Ankhi. Fils aîné d'Abedou, père d'Héqeq.

Ankhmarê. Architecte de Khéphren.

Ayinel. Fils de Reyen. Emmené en Égypte par Khéops.

Bès. Nain, de son vrai nom Oukheryt.

Bounefer. Courtisane, épouse de Mykérinos.

Débéhéni. Maître royal des maçons de Mykérinos.

Djati. Fils cadet d'Abedou. Père d'Ouadjet.

Djedefhor. Troisième fils de Khoufou et Mérititès. Joli nom : Hori.

Djedi. Sage connu par Djedefhor à Hermopolis.

Eanita. Fille de Sidouri.

Hedjekenou. Fille d'un cabaretier. Épouse secondaire de Khafrê. Mère de Sékhemkarê.

Hénoutsen. Seconde épouse de Khoufou. Fille d'un noble, *Sétribi*. Mère de Khoufoukaf, de Khafrê, de Khamernebti et de Minkaf.

Héqeq. Fils d'Ankhi, médecin du Grand Palais.

Hérou. Père de Kabaptah.

Hétep-hérès (II). Fille de Khoufou et de *Noubet*. Épouse Kawab dont elle a Méresankh (III) et, après sa mort, épouse Didoufri dont elle a Néferhétépès. Joli nom : *Tépi*.

Kabaptah. Petit-fils de Ptahousei, compagnon d'enfance de Mykérinos. Fils d'Hérou.

Khamernebti (I). Fille de Khoufou et Hénoutsen.

Khamernebti (II). Fille de Khéphren et de Khamernebti (I). Épouse de Mykérinos. Joli nom : *Nebty*.

Khentetenka. Fille de Khéops et Noubet. Épouse principale de Didoufri. Joli nom : *Khenti*.

7

Khentkaous. Fille de Khamernebti (II) et de Djedefhor. Succède à Shepseskaf sur le trône d'Horus. Épouse et mère des premiers rois de la Ve dynastie.

Khouenptah. Frère cadet de Ptahouser.

Kounérê. Fils de Khéphren et Khamernebti.

Maâtkha. Fille de Shepseskaf et Khentkaous.

Méresankh (II). Fille de Khéops et Mérititès. Épouse de Khéphren.

Mérou. Marin rencontré dans une taverne par Nékaourê.

Merseankh. Fille de Kawab et Hétep-hérès (II). Joli nom : Méret. Épouse de Khéphren.

Minkaf. Fils de Khéops (en réalité de *Sabi*) et Hénoutsen.

Mykérinos. Fils de Khéphren et Khamernebti (I). Joli nom : Menki.

Nébemakhet. Fils de Mérseankh et Khéphren.

Néferhétépès. Fille de Didoufri et Hétép-hérès (II). Joli nom : Néferti.

Néferirkarê. Fils aîné d'Ouserkaf et Khentkaous, troisième roi de la Ve dynastie.

Néfermaât/Néférou. Fils de Snéfrou et de sa seconde épouse, Neithotep.

Nékaourê. Fils de Djedehor et Persenti. Joli nom : Néky.

Ouadjet. Fille de Djati, amie et confidente de Persenti.

Ouserkaf. Fils de Raouser et Néferhétépès, prêtre de Rê, épouse Khentkaous. Premier roi de la Ve dynastie.

Persenti. Fille de Chédi. Épouse secondaire de Khafrê. Mère de Nékaourê.

Raouser. Prêtre de Rê, époux de Néferhétépès.

Sahourê. Fils de Khentkaous et Ouserkaf. Deuxième roi de la Ve dynastie.

Sékhemkarê. Fils de Khéphren et Hedjékénou.

Senkaou. Père d'Hedjekenou.

Shepseskaf. Fils de Mykérinos et Khamernebti (II). Nom d'Horus : Shepsesykhet. Autre épouse : Bounefer.

Shinab. Caravanier du pays de Havilah. Devenu le gérant des biens de Djedefhor à Ur.

Sidouri. Femme de Meloukhkha, mère d'Eanita.

Tjazi. Serviteur nubien de Sabi.

Uperi. Chef du village d'Ekarra à Dilmoun.

RÉSUMÉ DES QUATRE VOLUMES PRÉCÉDENTS

Il y a plus de quarante-cinq siècles, Snéfrou règne sur une Égypte pacifiée qui s'étend entre la première cataracte et la mer Méditerranée. Sa sœur et épouse Hétep-hérès lui a donné deux fils Khéops et Rahotep, et deux filles, Mérititès et Néferkaou ; d'une épouse secondaire, il a eu un fils, Néfermaât, appelé Néférou (diminutif que les Égyptiens appelaient le « joli nom »). Khéops, l'héritier légitime, a épousé à son tour sa sœur Mérititès, qui lui a donné trois fils, Kawab, Baoufrê et Djedefhor, surnommé Hori, et une fille, Méresankh. Khéops, qui vit auprès du peuple et semble se désintéresser de la royauté, a Néférou pour rival. Ce dernier intrigue pour devenir l'héritier désigné du trône. Mais, dans le même temps, Snéfrou lui-même, et Khéops sont les objets de tentatives d'assassinat par un personnage mystérieux qui agit dans l'ombre. Khéops, soutenu par sa mère qui veut le voir monter sur le trône des Deux-Terres (nom donné à leur pays par les Égyptiens eux-mêmes, rappelant par là l'existence de deux grandes parties géographiques et politiques, le Delta et la vallée du Nil proprement dite) est initié aux mystères divins dans les grands temples de l'Égypte, à Héliopolis et Hermopolis, tandis que les membres du clergé de Memphis, la capitale de l'Égypte, intriguent en faveur de Néférou. Entre-temps, Khéops tombe amoureux de la fille d'un grand du royaume, Hénoutsen, dont il fait sa seconde épouse et qui, de son côté, lui donne aussi trois fils, Khoufoukaf, Khéphren, Minkaf (en réalité l'enfant qu'elle a eu d'un amant) et une fille Khamernebti. Cette Hénoutsen se révèle une femme amoureuse, active, qui se lance

9

dans des enquêtes pour découvrir qui se cache sous le masque de l'homme qui réussit à assassiner plusieurs personnes de l'entourage royal, mais manque Khéops qu'il agresse lors de son séjour initiatique à Abydos.

Envoyé ensuite par son père Snéfrou, chercher du bois en Phénicie pour la construction des pyramides, Khéops y rencontre la personne destinée à devenir sa troisième épouse, une femme blonde, d'une beauté troublante, qui va dominer sa vie, Noubet. Sa deuxième épouse, Hénoutsen, tente de son côté, de découvrir l'auteur du complot qui a failli coûter la vie de son époux, ce qui l'entraîne dans d'étranges aventures. La mort inattendue de Snéfrou, accélère la course pour le trône d'Horus, d'où sort vainqueur Khéops. Une fois devenu roi, il va consacrer tout son règne à la grande œuvre de sa vie, la construction d'une pyramide prodigieuse qui sera avant tout un temple initiatique consacré au dieu universel.

Les enfants qu'il a eus de ses diverses épouses ont aussi grandi et se trouvent à leur tour en compétition pour la couronne de l'Égypte, en particulier contre un nouveau venu, Didoufri, le fils que l'étrangère, Noubet, a donné au roi, avec deux autres filles, Khentetenka et Hétep-hérès II, et qui intrigue pour qu'il soit nommé prince héritier. Khéops ne parvient pas à se décider à choisir le futur roi, lequel devrait être Kawab, son fils aîné. Mais, par une suite de hasards (?) malheureux, à ce qu'il semble, les trois aînés, Kawab, Baoufrê et Khoufoukaf, nommés à des postes importants, meurent avant leur père qui se décide à désigner Didoufri. Des trois fils qui lui restent, seul Khéphren est un prétendant dangereux : Minkaf est le plus jeune et Djedefhor, resté célèbre dans la tradition égyptienne pour sa sagesse, est en quête de celle-ci. Ce qui ne l'empêche pas de tomber amoureux d'une jeune danseuse du temple d'Isis, voisin de la grande pyramide, Persenti. Cette dernière est fille d'un ébéniste, Chédi. Afin de la séduire par ses seules qualités et non par le prestige de sa naissance, Djedefhor s'est fait inscrire à l'école de danse du temple, comme le fils d'un jardinier et d'une servante. Il se présente sous son joli nom de Hori. Hénoutsen, sa « belle-mère », qui lui porte une grande affection et aime les intrigues, accepte de se faire passer pour cette mère de petite origine. Mais Didoufri, qui, de

10

son côté, est aussi tombé amoureux de Persenti, cherche par tous les moyens à séparer les amants, et y réussit. Tandis qu'Hénoutsen et Djedefhor se mettent à la recherche de la jeune fille qui a disparu, on retrouve un matin Khéops assis sur un siège dans son jardin, « immobile, les mains sur les genoux, les yeux ouverts, figé dans son éternité. »

Didoufri profite de l'effet de surprise causé par la disparition inattendue du roi et de l'éloignement de Khéphren, nommé par son père gouverneur de la province du Sud, Éléphantine, pour se faire couronner. Afin de se débarrasser de Djedefhor qui lui est un rival dans son désir de posséder Persenti, Didoufri l'envoie à la tête d'une flotte, chercher du bois à Byblos. Mais son intention secrète était de le faire assassiner au cours du voyage. Djedefhor parvient à échapper aux sicaires de son frère mais se retrouve réduit en esclavage et vendu à un riche propriétaire de la ville de Gomorrhe, au sud de la mer Morte. En conséquence d'événements inattendus, Djedefhor/Hori devient secrétaire de son maître, puis, à la suite d'une affaire amoureuse, il est mis à travailler dans les mines de sel avant d'être finalement adopté par un riche propriétaire de la ville voisine de Sodome.

Pendant ce temps, Didoufri, qui a pris pour vizir son frère Minkaf, fait rechercher Persenti. Avec l'aide d'Hénoutsen, la jeune fille trouve un refuge à Éléphantine, auprès de Khéphren. Ce dernier est tombé amoureux d'elle, mais, obéissant à la mise en garde de sa mère Hénoutsen, il ne cherche pas à la séduire. Une guerre larvée s'engage alors entre Didoufri, dominé et manipulé par sa mère Noubet, et qui, par ailleurs a épousé ses sœurs Khentetenka et Hétephérès et sa demi-sœur Méresankh, et Khéphren qui s'arme dans sa province. Par ailleurs, installées à Memphis, Hénoutsen et Mérititès, les deux premières épouses de Khéops, intriguent contre Didoufri. Finalement Didoufri, après huit ans de règne, est tué par son homme de main Oupéti, manipulé par Khentetenka qu'il a voulu prostituer aux grands du royaume. Khéphren est alors couronné et entreprend la construction de sa propre pyramide. Par ailleurs, comme on croit Djedefhor mort après tant d'années d'absence, Persenti se décide à épouser Khéphren. Elle a eu de Djedefhor un fils Nékaouré, adopté par Khéphren.

11

Or, de son côté, Djedefhor s'est rendu à Ur, en Sumer, pour fonder un comptoir pour son père adoptif resté à Sodome, Khiziru. Là, il s'installe chez son associé, un marchand de cette ville, Igibar. Après tant d'années, il a cru oublier Persenti et il s'éprend de la fille de son hôte, Menlila, femme de compagnie de la reine d'Ur, Puabi (personnage historique dont la tombe a été retrouvée). Entre-temps, à la suite d'un tremblement de terre et de raids de bédouins, le père adoptif de Djedefhor/Hori est tué à Sodome, la ville est en partie détruite et les troupeaux de Khiziru, parmi lesquels se trouvaient de nombreux ânes servant au transport de l'encens sont dispersés ou volés. Djedefhor se résout alors à s'installer définitivement à Ur, chez Igibar qui espère le voir épouser sa fille. Il affrète des bateaux pour commercer dans le golfe Arabique où il va relâcher dans l'île de Dilmoun (l'actuelle Bahreïn), où il tombe sous le charme d'une fille étrange venue de Melukkha (ville de la vallée de l'Indus) qui tient à Dilmoun un « cabaret ». Cette jeune femme porte le nom de Sidouri, qui est aussi celui de la cabaretière du bout du monde qu'a rencontré l'antique roi d'Uruk, Gilgamesh, lors de sa quête de l'immortalité. Quand enfin Djedefhor se voit contraint d'abandonner Sidouri pour rentrer à Ur, c'est pour y apprendre que la reine Puabi a été assassinée et a été ensevelie dans une tombe avec des gardes, des musiciennes et Menlila. Le père de cette dernière ne lui a pas survécu. Ainsi Djedefhor se trouve maître des biens de son hôte. Il se décide alors à rentrer en Égypte par la route maritime contournant l'Arabie.

Khéphren qui, comme son père, est partagé entre un rêve de pierre, c'est-à-dire la construction d'une pyramide rivalisant avec celle de Khéops, et un goût marqué pour les plaisirs de la vie, fréquente incognito avec son frère Minkaf dans des tavernes. Il y rencontre une jeune fille, Hedjekenou, dont il s'éprend et dont il fait son épouse secondaire, son amour pour Persenti s'étant, entre-temps, refroidi.

Enfin de retour à Memphis après bien des années d'absence, Djedefhor, qui se fait passer pour un marchand d'Ur, retrouve Hénoutsen qui envoie vers lui Persenti, dont la flamme amoureuse est ranimée, ceci à l'insu de Khéphren. Cependant, Djedefhor sait qu'il rcvit un

12

amour impossible. Il cherche à s'éloigner de Persenti. Khéphren le nomme grand prêtre de Rê à Héliopolis et lui confie l'éducation des enfants royaux. Parmi ceux-ci, Mykérinos, l'héritier du trône, s'est lié d'une profonde amitié avec un jeune garçon, Kabaptah, qui se révèle être le petit fils de Ptahouser, grand prêtre du temple de Ptah que Khéops a fait mettre à mort. De son côté Néferhétépès, fille de Didoufri, élevée avec ses cousins, s'éprend d'un jeune prêtre de Rê, Raouser, qu'elle épousera à la fin de cet épisode.

Pendant ce temps, les deux fils d'Abedou, l'ancien architecte de Snéfrou disgracié, cherchent à venger leur père sur la famille royale. Ils ont élevé l'un leur fils, Héqeq et l'autre sa fille Ouadjet, dans ce dessein. À la suite d'intrigues, ils les font placer, le garçon comme médecin de Khéphren, la fille comme fille de compagnie de Persenti. Cette dernière parvient à persuader sa maîtresse de faire verser par Hedjekenou, épouse favorite du roi, un poison subtil dans les boissons de Khéphren, en prétendant qu'il s'agit d'un philtre d'amour. Néanmoins, Khouenptah, frère cadet de Ptahouser et chef secret des anciens prêtres de Ptah, ayant découvert l'identité princière de l'ami de son neveu Kabaptah, décide de défendre l'héritier du trône dont il espère qu'il rendra au clergé de Memphis ses anciennes prérogatives. Il décide alors de supprimer les fils d'Abedou dont il connaît les projets criminels.

Nékaourê, fils de Persenti et de Djedefhor mais qui se croit le fils de Khéphren, ne rêve plus que de marcher sur les traces de son père (qu'il pense être son oncle) et de partir sur la mer à la recherche de l'île du Double. Dans une taverne il rencontre un vieux marin qui prétend avoir abordé dans une île fantastique habitée par un serpent géant et une jeune fille. Nékaourê demande alors à Khéphren de lui permettre d'armer un bateau pour entreprendre cette navigation. Mais le poison que ses épouses distillent dans les boissons du roi fait lentement son effet. Khéphren meurt, ayant cependant vu presque achevée la construction de sa pyramide et du sphinx, après avoir désigné son fils aîné Mykérinos comme son successeur.

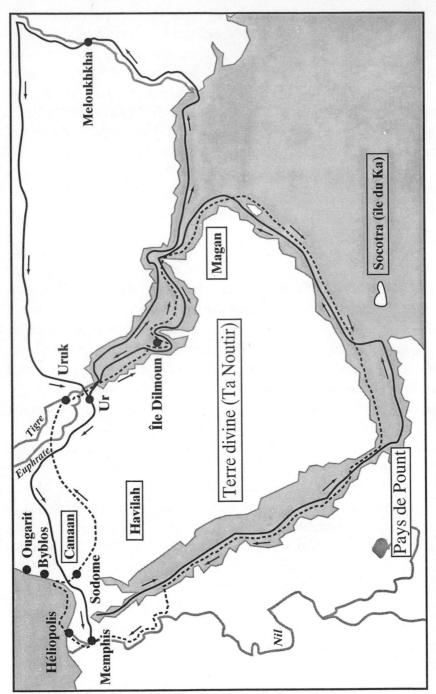

Meloukhkha

Socotra (île du Ka)

Magan

Uruk

Tigre

Euphrate

Ur

Île Dilmoun

Terre divine (Ta Noutir)

Ougarit
Byblos

Canaan

Havilah

Sodome

Héliopolis

Memphis

Pays de Pount

Nil

----- Itinéraire de Djedefhor ———— Itinéraire de Nekaourê

CHAPITRE I

Djedefhor avait abandonné de s'interroger pour savoir s'il était heureux ou malheureux, s'il enviait son fils ou s'il n'avait aucun désir de le suivre dans sa nouvelle aventure. Ce dont il était certain, c'est qu'il ne chercherait pas à le décourager de s'embarquer sur des mers lointaines car, par une telle tentative, non seulement il risquait de se ridiculiser mais il savait qu'il recevrait un refus respectueux mais ferme. Il ne pouvait que renouveler ses conseils et armer le plus possible le jeune homme pour son prochain périple. Et tout en se posant ces questions, Djedefhor observait le travail des charpentiers et des marins. Cela faisait maintenant près de deux mois qu'il était arrivé sur les bords de la mer inférieure, aussi appelée mer du Levant ou mer du Sud [1], tout au fond du golfe qu'elle formait à son extrémité nord. C'est lui-même qui avait pris la décision de se mettre à la tête de l'expédition chargée de construire les deux vaisseaux destinés à emporter au loin, vers ces horizons indécis, Nékaourê et ses compagnons. Mykérinos, installé depuis un an sur le trône d'Horus, avait fait de son oncle l'un de ses conseillers favoris et il se référait à lui pour tout ce

---

1. Il s'agit de la mer Rouge, et, plus précisément, du fond du golfe de Suez. Le lieu où les Égyptiens construisaient leurs bateaux pour naviguer sur cette mer restent imprécis. Celui dont il est question ici se trouve sur la côte est, du côté du Sinaï, avec ses sources appelées par les Égyptiens de notre époque : « Bains du pharaon. »

qui concernait les décisions à prendre de quelque importance, dans une tâche royale bien nouvelle pour lui. Lorsque le jeune roi lui avait demandé s'il considérait comme judicieux de rouvrir le temple de Ptah et de rendre à son clergé terres, biens et prérogatives, bien qu'il fût toujours grand voyant de Rê et maître du clergé d'Héliopolis, Djedefhor, qui estimait avant tout les intérêts du royaume et du peuple d'Osiris l'avait vivement encouragé dans cette initiative. Il pensait qu'il était utile, d'une part que le clergé de Rê trouvât dans le renouveau du temple de Ptah un rival qui balançait sa puissance sans cesse grandissante, d'autre part que les prêtres et fidèles du dieu de Memphis ne continuassent pas de vivre dans une clandestinité qui favorisait leur esprit de rébellion tout en nourrissant leurs rancœurs. « Un temple et un clergé dominé par Kabaptah qui t'est visiblement un ami fidèle, avait conclu Djedefhor sera plus utile à ton trône que des prêtres qui n'ont visiblement pas désarmé et ne vivent que pour le rétablissement des droits de leur dieu. – Mais toi, Hori, avait rétorqué le jeune souverain, tu es le puissant maître du clergé de Rê. Comme ni ton amitié ni ta fidélité à mon trône ne peuvent être mises en cause, qu'aurais-je à craindre de ce côté ? » À cela Djedefhor avait fait remarquer à son neveu qu'il n'était pas éternel, qu'il n'avait pas l'intention de conserver encore longtemps le poste qu'il occupait. Sans doute ferait-il nommer un homme de qualité qui n'aurait pas d'ambitions souveraines, mais l'avenir restant incertain, il était préférable qu'il existât autour du trône deux clergés contrebalançant mutuellement leur propre influence. Ainsi avait été lancé le décret royal qui restituait au dieu de Memphis son temple, ses prêtres et ses biens. Kabaptah avait été nommé Premier artisan de Ptah, mais il avait abandonné à son oncle Khouenptah et à son père Hérou, aussi bien les soucis de la gestion des biens du clergé que le soin de pratiquer les rites quotidiens.

Aussi, lorsque Djedefhor, se faisant le porte-parole de Nékaourê qui, depuis bientôt un an que son frère avait reçu la double couronne, ne cessait de harceler son « oncle » pour qu'il lui obtînt l'accord royal pour armer deux bateaux, était venu devant son neveu pour lui conseiller d'accéder aux désirs de son frère, Mykérinos lui avait répondu qu'il lui laissait décider de ce qui convenait et du moment où il conviendrait de préparer une si audacieuse entreprise. Afin d'être sûr que tout se déroulerait selon ses souhaits, Djedefhor avait décidé de prendre personnellement la tête de l'expédition chargée de préparer le voyage. La taille des vaisseaux destinés à naviguer en haute mer interdisait de les construire dans les chantiers de Memphis pour ensuite les transporter jusque sur les rives de la mer du Sud à travers le désert. Les matériaux, planches de bois taillées d'avance, cordages, mâts, rames, étaient emportés à dos d'âne, et même par les hommes pour les planches destinées à construire la coque et pour les mâts, trop longs pour être liés aux flancs des ânes. Ils étaient portés par plusieurs hommes qui allaient à la file, leur chargement supporté par de courtes cordes qu'ils passaient sur une épaule. Des hommes armés escortaient la caravane dans la crainte d'attaques de bédouins, bien que ces derniers, sous le règne de Khéphren, aient entretenu avec les Égyptiens des relations pacifiques, plus pour l'intérêt que présentait pour eux les échanges commerciaux qu'ils faisaient avec les habitants de la vallée que par crainte de leurs armes.

Au fond du golfe profond, sur sa rive orientale, du côté du désert montagneux qui séparait l'Égypte du monde asiatique sourdaient du sol désertique d'abondantes sources : c'est là que s'installaient les ouvriers chargés de la construction des vaisseaux destinés à prendre la mer en direction du lointain pays de Pount et des Terres divines, ce Ta Noutir d'où provenaient l'encens et la myrrhe.

Des expéditions venaient dans cette région depuis l'époque où le grand roi Djézer avait régenté le peuple de la Terre noire, de sorte que les cabanes de pierres rustiques qui avaient été construites à cette époque subsistaient toujours, occupées parfois

par des bédouins lorsque les Égyptiens les abandonnaient. Il suffisait, lors de chaque expédition, de recouvrir de chaume et de
branchages les cabanes dont les toits légers étaient bientôt arra-
chés par les violents vents du désert et de la mer.

Or, ce jour, Djedefhor voyait avec satisfaction les travaux si
bien avancés qu'il pensait qu'avant le retour de la saison des
chaleurs les deux vaisseaux seraient mis à flot et s'élanceraient
sur les flots des mers du Sud. Pour construire la coque, Djedefhor n'avait pas voulu que soit utilisé le bois d'acacia qui ser-
vait à fabriquer les barques légères du Nil, après que les chèvres
ont débarrassé les arbres de tout leur feuillage et de leurs bour-
geons, avant qu'ils ne soient abattus et sciés en planches. Il avait
prélevé dans les magasins royaux de magnifiques troncs de
cèdres rapportés de Byblos que les charpentiers avaient débités
en longues planches, prêtes à être emportées jusqu'au chantier du désert. Des œillets avaient été percés sur les bords des
planches pour les lier avec des cordes, le tout ayant été consolidé
par de solides chevilles. Ainsi avait été obtenue une coque
longue et effilée pourvue d'une forte étrave pour fendre le flot,
chaque planche ayant été taillée et profilée selon la place qui lui
était destinée dans le plan préconçu de la coque. Le calfatage
avait été réalisé à l'aide de tiges de papyrus à l'intérieur et de
résines. Contrairement à la plupart des bateaux du Nil qui
consistaient en coques creuses, basses de bastingage, Djedefhor
avait fait ponter les bateaux afin de charger les cales de marchandises destinées à être échangées en cours de route, et aussi
d'outres remplies d'eau, d'huile, de vin et de bière, de sacs de
grain et de dattes, de poisson séché et de vivres divers. En ce
jour, les ouvriers terminaient d'enfoncer tenons et mortaises à
l'aide de la lourde masse à deux poignées, appelée curieusement,
en opposition avec son aspect, la demoiselle. Comme il était
prévu de construire des cabines compartimentées, il n'était pas
question de cintrer l'étrave et l'étambot en les reliant par un
épais jeu de cordages tendus, destinés à assurer la cohésion de la

coque. Cette cohésion devait être obtenue par la tension des cordages destinés à relier le mât, une fois dressé et mis en place, à l'étrave, à l'étambot et aux bastingages.

Djedefhor avait emmené avec lui Amarsi, le chef de son équipage sumérien avec lequel il était rentré d'Ur, un habile marin qui avait dirigé le bateau et son équipage tout au long des dangereuses côtes de la Terre divine et dans la mer inférieure aux coups d'humeur si dangereux, qui, d'ailleurs, avaient brisé son vaisseau sur la côte égyptienne. Las de vivre sur la terre ferme depuis que Djedefhor était rentré en Égypte, Amarsi avait répondu avec enthousiasme à la proposition de son patron de reprendre la mer avec le frère de Sa Majesté. Plusieurs membres de l'ancien équipage, originaires d'Ur, s'étaient aussi portés volontaires pour participer à l'expédition, en particulier ceux qui n'avaient pas encore pris d'épouse. Amarsi, en marin expérimenté, avait aidé Djedefhor à diriger les travaux de la construction des bateaux, d'autant que, durant son long séjour en Égypte, il avait souvent visité les chantiers de Memphis et acquis une nouvelle expérience dans la construction navale égyptienne. Nékaouré, qui ignorait tout de la navigation et des bateaux, suivait avec attention l'avancement des travaux afin de s'instruire, tout en manifestant son impatience de prendre la mer.

Djedefhor suivait souvent d'un regard amical et admiratif son fils qui manifestait un vif intérêt pour tout ce qui se faisait, qui n'hésitait pas à se mêler aux charpentiers, à prendre avec eux l'herminette pour raboter les planches une fois mises en place, le ciseau pour façonner les mortaises, le maillet ou la demoiselle, après avoir, comme les gens du peuple, abandonné son pagne afin de ne pas le salir ou le déchirer. Et marins et charpentiers admiraient qu'un prince, frère de Sa Majesté, travaillât avec eux, comme eux, et se montrât un bon compagnon. Attitude que Djedefhor se gardait de décourager, lui qui avait même été esclave et avait travaillé dans les mines de sel du pays de Gomorrhe. Il considérait que c'était là un bon apprentissage des choses de la vie et une manière de se faire aimer et respecter de ses subordonnés. Il n'y avait que le roi qui devait garder ses distances en public et laisser un fossé le séparer de ses sujets qui le considéraient comme un dieu. En revanche, il n'éprouvait guère de sympathie à l'endroit de Mérou, ce navigateur qui prétendait avoir abordé dans une île mystérieuse à la suite d'une tempête et qui avait raconté une histoire invraisemblable à ce propos. Non seulement c'était certainement un hâbleur, mais aussi un paresseux, un véritable lézard qui passait ses journées dans l'ombre d'un dais de paille à regarder travailler les charpentiers tout en buvant de la bière. Il est vrai qu'il chantait de vieilles chansons de marins en grattant l'un de ces instruments à trois cordes et à long manche qu'utilisaient généralement les jeunes filles pour accompagner les chants amoureux dans les banquets des grands, ce qui distrayait les travailleurs. Nékaourê s'était attaché à lui, ou, plutôt, il l'avait attaché à sa personne et, aux objections de Djedefhor, il avait rétorqué :

– Hori, soit, comme tu le déclares, il a inventé cette histoire, mais c'est une belle histoire et il connaît quand même la mer, de sorte qu'il nous sera toujours utile, soit il ne ment pas et il est alors le seul à pouvoir nous conduire vers cette île mystérieuse où vit cette jeune fille qui suscite en moi le désir, même sans l'avoir jamais vue. Et il est bien possible qu'il s'agisse là de l'île du Double, l'île où est dissimulé le livre de Thot. Car même si Mérou n'a rien trouvé de semblable, il ne le cherchait pas, il ne sait même pas de quoi il s'agit. Il ne pouvait le trouver par hasard. Et cette grotte dans laquelle vit cette jeune fille, peut-être une divinité comme semble l'indiquer son nom, pourquoi ne serait-elle pas la caverne achevée, la caverne parfaite conduisant au monde d'Osiris aux mystères duquel le dieu Khéops, mon grand-père, t'a initié et dont tu m'as si souvent entretenu ?

– C'est possible, avait répondu Djedefhor, dubitatif, mais encore faudrait-il que tout cela ne soit pas une invention de ce Mérou.

Djedefhor fut tiré de ses pensées par l'apparition d'une caravane composée de plusieurs ânes entourés de gardes armés. Elle cheminait au bord de la mer, au pas pensif des baudets. Le soleil, haut dans le ciel, dardait ses rayons ardents sur le sol qui réverbérait sa chaleur à peine amoindrie par un léger vent de mer. Ce qui n'empêchait pas les hommes de chanter, les charpentiers en maniant leurs instruments, les âniers en tenant les brides des animaux. Plusieurs parmi ces derniers étaient chargés de sacs et d'outres, d'autres portaient par couples deux chaises surmontées de dais afin de protéger du soleil les passagers. Des femmes balançaient lentement de grands flabellum qui dispensaient leur air tiède aux occupants des chaises. Occupants qui se révélèrent être des femmes. Des soldats qui surveillaient l'approche du chantier, s'étaient portés au-devant de la caravane et Djedefhor put voir qu'ils s'inclinaient respectueusement devant l'une des chaises qui poursuivait sa route. Puis l'un d'entre eux vint en courant vers lui :

– Seigneur, tu as une visite, une visite pour toi et le prince Nékaourê. C'est la mère du prince, l'une des grandes épouses du dieu qui est venue jusqu'ici pour voir son fils avant qu'il ne s'éloigne sur la Grande Verte sans limites.

Djedefhor ressentit il ne savait trop quelle émotion à cette annonce. En fait, il n'avait revu Persenti que de rares fois depuis la mort de Khéphren, et moins encore du vivant de son royal frère. Il se reprochait parfois d'éviter son ancienne bien-aimée, sans trop s'en donner de raisons. Sans doute était-elle maintenant libre, il pouvait même la prendre pour épouse sans que personne puisse y trouver à redire ; on aurait même jugé naturel que le frère du roi justifié prenne pour épouse l'une de ses veuves. Mais il ne voulait y penser. Il avait maintenant pris l'habitude de vivre seul, au point qu'il n'avait pas voulu s'embarrasser d'une concubine, et moins encore d'une épouse, ce qui aurait été facile pour le puissant et riche fils du dieu Khéops. Non seulement il redoutait de changer son vieux mode de vie, mais il ne savait s'il saurait aimer son ancienne maîtresse comme elle était en droit de l'exiger si jamais il consentait à revenir vers elle. D'ailleurs, elle ne semblait pas avoir fait de grands efforts pour se rappeler à lui, elle n'avait pas cherché à lui déclarer la pérennité de ses sentiments. Il se disait que certainement sa passion s'était refroidie au point de n'éprouver aucun besoin de sa présence, une présence dont elle s'était si longtemps passée. Et lui-même vivait depuis bien des années dans ses souvenirs : ceux de ses amours lointaines, de Menlila et plus encore de Sidouri, deux femmes qui l'avaient aimé passionnément et qu'il avait en réalité abandonnées, l'une pour l'autre, l'une par l'autre, et qu'il avait perdues finalement toutes deux. Et plus encore ceux de l'amour de sa jeunesse, de cette Persenti qu'il avait tant aimée, qu'il continuait d'aimer tout aussi tendrement ; mais celle qui avait épousé son frère, celle qui était maintenant sa veuve, était-elle la même personne que la danseuse sensible et timide qu'il avait connue dans sa jeunesse ? Au fond, il redoutait une cruelle déception, il redoutait de ne plus aimer comme il l'aurait désiré celle qui était devenue quelqu'un d'autre, qui de jeune fille était devenue femme et mère.

Il se leva pour venir au-devant des visiteuses. La caravane s'était arrêtée à peu de distance et Persenti descendit de la chaise, aidée par un garde. L'autre chaise était occupée par Ouadjet devenue depuis déjà longtemps la compagne préférée, la confidente et la complice de la reine. En voyant Persenti venir vers lui de son pas vif et pourtant élégant – ancienne danseuse du dieu, elle avait visiblement continué d'entretenir par son art la souplesse de son corps et la grâce de ses mouvements – Djedefhor se prit à admirer combien elle était restée jeune et toujours d'une beauté juvénile. Il calcula cependant qu'elle ne devait avoir que trente-huit ans, puisque leur fils Nékaourê venait d'en avoir vingt et un. Elle avait donc bien des jours de jeunesse et de beauté encore à vivre, surtout si elle prenait le chemin de sa protectrice Hénoutsen qui, maintenant à soixante-cinq ans, restait toujours svelte, à peine ridée. Et il ne put s'empêcher de songer à sa propre mère, la reine Mérititès, morte d'embonpoint depuis déjà dix ans.

Ils s'arrêtèrent face à face, et chacun s'inclina devant l'autre, mains aux genoux. Djedefhor le premier ouvrit la bouche et dit :

— Persenti, sois la bienvenue en ce lieu, mais je prétends te reprocher une telle audace. Tu as dû faire une longue route dans le désert où, si les bédouins ne présentent que peu de danger, il y demeure toujours des bêtes dangereuses.

— Hori, lui répondit-elle, j'admire que tu t'inquiètes encore de ma sécurité. Mais sache que je tiens à revoir une dernière fois mon fils avant qu'il ne s'engage dans une aventure d'où il risque de ne pas revenir. Comme tu l'as fait jadis, il va demeurer bien longtemps loin de moi, et sa présence me manquera cruellement, même s'il ne m'a accordé que peu d'attention depuis le jour où il s'est installé à Héliopolis, auprès de toi, son père.

En prononçant ce dernier mot elle avait baissé le ton, afin que nul ne pût l'entendre, excepté Djedefhor.

— Il est vrai que l'amour d'une mère pour son enfant peut la conduire à affronter les pires dangers, remarqua Djedefhor.

— Tout autant que l'amour d'un époux ou d'un amant, ajouta-t-elle en lui jetant un regard plus intense.

— Certes, souffla-t-il en détournant la tête. Mais viens voir ton fils. Tu peux être fière de lui. Vois : bien que prince, bien que savant dans les choses sacrées tout autant que dans les langues et les mœurs des peuples qu'éclaire le soleil, il ne méprise pas les petites gens. Tu vas le trouver parmi eux, maniant avec eux les outils nécessaires à la construction du bateau qui va l'emporter loin de toi... et loin de moi.

— Nous sommes déjà si loin les uns des autres, coupa-t-elle en se mettant dans les pas de Djedefhor qui l'entraîna vers le vaisseau dont la coque était maintenue droite par des étais.

En voyant sa mère s'approcher, Nékaourê se hâta de ceindre son pagne après avoir sauté au bas du bateau. Il courut vers elle et s'inclina les bras en avant. Persenti lui prit les mains tandis qu'il prononçait :

– Ma mère, sois la bienvenue en ce lieu. C'est pour moi un grand plaisir que de te voir avant mon départ.

– Mon enfant, je sais trop bien que ton désir d'aventure est tel que tu ne serais même pas retourné à Memphis pour y saluer ta mère avant de t'embarquer pour un si long voyage.

– Pourquoi renouveler et prolonger les adieux ? demanda-t-il. Je me doutais d'ailleurs que tu viendrais me retrouver ici avant que je ne mette à la voile vers ces rivages divins dont Hori m'a donné le désir.

– Trop, je le crains, soupira-t-elle. Hori est aussi parti un jour : il devait s'absenter quelques mois vers les rives de Byblos, il n'est rentré dans la terre chérie que quatorze ans plus tard.

– Ma mère, je ne sais ce que le dieu me réserve, mais il n'est pas dans mes intentions de partir aussi longtemps. Je trouverai l'île du Double et bientôt je rentrerai avec le livre secret de Thot que mon oncle Hori a cherché en vain si longtemps.

Persenti se garda de relever la naïveté de l'assurance de son fils. Elle se contenta de lui répondre qu'elle souhaitait qu'il en soit ainsi et qu'il rentrât bien vite, sain et sauf, même sans le livre divin.

– Il est dans mes intentions, poursuivit-elle alors, de demeurer auprès de toi et d'Hori pendant ces prochains jours, jusqu'à ton départ. Je suivrai des yeux les vaisseaux sur la mer, jusqu'à ce qu'ils ne soient plus qu'un point indiscernable sur l'horizon. Alors, je rentrerai à Memphis pour t'attendre.

Puis, se tournant vers Djedefhor, elle reprit à son adresse :

– Hori, peut-être pourras-tu me trouver une cabane pour nous abriter, Ouadjet et moi. Sans quoi, j'ai emporté de solides toiles pour monter des demeures légères comme en ont les bédouins.

– Ce ne sera pas nécessaire, assura Djedefhor, plusieurs cabanes en pierre restent libres de tout occupant. Tu pourras avoir ta propre chambre et ta servante aura la sienne propre. Je vais donner les ordres pour qu'on les aménage et aussi pour qu'on prépare des logis pour les serviteurs et les gardes. Cependant, je crains que les journées ne te paraissent longues et pesantes, pénibles dans la chaleur de ce désert, car pour ce qui nous concerne, nous avons de nombreuses tâches à accomplir...

— Tu ne me décourageras pas pour autant, repartit-elle avec conviction. Je saurai occuper mes journées. Et même cette mer si belle et si claire me donne déjà envie de m'y tremper, ne serait-ce que pour me rafraîchir. N'est-ce pas aussi ton désir ?

En posant cette question elle se tournait vers Ouadjet qui, entre-temps, était descendue de sa chaise et les avait rejoints.

— Je t'y accompagnerai volontiers, assura la jeune femme.

— Nous allons faire décharger nos bagages, reprit alors Persenti, et ensuite nous irons nager. Pour vous, mon fils et toi mon frère, reprenez vos tâches car je ne voudrais pas paraître importune ou encore vous troubler dans vos travaux. Il suffit, Hori, que tu me désignes les cabanes que tu nous destines. Nous nous chargeons du reste, n'est-ce pas, Ouadjet ?

— Ne suis-je pas auprès de toi pour te décharger de tout souci ? répondit la jeune femme qui, aussitôt après, se dirigea vers la caravane pour s'occuper de diriger les serviteurs en vue du déchargement des ânes.

De son côté, Nékaourê s'inclina devant sa mère en la priant de l'excuser, car il devait retourner auprès de son bateau afin de surveiller le travail des charpentiers, de sorte que Djedefhor se retrouva seul face à Persenti.

— Vraiment, lui demanda-t-il, est-ce uniquement pour revoir ton fils avant son départ que tu as fait tout ce long voyage ?

— Naturellement, répliqua-t-elle d'un ton ingénu. Sinon, pourquoi crois-tu que j'aurais accepté d'affronter tant de fatigues et même ces dangers du désert dont tu m'as parlé tout à l'heure ?

— Il est vrai, concéda-t-il, que je ne vois pas d'autre raison susceptible de t'attirer si loin de Memphis.

— N'est-ce pas ? conclut-elle en lui tournant le dos pour rejoindre la caravane qui s'était arrêtée à peu de distance en attendant les ordres.

CHAPITRE II

De moins en moins, à mesure que passait le temps, Hénoutsen éprouvait le besoin de quitter sa résidence royale de Memphis et les jardins qui entouraient les palais des princes. Son plus grand plaisir était de se promener dans ces jardins où elle avait elle-même planté de nombreuses fleurs nouvelles et même des arbres. Elle consacrait de longs moments à diriger ses jardiniers, à examiner les arbres, à ordonner des changements qui pouvaient aller jusqu'à redessiner des allées. Elle avait fait creuser un grand bassin autour d'un kiosque déjà existant, afin qu'il se trouvât dans une île après qu'eut été aménagé un canal destiné à alimenter la vaste cuvette en eau du Nil. Ainsi pouvait-elle se promener en barque sur ce lac artificiel aussi bien pour accéder à l'île que pour naviguer jusqu'au Nil. Une idée qui avait enchanté le nouveau souverain car, après avoir ordonné la réouverture du temple de Ptah, Mykérinos avait entrepris, à l'imitation de ce qu'avait fait sa grand-mère mais sur une plus vaste échelle, de faire creuser un large canal destiné à alimenter le lac sacré du temple et, surtout, de relier ce dernier aux bassins de Per-nufer, le port artificiel de Memphis, du côté du couchant et des nécropoles. « De la sorte, avait-il déclaré à Kabaptah, il nous sera possible de nous rendre en bateau, directement du palais au temple du dieu. »

Ainsi Hénoutsen vivait-elle dans cette résidence memphite qu'elle n'avait jamais voulu quitter et qu'elle avait, au fil du temps, embellie, agrandie, faisant sans cesse remanier les parcs aussi bien que les bâtiments, toujours remis à neuf, reconstruits, réaménagés. Elle avait abandonné, depuis peu de temps, il est vrai, ses grandes promenades dans le désert en compagnie de Khentetenka qui avait aussi sa demeure dans le palais memphite. La sœur de Didoufri et la fille de son ancienne rivale était depuis longtemps devenue son amie intime, sa meilleure compagne, avec qui elle se sentait en communion. Mais, ce jour-là, ce n'était pas avec cette dernière qu'elle se promenait mélancoliquement dans le parc royal, comme elle le faisait souvent en songeant au passage si rapide du temps, c'était avec sa fille Khamernebti, la sœur et épouse de Khéphren. Après la mort de ce dernier, elle était restée dans le palais des pyramides où elle conservait ses appartements – son *opet* – comme Persenti et Hedjekenou qui continuaient d'y loger, bien que Mykérinos s'y soit installé avec sa sœur et épouse et aussi son frère Kounérê. Car c'est dans ce palais construit par Khéops mais peu à peu agrandi et restauré par Khéphren, qu'étaient installés les bureaux de l'administration du royaume, c'est dans ses environs que les courtisans avaient fait construire leur résidence, c'est à peu de distance que se trouvait la nécropole royale dominée par la grande pyramide de Khéops, où se poursuivait la construction de celle de Khéphren et où les grands avaient reçu de Sa Majesté le droit de faire bâtir leurs propres maisons d'éternité, au pied des gigantesques mausolées royaux.

Ainsi Khamernebti vivait-elle entre ses trois enfants et en bonne entente avec ses belles-sœurs, Persenti et Hedjekenou.

– Mère chérie, soupira-t-elle après qu'Hénoutsen l'eut entraînée dans le jardin pour l'entretenir de ses projets de nouvelles transformations, tu me pardonneras de ne pas prêter une grande attention à tes explications...

– C'est bien ce que j'étais en train de constater, répliqua Hénoutsen. Mais je crois savoir quels sont tes soucis. Confie-toi à moi, car je crois que la mère ne peut être que la meilleure conseillère.

– Ce n'est pas de conseils dont j'ai besoin, car tu ne peux qu'être aussi impuissante que moi devant les réalités qui nous assaillent, mais d'encouragements et de compassion. Vois, d'abord je me fais bien du souci pour mon petit Kounérê...

– Ton petit Kounérê n'est plus un enfant, constata Hénoutsen en appuyant sur le mot « petit », c'est un homme de vingt ans, un scribe royal dont son frère aimerait faire son vizir avant peu de temps. N'est-ce pas dans ce but qu'il a tenu à ce qu'il vienne s'installer près de lui dans le grand palais afin de le préparer à cette tâche ?

– Certainement, opina Khamernebti, mais ce n'est pas pour cela que je me fais du souci, d'autant qu'il est naturel que le frère du roi assume les fonctions de vizir, comme Minkaf l'a fait avec Didoufri et ensuite avec Khafrê. Mais tu as pu voir que depuis déjà quelque temps il est assailli de maux, sa santé chancelle. Je crains qu'il n'ait été saisi du même démon qui a emporté son père.

– Il est jeune et robuste, il ne faut pas te faire de soucis à ce propos. Il surmontera la maladie.

Hénoutsen avait réagi ainsi avec énergie, mais elle était aussi inquiète au fond d'elle-même car depuis plus d'un an le jeune homme était fréquemment pris de vertiges, il s'affaiblissait lentement, il lui arrivait même de rester couché pendant plusieurs jours, incapable de bouger. Khamernebti avait hoché la tête, manifestant ainsi ses doutes, avant de poursuivre :

– J'ai aussi des craintes pour l'enfant que ma petite Nebty a donné à Menki [1]. À plus de deux ans, Shepseskaf parle à peine et ne marche pas. Il est faible, si souvent malade que l'on peut craindre que le dieu ne lui accorde pas de parvenir à l'âge adulte.

---

1. Je rappelle que les Égyptiens utilisaient communément des diminutifs pour se désigner en famille. Ils appelaient ces surnoms le « joli nom ». Nebty était ainsi le joli nom de Khamernebti II, la fille de Khéphren et Khamernebti I (la fille d'Hénoutsen qui dialogue ici avec elle) et Menki celui de Mykérinos, Menkaourê de son nom égyptien.

Or, si je suis venue auprès de toi ce jour, c'est pour que tu saches que Nebty a décidé de quitter le palais. Elle ne veut plus vivre avec Menki qui, il est vrai, la néglige totalement. Elle a déclaré qu'elle veut revenir à Héliopolis afin de continuer d'étudier auprès de mon frère Hori. Elle assure que le savoir est si vaste et la sagesse si difficile à acquérir qu'elle doit encore passer bien des années auprès de son maître et elle a ajouté que Menki, tout roi qu'il est, devrait faire pareil car elle le trouve dépourvu de toute sagesse. Elle a même déclaré qu'il est plutôt fou et qu'on ferait mieux de placer Djedefhor sur le trône d'Horus, ou encore Minkaf, mais certainement pas un écervelé comme Menki qui ne songe qu'à ses amours avec le nouveau Grand Chef de l'Art.

La remarque fit sourire Hénoutsen tandis que sa fille poursuivait :

– Il est vrai que ce qui m'inquiète, ce n'est pas que mon aîné se soit pris d'une si étrange passion pour son ami d'enfance, c'est que si par malheur Shepseskaf rejoignait son Ka avant d'avoir eu une épouse et donné un héritier au trône d'Horus, ce serait la fin de la dynastie du dieu Snefrou. Ainsi se réaliserait bien plus tôt qu'on pouvait le redouter la prophétie de ce Djedi que Hori a conduit un jour devant mon royal époux.

– Ma chérie, rétorqua sa mère, tu oublies les fils de Persenti et d'Hedjekenou : tous deux sont aussi les enfants de notre Khafrê et dans leurs corps coule le sang du dieu Khéops.

– Nékaourê n'a qu'un désir, partir sur la Grande Verte pour aller en quête du livre de Thot. Or la mer a tôt fait d'engloutir les hommes trop audacieux. Quant à Sékhemkarê, c'est un enfant gâté, toujours attaché à la robe de sa mère.

– Il est vrai, reconnut Hénoutsen, que je serais la première à déplorer que le fils d'Hedjekenou monte sur le trône d'Horus, bien qu'il n'en soit pas moins mon petit-fils. Sa mère ne sait pas l'élever et maintenant que son père est allé s'asseoir auprès d'Osiris, nul ne songerait à l'enlever à Hedjekenou pour le placer dans un temple où il pourrait étudier plus sérieusement qu'avec le précepteur que son père a commis pour l'éduquer, car ce pauvre homme est impuissant à se faire obéir. Je ne vois que rarement Sékhemkarê, mais il me semble déjà bien dissipé et peu apte à l'étude.

— C'est un enfant détestable, capricieux, parfois violent et cauteleux. Je suis persuadée que ce serait un grand malheur pour la Terre noire si d'aventure il ceignait la double couronne. C'est encore une raison pour nourrir mon inquiétude. Et voici en quoi je sais que tu peux intervenir car tu es la reine mère, celle qui jouit de la plus grande influence dans tout le royaume, celle dont les paroles sont au-dessus des rois et de leurs décrets, celle devant qui s'inclinait mon royal époux. Puisque Menki ne veut plus s'unir à Nebty et qu'elle-même ne veut plus vivre auprès de lui, il faudrait que tu persuades mon fils de prendre une ou même plusieurs épouses et que Nebty fasse comme toi, comme je l'ai fait moi-même et comme le fait Khentetenka, qu'elle accueille dans sa maison un homme qui sache l'aimer, qui lui donne un enfant, un garçon que le roi reconnaîtra comme sien et qui pourra lui succéder sur le trône d'Horus.

— Ma chérie, accorda Hénoutsen, je veux bien intervenir dans ce sens. Mais même Menki accepterait-il de prendre une épouse secondaire, ce dont je doute, en tout cas pour le moment, ce n'est pas certain qu'il en ait un héritier. Quant à Nebty, j'ai le sentiment qu'en vérité elle est amoureuse de son oncle Hori. Elle parle de lui avec tant de chaleur, elle fait l'éloge de son savoir et de sa sagesse avec tant d'enthousiasme, et même un jour elle ne m'a pas caché que si elle n'avait pas épousé son frère, c'est son oncle dont elle aurait voulu devenir la maîtresse des biens.

— Je le sais, elle me l'a aussi déclaré et c'est pourquoi elle veut revenir à Héliopolis et continuer de s'instruire sous sa houlette. Il est vrai que Hori est un homme admirable, toujours plein de vigueur, toujours actif, le plus sage de tous les Égyptiens, et, de plus, c'est lui qui est le seul, par sa mère Mérititès, en qui coule vraiment le sang du dieu. Je serais prête à l'encourager de s'unir à ma fille, mais...

Comme elle restait silencieuse sur cette réserve, Hénoutsen se tourna vers elle et fit écho en interrogation :

– Mais ?

– Tout le monde sait bien qu'il aime Persenti et qu'elle l'aime de son côté. N'oublie pas que pendant que nous étions toutes deux à Éléphantine, j'étais sa confidente. Et je n'ignore pas que Nékaourê est leur fils et non celui de mon défunt frère.

– Il est bon que tu aies toujours gardé le silence et que Nékaourê n'en sache toujours rien, dit Hénoutsen. Je crains aussi que cet amour que Nebty porte à son précepteur ne puisse guère s'incarner, et je ne jugerai pas si c'est un bien ou un mal. En tout cas, je veux bien intervenir auprès de Menki, mais je ne peux te garantir des résultats de ma démarche.

Elles s'étaient arrêtées au pied d'un caroubier dans l'ombre duquel était disposé un banc couvert de coussins sur lesquels elles s'assirent après avoir chacune cueilli une caroube qu'elles grignotèrent. Hénoutsen avait pris soin de faire planter de nombreux arbres de cette essence dans son jardin, car ses fruits étaient prisés pour de multiples usages : non seulement on l'utilisait pour en faire une bière douce, mais ses graines mêlées à du lait, du vin et de la racine de cyprès, après que le mélange eut bouilli et eut été traité, constituaient, selon les médecins, un excellent vermifuge, en particulier pour les enfants. On l'utilisait aussi pour des remèdes contre la fièvre ou les maux de ventre. Ce qu'apprit à sa mère Khamernebti qui venait de tenir la formule d'Héqeq resté le premier médecin du palais, malgré la mort de Khéphren.

– Oui, mère, dit-elle tout en suçant le fruit dur et parfumé, Héqeq m'a appris hier la formule en cas de diarrhée. Il faut prendre de la pulpe de caroube pour un huitième, l'écraser avec une même part de bouillie d'avoine, de l'huile, un quart de miel sauvage, un seizième de cire d'abeille, et de l'eau. Il faut faire bouillir jusqu'à réduction et obtenir un épais sirop gras.

On doit en prendre pendant quatre jours, et on est assuré de la guérison.

— En as-tu fait l'expérience ?

— Non, car je n'ai pas mal au ventre, mais Hedjekenou en a donné à son fils qui a sans cesse des diarrhées, et il paraît que chaque fois le mal lui passe.

Hénoutsen tourna la tête et, ne trouvant pas utile de faire une réponse à cette constatation, elle s'exclama d'un ton joyeux :

— Vois donc qui s'avance ! Quelle belle surprise !

Minkaf venait de surgir sous le couvert des arbres et il s'avança vers les deux femmes, sans pour autant hâter son pas nonchalant.

— Minkaf, mon cher fils, lui dit Hénoutsen lorsqu'il se fut arrêté devant elle et se fut incliné pour la saluer, quelle joie de te revoir ! Ainsi tu as quitté ta résidence de Khem [1] ?

— La ville est petite et les tavernes n'y sont pas nombreuses, au point qu'on en a vite fait le tour, répondit-il en serrant sa sœur entre ses bras. Finalement j'y ai découvert que la gestion d'un vaste domaine est plus absorbante encore et ennuyeuse que l'administration d'un royaume. Aussi, lorsque mon royal neveu m'a fait dire qu'il serait satisfait si j'acceptais de revenir dans le palais pour suppléer Néfermaât qui est bien malade, paraît-il, et ne peut plus assumer sa tâche de vizir, j'ai accepté sa proposition. Il désirerait aussi que je prépare un prince à cette fonction, mais je ne sais qui. Menki pense à Kounérê, mais j'ai appris qu'il est de plus en plus souvent souffrant. Il ne reste alors plus beaucoup de monde puisque Nékaourê s'apprête à s'embarquer pour une île introuvable ; quant à Sékhemkarê, il est encore bien jeune.

— Je crains, renchérit Hénoutsen, que Menki ne doive finale-ment se résigner à chercher un vizir parmi les grands, qui ne soit

---

1. Khem est le nom égyptien de la ville appelée par les Grecs Létopolis, à une quinzaine de kilomètres au nord-ouest du Caire. C'était le chef-lieu du deuxième nome de Basse-Égypte, dont le dieu tutélaire était un faucon, Khenti-irti, assimilé à Horus.

pas de sang royal, car il n'est personne de notre famille qui puisse te remplacer, toi excepté.

– C'est bien ce qu'il m'a semblé. D'ailleurs, nombreux sont les hommes de la cour capables d'assumer cette fonction. En attendant, je vais devoir de nouveau porter cette charge comme un âne son fardeau.

– Tu m'en vois d'autant plus contente, mon frère, l'entreprit Khamernebti, que je ne doute pas que tu puisses exercer une heureuse influence sur mon fils. Comme tu allais dans les tavernes avec notre frère bien qu'il fût assis sur le trône d'Horus, il serait bon que tu entraînes avec toi le nouveau roi pour le détourner de la trop vive amitié qu'il porte à Kabaptah et l'inciter à chercher une deuxième épouse.

– Encore une fille d'auberge comme cette Hedjekenou ? suggéra Minkaf.

– Peu importe pourvu qu'on trouve une femme suffisamment du goût de Menki pour qu'il accepte de s'unir à elle et lui faire un vigoureux garçon. Car nous disions avec notre mère, que l'avenir de notre dynastie est bien inquiétant.

– C'est aussi mon sentiment, dit Minkaf.

– Et toi, enchaîna sa mère, tu n'as non plus rien fait pour aider à sa pérennité. Tu n'as même pas daigné prendre une épouse comme tu aurais dû le faire, aucun rameau n'est sorti de ta lignée.

– Bah, en y regardant de plus près, je ne doute pas que nombreux soient tes petits-fils anonymes qui courent par les rues de la ville, fils de filles d'auberge. Mais moi, contrairement à mon frère, je ne les épouse pas. Elles sont averties et ne me demandent rien que de les honorer de mon plaisir et, le cas échéant, d'un petit pécule. Je reconnais n'avoir que peu de tendresse pour les enfants, seraient-ils les miens, et je n'aimerais pas m'embarrasser d'une famille. En revanche, mes amantes de passage ont toutes reçu de ma part suffisamment de présents pour voir venir les ans avec sérénité et trouver un époux qui convienne à leur situation.

Hénoutsen avait déjà trop morigéné son fils à propos de son comportement pour prendre la peine de renouveler des reproches. Quant à sa sœur, elle considérait qu'il n'était pas à blâmer car il ne surprenait pas les filles avec qui il faisait des maisons de plaisir, des filles qui, pour la plupart d'entre elles, outre leur tâche de serveuse dans les auberges, savaient dispenser aux clients les mieux intentionnés les plaisirs mercenaires qu'ils pouvaient espérer.

Un silence étant tombé entre eux, troublé uniquement par le bruissement des feuillages et, dans le lointain, des pépiements d'oiseaux, Minkaf, qui craignait cependant d'avoir froissé les sentiments d'Hénoutsen, reprit sur un autre ton :

– Je reconnais, mère chérie, que je suis blâmable de ne pas avoir pris une ou plusieurs épouses comme l'ont fait mes frères. Mais tu peux témoigner que leurs ménages ne me sont jamais apparus comme des modèles de vie. À quoi sert d'épouser des jeunes filles si c'est pour les abandonner bientôt au fond de la demeure, serait-elle un palais ? Mais, après tout, je ne suis pas encore si âgé que je ne puisse trouver une bonne épouse comme toi-même et ma chère sœur pourraient le souhaiter, susceptible de donner un héritier à notre dynastie, puisqu'il paraît qu'on place peu d'espoirs dans mon petit-neveu Shepseskaf. Ainsi suis-je disposé à assumer la pérennité de la lignée des dieux Snéfrou et Khéops.

En l'écoutant ainsi parler, Hénoutsen ne put s'empêcher de penser à la réelle filiation de Minkaf et elle dut se persuader que ce qui comptait n'était pas la vérité mais ce qu'on croyait être la vérité, ce n'était pas la filiation par le sang mais ce qu'on croyait être cette filiation. Car, qu'importait que Minkaf soit en réalité le fils de Sabi, un homme dont elle-même n'avait jamais su la véritable origine, et d'elle-même, c'est-à-dire qu'il n'avait pas la moindre goutte de sang royal ? Et si d'aventure la lignée de Snéfrou venait à s'éteindre, les hommes qui s'assiéraient sur le trône d'Horus n'auraient aucune filiation avec Osiris et Horus, comme s'en targuaient les descendants de Djézer, et pourtant ils ne manqueraient pas de s'en prévaloir et le peuple verrait dans ces simples hommes des incarnations du dieu par le seul fait qu'ils le déclareraient haut et fort et siégeraient dans le grand palais. Au demeurant, épouse et mère de rois, elle était particulièrement bien placée pour mesurer la vanité de tant de prétentions et savoir que son époux tout autant que son fils et son petit-fils étaient bien des hommes mortels avec leurs qualités et leurs défauts humains... comme d'ailleurs on en attribuait aux dieux qui étaient tout aussi mortels puisqu'ils avaient besoin d'être nourris dans leurs temples, toilettés, servis comme des souverains, sans quoi on assurait qu'ils risquaient de dépérir et de mourir. D'ailleurs, ne racontait-on pas que Rê lui-même, le dieu soleil, était devenu un vieillard baveux et que c'est avec sa bave qu'Isis avait modelé le serpent qui avait piqué le dieu cacochyme, grâce à quoi elle avait réussi à lui arracher son nom secret par lequel elle avait acquis le pouvoir de dominer le soleil lui-même ? Et Hénoutsen sourit en elle-même en se disant qu'elle n'avait pas eu besoin d'utiliser de telles ruses pour dominer l'esprit de Khéops, que sa beauté et ses qualités naturelles unies à sa malice avaient suffi à conquérir le roi, et ensuite à exercer un tel prestige sur ses propres enfants et son entourage qu'elle avait longtemps été la véritable maîtresse du royaume et aurait pu le rester encore si elle l'avait voulu, si elle ne s'était pas lassée de la puissance et des honneurs, si elle n'avait pas finalement préféré sa liberté, ses plaisirs, son jardin, à toutes les suprématies sur les hommes.

Elle jeta un long regard sur son fils et elle ne put s'empêcher de songer à son vrai père, car il lui ressemblait étrangement : même profil élancé, même visage allongé ; mais il était bien son fils, plus encore au moral qu'au physique : il était roué, il avait su louvoyer entre ses frères lors du règne de Didoufri, il aimait les plaisirs et ne croyait guère dans la réalité des dieux, ce qui venait du tempérament sceptique hérité d'un père qu'il n'avait même pas connu. Et elle se rasséréna en songeant qu'après tout il avait tout ce qui convenait pour faire un bon roi, un bon administrateur du pays, riche d'expérience. S'il se décidait à se donner des enfants légitimes, l'avenir du trône était assuré.

CHAPITRE III

Khouenptah marquait sa satisfaction tout en se promenant dans les rues et les cours du temple de Ptah. Depuis une année que Mykérinos avait décrété sa réouverture et avait conféré à son ami Kabaptah la grande prêtrise, d'importants travaux avaient été entrepris : d'abord de réfection et de nettoyage car après tant de décennies d'abandon, nombreux étaient la bâtiments qui tombaient en ruine, sans compter les bêtes de toutes sortes, grandes et petites, qui s'y étaient logées. Ensuite avait été abattue une partie du mur d'enceinte afin d'agrandir l'aire sacrée et d'ajouter de nouvelles annexes à l'ensemble cultuel. Tous les travaux étaient enfin achevés et, après les purifications rituelles, le temple allait pouvoir être consacré par Sa Majesté elle-même, très prochainement. Bien que Kabaptah soit officiellement le maître des lieux, c'est-à-dire le chef du clergé, le régisseur des nombreux biens – villages, champs, bateaux, paysans, troupeaux, pêcheries – attribués au temple pour l'entretien de ses prêtres et de tout le personnel qui lui était attaché, le pontife chargé de se substituer au roi pour pratiquer les rites quotidiens, toilette du dieu et sacrifices de toute nature, c'est Khouenptah lui-même et son neveu Hérou qui assumaient ces charges, le jeune Grand Chef de l'Art, selon son titre, se trouvant plus souvent auprès de son royal compagnon que dans sa résidence sacrée, assumant de préférence sa fonction d'Ami intime de Sa Majesté que son ministère sacerdotal. Mais

37

en ce jour, pour l'inspection finale des travaux réalisés, Kabaptah marchait entre son oncle et son père, se contentant d'écouter les commentaires de ses parents dont il ne doutait pas des compétences. Ainsi faisait-il en leur compagnie l'apprentissage de sa nouvelle profession.

– Oui, conclut Khouenptah, c'est pour nous et notre dieu un grand jour, l'aboutissement heureux de tant d'années de lutte, de misère, d'humiliations. Mais le dieu s'est penché sur ses serviteurs, il a suscité dans l'esprit du jeune roi une merveilleuse amitié pour le descendant de mon frère afin qu'il nous soit rendu justice et que Ptah retrouve sa grandeur.

Cette tournée d'inspection étant parvenue à son terme, ils s'en retournaient vers le temple, lorsqu'un prêtre vint au-devant d'eux pour leur faire savoir que deux hommes sollicitaient de Khouenptah un entretien.

– T'ont-ils dit leur nom et d'où ils viennent ? interrogea Khouenptah.

– Ils m'ont demandé de dire simplement qu'ils venaient de Bouto et que ta seigneurie comprendrait.

En effet, Khouenptah se douta aussitôt de l'identité des visiteurs. Il trouva utile de les recevoir afin de connaître leurs intentions et leurs desiderata car il avait abandonné depuis longtemps son ancien projet de les supprimer afin de sauvegarder la vie de Mykérinos. Maintenant que le prince était assis sur le trône d'Horus et, allant au-delà de ses espérances, avait sans plus tarder ni tergiverser, rendu à Ptah son temple, ses prêtres et ses biens, il songeait que, après tout, il était de meilleure politique d'écouter les requêtes de ces hommes et de leur donner toute satisfaction dans la mesure où leurs exigences resteraient raisonnables.

Comme il s'y attendait, il reconnut les deux fils d'Abedou qui se tenaient droits dans l'ombre du portique entourant la cour du sanctuaire. En voyant les trois prêtres se diriger vers eux, Ankhi et Djati vinrent à leur rencontre afin d'être sûrs qu'ils ne passent pas sans paraître les voir, ignorant quelles pouvaient être les intentions de Khouenptah. Ils se saluèrent mutuellement puis Khouenptah invita ses visiteurs à le suivre dans la salle qu'il avait aménagée pour son usage personnel. Il aurait préféré les recevoir seul, mais il ne put imaginer de raison pour éloigner son petit-neveu visiblement curieux de savoir ce que voulaient ces hommes qu'il ne connaissait pas

Une fois tous assis sur des coussins dans la pénombre tiède de la salle, Ankhi fut le premier à prendre la parole :

– Seigneur Khouenptah, commença-t-il, mon frère et moi admirons la magnificence du temple que Sa Majesté a rendu à ses fidèles serviteurs.

– Il est vrai que le roi a été très généreux à l'égard de ses amis, reconnut Khouenptah.

– Tout le peuple de la Terre noire connaît l'amitié que Sa Majesté porte au nouveau Grand Chef de l'Art, ajouta Djati qui enchaîna en s'adressant plus particulièrement à Kabaptah :

– Seigneur, tu n'es certainement pas sans connaître la part que tes serviteurs, j'entends mon frère et moi-même, ont prise dans cette magnifique promotion qui voit la réalisation des désirs de tous les fidèles de Ptah dont nous nous flattons d'être parmi les plus fervents, mon frère et moi-même.

Kabaptah lui lança un regard de surprise :

– Je ne sais qui vous êtes, et j'ignore d'autant plus quelle peut être cette part dont tu parles. Pour ce qui me concerne, j'ai été éduqué avec le prince dont j'ignorais l'identité, nous nous sommes pris d'une grande et indéfectible amitié et, lorsque j'ai découvert qui il était, je n'ai pas eu besoin de lui demander quelque faveur que ce soit ; de lui-même, une fois monté sur le trône d'Horus, il a décidé la réouverture du temple et m'a désigné comme le nouveau grand prêtre du dieu.

– Nous n'ignorons pas que ce mérite te revient pleinement, enchaîna Ankhi. Mon frère veut rappeler simplement que c'est notre action qui a hâté cet heureux dénouement. Car le dieu qui est maintenant dans la barque de Rê, Khéphren, aurait pu régner encore de nombreuses années sans notre intervention. Au point que, le temps passant, tu aurais pu voir se refroidir et finalement s'éteindre l'amitié que te porte le nouveau roi, voire se transformer en haine comme cela arrive quand il y a trop de violence dans les sentiments et que ceux-ci sont trahis ou déçus, ou encore le prince aurait pu précéder son royal père dans le grand voyage ; enfin nombreuses auraient été les occasions de contrariétés susceptibles d'intervenir au cours d'un trop long règne, dont les conséquences auraient pu mettre un terme au rêve de restauration du seigneur Khouenptah.

Ce dernier, qui commençait à se douter de ce qu'allaient révéler ses hôtes, intervint brusquement :

– Dites simplement ce que vous désirez. Nous savons être en dette envers vous ; mes neveux et moi-même sommes disposés à vous en être reconnaissants.

– C'est bien ce que nous espérions t'entendre déclarer, répliqua Djati qui poursuivit : la belle maison que nous a laissée notre père, si injustement éloigné de la cour de Sa Majesté, n'est maintenant plus qu'une ruine, le domaine qui lui avait été concédé a été morcelé, repris, de sorte que tes serviteurs se trouvent dans le dénuement le plus complet...

– Vous n'aurez plus de soucis à vous faire de ce côté. Si Sa Majesté ne vous rend pas ces biens et ne vous accorde pas de nouveaux domaines, nous pourrons vous en concéder en les prélevant sur les biens du temple, assura Khouenptah qui songeait qu'il pouvait leur être reconnaissant à peu de frais, car il ne se cachait pas que la mort rapide et prématurée de Khéphren avait largement favorisé ses desseins et qu'il n'accorderait jamais qu'une petite partie de ce qui avait été attribué si généreusement au temple par le nouveau souverain.

– Attendez, intervint Kabaptah, intrigué par ce dialogue qui lui semblait bien hermétique. Il me plairait que soit éclairci le sens de vos paroles et que je sache en quoi nous vous sommes redevables de ce qui arrive.

– Quoi, s'étonna Ankhi, ignorerais-tu que ce sont des personnes qui nous sont chères, mon fils et ma nièce, placées par nos soins auprès du père de Menkaourê, qui ont hâté le départ du roi maintenant justifié et ont permis à ton royal ami de ceindre si rapidement la double couronne ? Et encore, aucun d'entre vous ne semble savoir que si la reine Hénoutsen a pu trouver tout l'or nécessaire aux campagnes de son fils Khafrê et a pu vider à son profit le trésor royal, c'est grâce à la galerie secrète aménagée par notre père dans la pyramide où il était entreposé, secret qu'elle a connu grâce à nous ?

– Tu veux dire que le père de Sa Majesté a été finalement empoisonné ou assassiné, je ne sais de quelle manière, sur votre intervention, et que la reine vous est redevable de la connaissance d'une galerie secrète qui lui a permis de piller le trésor royal ?

– Piller, c'est beaucoup dire, puisqu'elle était la reine. Tout le monde à la cour sait qu'elle a ainsi confisqué ce trésor à l'usurpateur Didoufri au plus grand profit de son fils Khéphren et que, une fois ce dernier devenu roi, elle a elle-même fait obturer l'entrée du couloir secret. Tu ne peux l'ignorer.

– J'en ai vaguement entendu parler, concéda Kabaptah. Mais encore : serait-ce vous qui seriez responsables de la mort inopinée du roi ?

– Nous nous en flattons et tu devrais nous en être reconnaissant, tout autant que ton royal ami.

– Mais c'est un régicide ! rétorqua Kabaptah, scandalisé.

– Nullement, se défendit Djati. Vois, jadis, quand le roi parvenait au seuil de la vieillesse et qu'il avait accompli la tâche qui lui était dévolue de par son élection divine, il était mis à mort par ses sujets, sacrifié au bien commun et placé au rang des dieux, envoyé à leur côté parmi les étoiles. Or le roi avait assumé noblement sa fonction et il commençait à s'en désintéresser, ayant réalisé ce qu'il désirait. Mais n'oublie pas que c'était au détriment de son peuple et du pays car la poursuite des folles constructions de son père Khéops était en train de ruiner le royaume après avoir jeté les paysans dans la misère tant étaient pénibles les travaux qui leurs étaient imposés. Aussi devrions-nous être reconnus comme les sauveurs de la Terre noire puisque, grâce à notre intervention, le roi est allé rejoindre son Ka et que lui succède un sage souverain qui, non content de rendre à Ptah ce qui lui était dû, ce qui lui avait été confisqué à la suite d'un abus de pouvoir et de haines personnelles qui ont causé la mort de ton grand-père sur l'ordre de Khéops et ont jeté ton grand-oncle, ton père et tous les adorateurs du dieu dans la misère ou le désespoir, a pris la décision d'arrêter les travaux impies de ses père et aïeux pour revenir à des entreprises plus humaines et rendre son peuple aux tâches qui lui sont dévolues par la volonté divine et ne l'épuisent pas en vain. En tout cas, c'est bien ce qu'il a déclaré le jour de son couronnement et il a été acclamé par le peuple pour ces sages décisions.

Cette argumentation emporta dans une grande mesure la conviction de Kabaptah, sans cependant lui apporter une tranquillité d'esprit.

Selon les habitudes qu'il avait prises depuis bientôt un an, après une visite le matin au temple, Kabaptah s'en retournait au grand palais auprès de Mykérinos pour partager avec lui le repas du milieu du jour. Lorsqu'il quitta son père et son grand-oncle, ce dernier le suivit d'un regard inquiet, sans cependant oser le mettre en garde ou chercher à le morigéner.

– Espérons, dit Hérou qui avait deviné la pensée de son oncle, que Kaba ne va pas rapporter au roi les paroles de ces deux hommes.

– Il est pourtant à craindre qu'il ne le fasse, tu connais aussi bien que moi la rigueur morale de ton fils. Je doute qu'il puisse celer à son ami l'affaire du meurtre de Khéphren. Il nous reste à espérer que l'amitié que le roi lui porte l'emportera sur sa colère car nous pourrions craindre d'être impliqués dans son ressentiment puisqu'il lui sera facile d'imaginer que nous-mêmes étions au courant du complot.

– Nous pourrons nous en défendre. D'ailleurs, n'avons-nous pas cherché à supprimer ces hommes, précisément pour les empêcher de nuire à la famille royale ?

– Certes, mais comment le prouver ? Il faudrait que le petit roi nous crût sur parole.

– Il a une grande confiance aussi bien en toi qu'en moi, le père de son amant.

– Souhaitons qu'il nous la conserve longtemps encore. On ne peut jamais présumer de l'humeur et des caprices des rois qui renouent un jour ce que leur père a dénoué naguère mais défont le lendemain ce qu'ils ont fait la veille.

Or Khouenptah avait judicieusement prévu les réactions de son petit-neveu. Tout d'abord, Kabaptah évita de parler à son royal ami de l'entretien dont il venait de sortir. Mais pendant tout le repas qu'ils prenaient dans l'intimité, dans le jardin clos du grand palais où avait jadis aimé se retirer Khéops, Kabaptah n'avait pu s'empêcher de demeurer silencieux, incapable de chasser loin de son esprit un secret qui lui devenait de plus en plus pesant. Ce dont se rendit vite compte Mykérinos qui lui demanda enfin :

– Kaba, mon ami, que se passe-t-il ? Serais-tu malade ? Je te trouve ce matin bien taciturne, préoccupé, tout triste, comme si ton âme était tourmentée par quelque démon. Hésiterais-tu à révéler à ton ami, à ton compagnon, ce qui pèse sur ton cœur ?

Le jeune homme n'attendait que cette invitation pour soulager sa conscience.

– Il est vrai, Menki, que j'ai appris ce matin une chose qu'il serait criminel de ma part de te taire, toi qui es mon roi, mais surtout mon ami, un père, un frère, un compagnon plus cher à mon âme que mon propre Ka.

– Kaba, en vérité tu m'intrigues. N'hésite plus à me confier un secret qui paraît bien lourd à porter pour un seul homme.

Mykérinos avait mis un certain humour dans son ton car il ne pouvait imaginer que son ami ait une chose réellement terrible à lui révéler. Il connaissait aussi bien sa sensibilité que ses scrupules et il imaginait que ce n'était jamais qu'un fait sans importance qui troublait ainsi son ami. Kabaptah se décida alors à lui rapporter tout ce qu'il avait appris de la bouche des deux inconnus, sans manquer de mentionner l'histoire du trésor qui semblait être à leur avantage. Le jeune roi l'écouta en silence, sans l'interrompre, avec la plus grande attention. Lorsqu'il eut terminé sa confession, Mykérinos se décida à lui répondre :

— Kaba tes scrupules t'honorent et je suis heureux d'avoir un ami tel que toi. Mais sache d'abord que tu ne m'apprends rien d'un côté et que d'un autre côté tu ne fais que confirmer un fait dont je me doutais. Je savais que ma grand-mère vénérée, la reine Hénoutsen, avait connu le secret de la pyramide au trésor grâce à l'intervention d'un homme de sa connaissance, un très grand ami, selon ses dires, auprès de ces deux hommes qui sont les fils de l'architecte de mon aïeul Snéfrou, le constructeur de la pyramide du soleil et de cette autre pyramide pourvue de son entrée secrète. Je ne sais comment elle a obtenu d'eux ce secret, peut-être étaient-ils de ses amis, toujours est-il que mon père aurait dû leur être redevable de la révélation d'un secret qui lui a permis d'obtenir les moyens de lever son armée. Pour le reste, sache que si je n'en ai rien dit, même pas à toi, j'ai trouvé étrange la maladie qui a finalement emporté mon père. J'ai appris qu'Hedjekenou, sur les instances de Persenti, lui avait longtemps versé une potion destinée, paraît-il, à leur rendre son amour. J'ai aussitôt pensé qu'il s'agissait non d'un philtre d'amour mais d'un poison subtil. Mais je n'aurais jamais songé à croire coupables ces deux femmes qui avaient tout intérêt à conserver le plus longtemps possible leur époux en vie car elles pouvaient tout craindre de son successeur, s'il n'avait été comme je suis. Maintenant, après y avoir réfléchi plus sérieusement, sans pour autant avoir examiné l'affaire de plus près, ce que tu me rapportes me conforte dans mon sentiment que mes belles-mères ont été dupées, qu'on leur a fait passer du poison pour un philtre destiné à réveiller l'amour. Je crois n'avoir même pas une longue enquête à faire pour découvrir qui peut avoir incité Personti à persuader Hedjekenou d'agir ainsi, mais je ne chercherai pas à le savoir. Car ces hommes ont raison : il fut, en effet, un temps, selon ce que m'a appris mon oncle Hori, où les rois étaient mis à mort par les prêtres lorsqu'ils jugeaient qu'il avait accompli sa mission royale et qu'il commençait à décliner. Si cette antique loi avait encore été en usage, sans doute mon père aurait-il été sacrifié et envoyé auprès de nos ancêtres. Et il est tout aussi vrai qu'il a continué de perpétuer l'injustice dont ont été victimes tes parents et tous les fidèles de Ptah. Et encore, par ces gigantesques travaux que sont sa pyramide et la construction du sphinx à qui il a donné orgueilleusement son visage, bien que ce soit mon grand-père qui l'ait conçu et entrepris, il a continué la politique de son père qui épuisait le peuple du Nil pour sa propre gloire. Si bien que, comme tu le sais, lorsque j'aurai terminé d'accomplir la volonté de mon père en achevant sa pyramide, pour moi-même je ne me ferai ériger qu'un modeste monument, bien petit, mais qui suffira à mon ambition et n'exigera que peu de labeur de mon peuple envers lequel je veux me comporter comme un bon berger. Telle est la conséquence heureuse de l'enseignement de mon oncle, le prince Djedefhor.

— Sans doute, Menki, tes paroles apaisent mon cœur et je les trouve judicieuses, mais il n'en demeure pas moins que ton père, le dieu justifié, a été assassiné.

— Ce qui prouve déjà qu'il n'était pas un dieu. Moi non plus, au reste, pas plus que mon grand-père Khéops, ni que ses ancêtres, car tous nous ont quittés, tous ont vécu comme des hommes et sont morts comme des êtres engendrés. Sache, Kaba, je veux te le confesser, qu'il m'est arrivé souvent de détester mon père, de souhaiter le voir bientôt rejoindre son Ka, car je trouvais que son règne n'avait que trop duré, je voyais trop les peines et les malheurs de ceux qui travaillaient à ses folles entreprises, et je voulais rendre à toi et à tes parents, tout autant qu'au dieu, des biens et un culte qui leur étaient dus et que mes prédécesseurs leur avaient injustement confisqués. Il devait venir tôt ou tard, le moment du départ de mon père, il était accompli le temps de son règne. Je trouvais qu'il tardait trop à nous quitter et si moi-même je n'aurais jamais voulu hâter ce départ de ma propre initiative, ce serait de ma part une grande perversion et une fourberie que de prétendre punir ceux qui ont accompli ce qu'en secret je souhaitais qu'il advînt. Aussi, tu n'as pas de scrupules à avoir à mon égard. Je ne pourrais me permettre, en tant que souverain des Deux-Terres, de récompenser ces deux hommes car on pourrait en chercher la raison et je ne tiens pas à devoir sévir contre eux malgré moi. Mais tu peux dire à ton père et à Khouenptah que Ma Majesté serait satisfaite qu'ils s'occupassent eux-mêmes d'accéder aux demandes des fils d'Abedou et qu'ils les dédommageassent sur les biens du temple. Je leur rendrai le double de ce qu'ils auront pu accorder... Je sais qu'ils useront modérément de ce droit. Mais qu'il soit fait en sorte que ces hommes sachent que leurs bienfaiteurs agissent avec la complicité de Ma Majesté afin que j'aie leur reconnaissance secrète et qu'ils ne cherchent pas à utiliser contre moi le poison qui a emporté mon père.

— Menki ! s'exclama Kabaptah en s'agenouillant devant lui et prenant ses mains entre les siennes, comment peux-tu imaginer qu'ils puissent chercher à te nuire alors que c'est par leur action que tu as accédé si promptement au trône d'Horus ? D'autant qu'ils te devront bien de la reconnaissance...

— Malgré ma jeunesse et mon manque d'expérience, Kaba, je sais trop bien que la reconnaissance d'un bienfait peut aussi bien peser sur une âme et la chagriner qu'une rancœur. C'est pourquoi je ne compte pas sur elle pour me faire des amis. C'est d'ailleurs aussi pourquoi je tiens tant à notre amitié, car elle a été spontanée, elle est née d'une mutuelle attraction et je sais que ce n'est ni par intérêt ni par reconnaissance que tu es près de moi mon précieux ami, puisque tout a commencé entre nous alors que tu me croyais un simple compagnon d'étude, que tu ignorais qui j'étais en réalité.

– Il est vrai que je me félicite qu'il en soit ainsi car j'aurais été bien chagriné qu'on puisse penser que je demeure auprès de toi par intérêt et non conduit par un véritable amour et une profonde admiration, car tels ont été les sentiments qui m'ont tout de suite attaché à toi et qui me lieront toujours à toi, serais-tu un jour jeté au bas de ton trône et réduit comme l'a été ton oncle Hori à l'état d'esclave.

La chute fit sourire Mykérinos qui releva son ami et reprit :

– Il convient maintenant que tous deux nous oubliions ce qui vient d'être dit. Continuons de croire que le dieu, mon père, a rejoint son *ka* selon la volonté des dieux, sans nulle intervention humaine. Selon ce qui m'a été rapporté, les travaux de restauration du temple sont parvenus à leur fin. Je te charge maintenant, avec l'aide de ton père et de Khouenptah, de préparer les cérémonies de purification et de consécration du temple pour qu'il puisse accueillir la statue du dieu et que lui soit enfin rendu son culte.

– Mon grand-oncle y songe depuis déjà quelque temps et je crois que le jour est proche où il viendra devant Ta Majesté pour te déclarer qu'est venu le moment où tu devras faire ton apparition dans le temple afin de le rendre à son dieu tutélaire.

– Tes paroles réjouissent mon cœur. Il est temps, maintenant que sont réglées toutes ces graves et ennuyeuses questions, de chasser toute pensée attristante loin de nous et de songer au plaisir de nous trouver ensemble, loin de tout regard indiscret, loin de ces gros courtisans qui aimeraient tant se trouver à ta place... mais ils ne se sont pas regardés, ils ne peuvent imaginer que nous nous aimons parce que tu es toi et que je suis moi.

CHAPITRE IV

Il y avait déjà plusieurs jours que le premier des deux bateaux de l'expédition de Nékaourê avait été mis à flot. Les marins avaient fait un premier essai de navigation, renouvelé par une sortie au large d'une journée et une nuit, à laquelle avaient participé Nékaourê et Djedefhor. Le second vaisseau était maintenant presque achevé et on avait commencé à disposer sous sa coque les rondins de bois sur lesquels il devait être dressé pour être tiré jusqu'à la mer, toute proche. Et Djedefhor en avait quelques regrets. Il s'était maintenant si fortement attaché à son fils dont il avait finalement assumé l'essentiel de l'éducation depuis qu'il avait été chargé de la formation des enfants royaux, il lui découvrait sans cesse de nouvelles qualités qui faisaient son bonheur – il est vrai qu'un père n'est pas toujours avantageusement placé pour juger un enfant trop aimé – qu'il ressentait une tristesse mêlée de regrets en songeant qu'ils allaient bientôt devoir se quitter, que le jeune homme, plein d'enthousiasme et d'illusions, allait s'embarquer pour disparaître vers des horizons lointains dont nul ne pouvait être assuré qu'il en reviendrait.

D'un autre côté, il ne savait s'il devait trouver dans Persenti une compensation à ce départ. Car, depuis près d'une quinzaine de jours qu'elle était apparue à ses regards stupéfaits – mais secrètement ravis – elle n'avait manifesté aucun sentiment particulier à l'égard de son ancien amant. Elle se comportait vis-à-vis de lui comme elle l'avait fait depuis le jour où il lui avait laissé entendre qu'il serait fou de continuer de se rencontrer en secret alors qu'elle était une épouse royale, alors que Khéphren se doutait bien de leurs relations tout en laissant penser qu'il n'avait pas le moindre soupçon. Elle se montrait enjouée, un peu lointaine, mais cependant amicale et même respectueuse, comme il lui semblait qu'elle devait l'être à l'égard du frère du roi, fils de la Grande Épouse royale, d'un homme censé être le seul de la famille à avoir hérité du sang divin du dieu par sa mère.

Mais, par ailleurs, elle s'était montrée provocante comme jamais encore elle n'avait osé le faire. Pour commencer, elle se trempait plusieurs fois par jour dans les eaux claires de la mer, en compagnie d'Ouadjet, après s'être dépouillée de sa robe. Au reste, elle y avait bientôt substitué un pagne sous prétexte de la grande chaleur qui régnait dans ce désert. Il est vrai que les jeunes paysannes qui travaillaient dans les champs se contentaient de ceindre un étroit pagne, mais c'étaient des filles de la campagne, alors que Persenti n'était plus une jeune fille et, de plus, elle était une épouse royale. Djedefhor avait ainsi pu constater qu'elle avait toujours un corps magnifique, souple et svelte, et il ne lui déplaisait pas de pouvoir l'admirer, tout en suscitant ses désirs. Elle se montrait aussi effrontée dans ses sourires, dans certains gestes qui, bien que toujours discrets, paraissaient à Djedefhor comme des invitations à venir vers elle, sans cependant qu'il puisse avec certitude les interpréter dans ce sens. Aussi évitait-il de réagir, ne serait-ce que par égard pour Nékaourê qui aurait mal interprété un quelconque rapprochement entre sa mère et celui qu'il considérait toujours comme son oncle. Il avait même craint qu'elle n'exigeât de participer à la première croisière nocturne du bateau, mais elle n'en avait manifesté aucun désir, à son soulagement, car il ne savait à quelle excentricité elle aurait pu se porter durant cette courte navigation. En revanche, elle voulut accompagner son fils lors de la mise à flot du second bateau et de son premier essai de navigation, tout le long du rivage, par mesure de sécurité.

– Je veux moi aussi, avait-elle déclaré à Nékaourê, faire l'expérience d'une telle navigation. Je veux savoir ce que tu vas éprouver sur cette mer pendant tant de jours et de nuits, comment tu vas dormir sur cet étroit pont, de quelle manière tu vas y vivre.

Djedefhor s'était gardé d'embarquer avec eux et il était resté à terre avec Ouadjet. Cette dernière avait alors profité de se trouver seule pour la première fois depuis leur arrivée avec Djedefhor pour le sonder.

– Vraiment, seigneur, commença-t-elle en venant s'asseoir auprès de lui alors qu'il se tenait accroupi sur le bord de l'eau, ma maîtresse est bien à plaindre.

Il se tourna vers elle en prenant un air surpris par l'attaque.

– Vois, poursuivit-elle, elle s'est résolue à épouser un homme qu'elle admirait, pour qui elle avait de l'affection et du respect, mais qu'elle n'aimait pas vraiment. Cet homme prétendait l'aimer, mais cela ne l'a pas empêché, après peu de temps, deux ou trois années, de l'abandonner pour aller courir les tavernes où il a pêché une fille de rien qu'il a installée comme épouse dans sa demeure, sans plus se soucier de ma maîtresse. Sa seule consolation était son fils, et voilà que tout ce qui lui restait avec lui va bientôt disparaître sur cette mer dont tout le monde connaît la perfidie et les caprices, au point qu'il n'est pas certain qu'il revienne jamais vers nos rivages. N'es-tu pas, seigneur, le mieux placé pour comprendre ce que je dis là ?

– Sans doute, admit-il, attendant la suite de ce discours tout en s'interrogeant sur le sens réel de la question : songeait-elle au navigateur qui était rentré en Égypte par la mer d'un si lointain rivage, ou alors, à l'ancien amant de sa maîtresse qui l'avait si longtemps abandonnée ?

– Ainsi, la voilà veuve, bien qu'encore si jeune et si belle.

– Crois-tu donc qu'elle ne puisse retrouver un mari ?

– Qui oserait demander en mariage l'ancienne épouse d'un roi tel que Khéphren ? Il faudrait que cet homme soit pour le moins l'égal du roi. À moins qu'elle n'acceptât de s'éloigner de

Memphis, de tout quitter pour aller s'établir dans une bourgade éloignée où personne ne saurait qu'elle a été la seconde épouse royale. Et encore, il n'est pas sûr qu'elle puisse passer inaperçue car les gens sont curieux. D'ailleurs, de quoi vivrait-elle dans une telle situation ?

Djedefhor, qui avait enfin compris le sens de la démarche de la jeune femme, se demanda si elle agissait de sa propre initiative ou si elle avait été sollicitée par Persenti pour lui parler de la sorte. Il tenta, de son côté, de se faire une opinion.

– Il n'est que trop vrai qu'elle ne pourrait ainsi quitter le grand palais pour s'exiler on ne sait où, reconnut-il. Quant à trouver un époux digne d'elle, c'est encore une autre question. Car, telle que je crois la connaître, même cet homme rare existerait-il, encore faudrait-il qu'elle éprouvât quelque sentiment pour lui, sinon qu'elle l'aimât.

– Moi je crois savoir que cette chose rare existe et, qui plus est, qu'elle a pour lui plus que de l'affection ou l'amitié que peut avoir une femme pour un proche parent de son ancien époux.

– Ah ! Et comment peux-tu le savoir ?

– Ne suis-je pas sa compagne depuis déjà plusieurs années ? Entre femmes, on se fait des confidences et je me suis suffisamment attachée à elle pour vouloir son bonheur.

– Ce sont là des sentiments qui t'honorent.

– Je ne sais s'ils m'honorent, mais il en est ainsi. Et puis, je suis un peu lasse de la voir triste et de l'entendre trop souvent se plaindre de certaines personnes. Bien que je doive reconnaître que depuis quelque temps elle se montre plus sereine, même gaie. Mais je sens une certaine amertume dans ses propos parfois mordants et désenchantés.

Elle se tenait assise, les bras enlaçant ses genoux repliés contre la poitrine, la tête droite, les yeux fixés sur le bateau qui s'éloignait du rivage. Djedefhor la regarda et se dit que cette fille, non contente de se montrer une fidèle compagne de Persenti, était réellement jolie.

– Vraiment, Ouadjet, lui dit-il, j'admire que tu sois ainsi préoccupée par les amours de ta maîtresse alors que tu sembles négliger les tiennes.

– Pourquoi dis-tu cela ? Ne sais-tu pas que je suis mariée, que mon époux est l'un des médecins de la cour ? lui demanda-t-elle en tournant la tête vers lui.

– Je ne l'ignore pas, mais il me semble que tu es plus souvent auprès de Persenti que de lui.

– Ainsi le veut ma fonction auprès de la seconde épouse royale. Mais dis-moi, toi-même ne négliges-tu pas ta propre vie sentimentale ? Tu n'as pas d'épouse, je ne sais pourquoi, alors qu'un homme de ta dignité devrait déjà avoir, non seulement des enfants, mais même des petits-enfants.

– Ainsi l'ont voulu les dieux et l'ont fait les circonstances de ma vie.

– Je le crois volontiers et je ne serais pas surprise que les dieux aient voulu qu'il en soit ainsi parce que, en y regardant de plus près, n'es-tu pas le seul homme que ma maîtresse pourrait épouser sans qu'on y trouve à redire ? Sans qu'on s'étonne qu'une reine ose partager une couche étrangère après être entrée dans celle du souverain des Deux-Terres ?

– Est-ce à cette conclusion que tu voulais en venir ? lui demanda-t-il avec un sourire engageant afin de recevoir une réponse sincère.

– Un peu, avoua-t-elle en riant. Vois-tu, si tu proposais à Persenti de faire d'elle la maîtresse de tes biens, je ne pense pas qu'elle te dédaignerait.

– Comment le sais-tu ?

– Une intuition. Je la connais si bien que je n'ai pas besoin qu'elle ouvre la bouche pour savoir ce qu'elle pense et ce qu'elle ressent, ce qu'elle désire et ce qu'elle espère.

– Vraiment, tu es une compagne très précieuse...

– J'en suis aussi persuadée que toi. Il te revient de voir si je me trompe en te conseillant ainsi, ou bien si j'ai judicieusement compris la nature des sentiments de Persenti à ton égard. Si tu es un homme curieux, ce que je veux bien croire considéré ce qu'on rapporte de ton savoir et de la hauteur de tes vues, tu feras cette expérience pour te persuader que je ne m'abuse pas.

— Tu veux dire que, afin de savoir si ce que tu as déduit des pensées secrètes de Persenti est exact, je devrais proposer à la reine de devenir l'épouse de son beau-frère ?

— Précisément. Si elle refuse net, c'est que je me serai fourvoyée. Si elle accepte, même avec des réticences, car elle est coquette et ne voudra peut-être pas sembler céder aux premières sollicitations, c'est que j'aurai eu raison, que je ne saurais me tromper.

— Voilà un curieux défi. Car qu'est-ce qui te fait penser que je puisse avoir quelques vues sur ma belle-sœur ?

— Je n'ignore pas que tu as été son premier amour et que tu l'as alors sincèrement aimée.

— Il y a bien longtemps de cela...

— Je suis persuadée que le temps n'y a rien fait. Sans quoi, comment expliquer qu'un fils royal tel que toi n'ait jamais pris d'épouse, qu'il dorme toujours seul depuis qu'il est rentré dans la terre chérie ?

Comme Djedefhor demeurait silencieux, elle reprit avec conviction :

— Seigneur, tu ne réponds rien ? C'est donc que tu n'as pas cessé d'aimer ma maîtresse. Et moi, je ne comprends pas pourquoi tu continues à te tenir loin d'elle alors que toutes tes pensées vont vers elle et que les siennes vont vers toi.

— Moi non plus, avoua-t-il.

Amarsi, qui était resté à terre pour mieux voir la manière dont le bateau tenait la mer et était resté pendant un moment les pieds dans l'eau à le suivre du regard, s'était détourné et il se dirigea vers Djedefhor, mettant ainsi un terme à leur conversation.

— Seigneur, déclara-t-il, celui-là tiendra mieux encore la mer que l'autre. Je le sens mieux équilibré encore. Nous poursuivrons les essais encore demain et ensuite nous pourrons charger les vaisseaux pour le grand départ. Avant que neuf jours ne se soient écoulés, nous pourrons prendre la mer.

— Amarsi, lui demanda Djedefhor, es-tu content à l'idée de revoir ton pays ?

— Seigneur, il n'est pas sûr que notre chemin passe par Ur.

— Il est pourtant dans les intentions de Nékaourê de s'y rendre. Je lui ai même remis un message pour Shinab. Les sept ans de délai sont passés et il est devenu propriétaire des biens que j'ai laissés là-bas. Mais il n'est pas ingrat et il recevra magnifiquement mon neveu. Et il te procurera une belle situation dans son commerce si tu le désires.

— Seigneur, je ne désire pas m'installer là-bas. Je n'y ai laissé personne, ni parents, ni femme ni enfants. Mon pays est maintenant la Terre noire. Mais je suis heureux de pouvoir reprendre la mer, de connaître encore les plaisirs de naviguer et de découvrir de nouvelles terres. J'accompagnerai mon seigneur le prince Nékaourê partout où il voudra se rendre. Tu me l'as confié, ainsi que tu me l'as déclaré, je ne faillirai pas à cette mission.

— Je te sais gré de ces paroles, Amarsi. Toute ma confiance est en toi. Et n'oublie pas que ce garçon m'est aussi cher qu'un fils.

Les paroles d'Ouadjet avaient encouragé Djedefhor à se rapprocher de Persenti et à lui parler franchement afin de connaître ses sentiments réels. Il se persuadait que si son frère avait été convoqué si soudainement dans l'assemblée des dieux, c'est parce que sa propre destinée était de terminer sa vie terrestre en compagnie de celle qui avait été l'amour de sa jeunesse, alors que son mariage avec le maître des deux couronnes s'était imposé comme une barrière infranchissable. Raison pour laquelle il s'était efforcé de se détourner d'elle, qu'il avait accepté d'être tenu éloigné grâce à sa nomination à Héliopolis, qu'il s'était montré froid, insensible à ses appels, afin de laisser penser qu'était éteinte la grande flamme d'Hathor en son cœur. Car il savait trop bien le danger qu'un tel amour faisait courir à la jeune femme sinon à lui-même, sa situation le plaçant hors de la portée de tout tribunal, et le préservant même de la colère de son royal frère. Mais il n'en allait pas de même pour Persenti.

Cependant, il ne chercha pas à susciter une occasion de se retrouver avec elle seule à seul pendant les quelques jours qui séparèrent son entretien avec Ouadjet du départ des bateaux. Il préférait attendre que leur fils se fût éloigné, qu'ils ne fussent plus, elle aussi bien que lui, les cibles des regards de tous les hommes présents. Il se réservait de lui parler sur le chemin du retour, à l'occasion d'une étape, alors qu'il n'y aurait plus auprès d'eux que quelques hommes d'escorte, personne d'autre dans leur intimité qu'Ouadjet qui lui était désormais une complice. Mais il se disait qu'il ne devrait pas manquer cette occasion car, dès leur arrivée à Memphis, ils se sépareraient à nouveau, elle pour revenir dans le grand palais, lui pour regagner sa résidence d'Héliopolis.

Ainsi, alors qu'il y avait à peine quelques jours il aurait aimé faire durer encore le temps de la préparation au départ afin de garder le plus longtemps possible son fils auprès de lui, maintenant il avait presque hâte que vînt le jour de l'embarquement, il était envahi par une sorte de fièvre, une impatience de se retrouver en compagnie de Persenti sans témoin, sans oreille indiscrète afin de lui révéler sa pensée et lui dire ce qu'il désirait lui faire savoir afin d'entendre la réponse qu'il était en droit d'attendre, car il ne doutait pas que lors de son bref entretien avec Ouadjet, celle-ci n'ait voulu lui faire entendre que sa maîtresse était prête à l'écouter d'une oreille favorable, qu'elle n'attendait même que cela, qu'elle souhaitait dans le secret de son cœur qu'il franchisse le pas qu'elle-même ne pouvait maintenant que difficilement faire.

Il vint bientôt le jour du départ, le jour de la séparation. Les deux bateaux étaient amarrés à peu de distance du rivage, juste à la limite de la profondeur d'eau nécessaire à leur maintien à flot. Les marins étaient à leur place, quatre barreurs à la poupe tenant chacun sa rame de gouverne rattachée par un court filin au bastingage – pour la haute mer, on évitait de les lier à un petit mât, ce qui obligeait de leur ajouter un appendice destiné à les manier, et, en conséquence, les fragilisait, alors que c'était une facilité de barre sur les eaux tranquilles du Nil –, les quarante rameurs assis à leur banc, vingt sur chaque côté, le mât central dressé, la voile carrée carguée mais prête à être hissée, le subrécargue à son poste pour diriger la manœuvre. On n'attendait plus que le maître, le prince Nékaourê, et le commandant du second vaisseau, le sumérien Amarsi.

– Néky, disait Djedefhor en tenant les mains de son fils, que le dieu te guide dans ta navigation, qu'il te conduise d'abord à Ur la grande. Conserve précieusement la tablette que je t'ai confiée pour Shinab. Salue bien pour moi tous ceux que j'ai laissés là-bas, et plus particulièrement mon serviteur Kilula et aussi Gursar. Peut-être acceptera-t-il de reprendre la mer avec toi. Arrête-toi aussi à Dilmoun et donne à Uperi et aux gens de son village les cadeaux que je leur ai destinés. Pareillement, fais tous les cadeaux nécessaires aux gens d'Ur et va devant le roi de la cité. C'est sans doute toujours le frère de la reine Puabi. Tu lui feras don du coffret avec la poudre d'or vert de Nubie et de tous les autres trésors qui t'ont été confiés à son intention et tu lui apporteras le salut du roi des Deux-Terres, ton frère, et du prince Hori. Pour le reste, agis au mieux qu'il te sera possible, selon ce que tu croiras qui est bien et utile.

Un long moment Personti resta enlacée à son fils, elle respira le parfum de ses narines, elle s'imbiba de son souffle de vie et chercha à lui insuffler le sien. Enfin elle se décida à le libérer de son étreinte.

– Ma mère, lui dit-il alors, que ton cœur soit rassuré, qu'il ne se fasse pas de soucis pour moi. Le dieu me protégera, Isis veillera sur moi, elle saura apaiser la Grande Verte, elle conduira nos vaisseaux. Et moi, je te rapporterai les trésors des pays du Levant. Dis-moi ce que tu désires, ton vœu sera exaucé.

Malgré elle, Persenti ne pouvait retenir ses larmes qui embuèrent sa vue, mais elle rit pour laisser penser que les paroles de son fils la rassuraient et elle porta une main sur sa gorge, sur laquelle pendait un beau collier ciselé, orné de belles perles d'un bleu profond.

– Vois, dit-elle, on dit que cette pierre dans laquelle sont taillées ces perles, ce lapis-lazuli vient d'une mystérieuse contrée à l'orient du monde. Ton oncle en a entendu parler lors de son séjour chez les gens du Sumer. Il paraît qu'ils en font le trafic, qu'ils vont le chercher au loin, par-delà montagnes et déserts. Ce collier, c'est Hori qui me l'a offert. Il me plairait que tu m'en rapportes un autre, différent, aussi beau.

– Si ce n'est que cela, j'irai, s'il le faut, jusque dans ces mystérieuses montagnes où se lève le soleil et où, selon ce que nous a raconté Hori, on trouve cette pierre de ciel. Je te cueillerai de plus belles perles encore car ne prétend-on pas qu'elles poussent sur des arbres comme de beaux fruits, dans un verger divin ?

En parlant ainsi, Nékaourê s'était tourné vers Djedefhor qui l'écoutait, un sourire aux lèvres.

– C'est ce que l'on prétend là-bas, assura-t-il, mais ce sont des racontars, des mensonges de marchands pour laisser entendre qu'il s'agit d'objets merveilleux dignes des dieux. En réalité je crois plutôt que cette pierre provient de carrières comme celles dans lesquelles nous autres Égyptiens nous trouvons la turquoise, dans le désert du Levant, dans ces Terrasses de la Turquoise, vers les mines d'Atika. Ce dont je suis certain, c'est que le lieu d'où provient cette pierre est très loin, quelque part vers l'horizon où se lève le soleil. Je doute que tu puisses y parvenir car les gens du Sumer gardent jalousement secrète la route qui y conduit afin de conserver le monopole de cette pierre. Mais tu pourras en trouver à Ur ou dans la grande cité d'Uruk qui est sa voisine.

Nékaourê se contenta de hocher la tête puis, suivi d'Amarsi, il se détourna, il entra dans l'eau, il marcha, il s'y enfonça jusqu'à la poitrine : il était alors parvenu à la hauteur de la poupe d'où on lui lança un filin le long duquel il s'éleva par la force des poignets et il sauta par-dessus le bastingage. Amarsi ayant fait de même avec l'autre bateau dont il avait le commandement, l'ordre de hisser la voile fut lancé tandis que les rames plongeaient dans le flot limpide. Les deux lourds vaisseaux commencèrent alors à vibrer, à se mouvoir, leur étrave fendit l'écume, elle ouvrit la mer en un long sillon comme le soc de l'araire fend la terre molle, et ils s'éloignèrent du rivage, d'abord lentement, puis le vent gonfla la grande voile et ils prirent de la vitesse.

Bien que Persenti fût à ses côtés, Djedefhor sentit alors son cœur se serrer et il marcha sur le sable brûlant, jusqu'à la grève, puis il s'avança dans l'eau, comme pour suivre le plus longtemps possible le sillage des bateaux. Il s'arrêta lorsque l'eau fraîche fut parvenue à sa taille. Et, soudain, l'image de Sidouri se présenta à lui : il la revit s'avançant pareillement dans les flots, le jour où il l'avait abandonnée, le jour où il était subrepticement parti, le jour où il l'avait vue du pont de son bateau, tenter de l'appeler, de venir vers lui, et il en éprouva une grande souffrance, un regret, peut-être, car il ne pouvait se cacher qu'il avait aimé cette femme d'une passion soudaine, étrange, si violente, qu'il avait désiré terminer ses jours dans cette île de mirage, où – mais sans doute était-ce à cause de l'éloignement et de l'embellissement que l'imagination confère aux choses lointaines – tout n'était que beauté et volupté, lui sembla-t-il. Ses yeux s'embuèrent de larmes et sa vision se troubla. Les bateaux avaient-ils déjà disparu à l'horizon ? Il ne les voyait plus, seule lui apparaissait l'image de la jeune femme désespérée, elle aussi, sans doute, en pleurs.

Une main saisit la sienne et il frissonna légèrement. Il serra dans sa main cette main petite et chaleureuse. Persenti était entrée dans la mer avec lui, sans qu'il ne s'en soit aperçu, et elle se tenait à ses côtés. Il se tourna vers elle et leurs regards se rencontrèrent. Elle aussi avait des larmes qui s'accrochaient à ses cils, mais ni l'un ni l'autre ne prononça une parole. Ils restèrent ainsi longtemps, silencieux, main dans la main, puis ils se décidèrent à revenir vers le rivage d'un pas lent, sans plus parler. Ces silences les avaient soudainement plus rapprochés que toute parole, que toute prière, que toute déclaration amoureuse. Ils se retrouvaient unis dans la tristesse du départ de leur fils, du lien le plus étroit qui subsistait entre eux.

Quelques jours après le retour de l'expédition à Memphis, on annonçait que Persenti, l'une des épouses royales du souverain défunt, avait été reçue dans la demeure du frère du roi, le prince Djedefhor. Sans doute Persenti aurait-elle préféré épouser aux yeux de tous l'amant de sa jeunesse. Mais la femme d'un roi des Deux-Terres, même après la mort de ce dernier, ne pouvait prendre un nouveau mari, fût-il de sang royal. Aussi avait-elle dû se résoudre à ne devenir que la concubine non déclarée de Djedefhor, bien que chacun sût quelle était la nature réelle de leurs relations.

CHAPITRE V

La barque royale glissait lentement sur le miroir du canal qui reliait le temple de Ptah au port intérieur de Memphis. Mykérinos se tenait assis sur le trône de bois recouvert d'une mince feuille d'or, dont les bras étaient soutenus par des entrelacs de tiges symbolisant l'union de la Terre du Nord et de la Terre du Sud. Selon l'étiquette qu'il s'astreignait de suivre, il tenait croisés sur sa poitrine la crosse et le flagellum, les deux sceptres de l'Égypte, symboles d'Osiris ; il gardait la tête droite, mais son regard ne pouvait demeurer figé et il ne cessait d'examiner les hommes et les femmes qui s'affairaient sur chacune des berges et, lors du passage de la barque mue par des avirons eux aussi recouverts de feuilles d'or, se jetaient sur le ventre en adoration devant le roi divin. Le canal, achevé, mis en eau et finalement inauguré par Mykérinos en personne qui avait accompli tous les rites avec l'aide du premier prêtre du dieu rétabli dans ses droits et ses biens, avait déjà donné bien des preuves de son utilité car il évitait le passage à travers les rues de la ville de nombreuses caravanes d'ânes destinées au transport des dons faits au dieu et des revenus de ses champs : le piétinement de tant de bêtes levait une poussière désagréable, leurs longues files chargées de marchandises encombraient les rues, les souillaient de leurs excréments, sans compter leurs braiments stridents qui retentissaient si bruyamment que même les habitants du palais de la ville s'en étaient plaints, à commencer par Hénoutsen qui goûtait le silence de ses jardins seulement troublé par les chants harmonieux des oiseaux et le bruissement des ramures des grands arbres qui y apportaient leur ombre délicieuse. Par ailleurs, le canal était aussi utilisé pour communiquer avec les maisons et les entrepôts établis tout au long de son parcours, ce qui avait permis de dégager les avenues et les rues de la cité qui, d'année en année, voyait sa population s'accroître et son trafic se développer au point que l'administration aurait pu commencer à s'en inquiéter si Sa Majesté n'avait pris l'initiative de faire creuser ce canal et aménager ses berges ; car il avait fallu surélever celles-ci et les protéger, en outre, par une muraille basse, étanche : en effet, lors des grandes inondations, le flot débordant pénétrait par cette voie d'eau dans la ville et l'aurait inondée en dépit des murs de protection qui l'enveloppaient complètement.

Face aux manifestations d'adoration de la foule qui se pressait derrière le muret dont la large crête était envahie par des enfants et des curieux désireux de voir de plus près le souverain et de lui manifester leur respect et leur vénération, Mykérinos restait impassible, s'interdisant même de faire un geste protecteur, sinon amical, vers des gens qui lui vouaient un tel culte. Et il songeait que si ses sujets avaient des raisons de lui marquer leur attachement pour leur avoir rendu le dieu de leur cité, mis un terme aux travaux épuisants que leur avaient imposés ses deux prédécesseurs, et encore pour avoir cherché à connaître les injustices dont son peuple était la victime de la part de scribes peu scrupuleux et arrogants, avoir ordonné une baisse des impôts, réduit les corvées auxquelles était astreint le peuple des campagnes, ils étaient bien fous de s'obstiner à voir en lui un dieu. Il sentait trop bien qu'il n'était qu'un homme, que sa propre famille était trop humaine, soumise aux mêmes tourments, aux mêmes menaces qui pesaient sur chacun des mortels qui peuplaient le monde des vivants. Il ne pouvait s'interdire de songer à son jeune frère Kounôrê que la maladie avait finalement vaincu, qui avait été emporté auprès de ses ancêtres, ou ailleurs, nul ne savait où, en réalité, ou encore à son demi-frère, le fils de Méresankh, Nébemakhet en qui la famille avait placé quelques espérances car il était le seul de sa génération qui, par sa mère, pouvait prétendre sentir couler dans ses veines le sang divin, transmis par Mérititès, la Grande Épouse royale de Khéops. Il était mort lui aussi, sans postérité.

Dans son enfance, il avait toujours été troublé par cette étiquette qui faisait de son père un dieu qu'on adorait comme tel. Il avait aussi entendu trop souvent Khéphren se moquer en secret de tout cet apparat, mais, conscient des devoirs imposés par sa position et les tâches qui lui incombaient, il s'était appliqué avec le plus grand sérieux à entretenir le culte de sa propre divinité, non sans manifester un certain mépris pour un peuple qui pouvait croire qu'un homme si semblable à lui, puisse dans le même temps être un dieu vivant.

Sa pensée fut ensuite entraînée vers Kabaptah qu'il venait de quitter, qu'il avait laissé dans le temple de Ptah en compagnie de son père et de son grand-oncle Khouenptah. Il s'inquiétait à son sujet car son ami se révélait soudain d'une santé fragile. Il venait de le quitter alors qu'il était fiévreux et, après la cérémonie qui avait impliqué la présence du roi, Kabaptah avait dû s'aliter tant il s'était senti faible, incapable de rentrer au palais avec son royal ami. Il s'était couché dans l'une des salles du temple plus fraîches, ou plutôt, moins chaudes que les pièces de la Grande Maison, grâce à l'épaisseur des pierres avec lesquelles le monument divin était construit. Son père avait tenu à le garder auprès de lui, dans la proximité des prêtres du temple qui, assurait-on, savaient mieux l'art thérapeutique que les médecins du palais, ne serait-ce que par leur plus grande maîtrise des formules magiques destinées à chasser les démons, causes de la maladie. Si Mykérinos s'était laissé convaincre de rentrer seul dans la Grande Maison, c'est parce qu'il supportait mal de voir son ami malade, il ne pouvait l'imaginer que vif, bien portant, s'épanchant dans son affection. La vision de Kabaptah souffrant sur son lit n'aurait pu qu'attrister le cœur de Sa Majesté, nuire à la sérénité de son âme, le détourner de ses devoirs royaux. Ainsi s'était exprimé Khouenptah, et Mykérinos n'avait pas cherché à combattre ces arguments. D'abord parce qu'il commençait à prendre très au sérieux sa tâche royale, mais aussi parce qu'il voulait fuir la souffrance qu'aurait pu lui apporter la vue du mal qui assaillait son ami ; l'aspect de la mort, son idée même lui causait le plus grand trouble, l'inquiétait, l'horrifiait. Il prétendait l'éviter de toutes les manières, éradiquer de son esprit cette pensée, faire comme si elle n'était pas une fin commune, un passage auquel il serait un jour soumis, tout dieu qu'il était. Il ne songea pas à se reprocher d'être lâche, ou encore de se persuader qu'il n'aurait jamais eu un tel comportement quelques années auparavant, lorsque les liens qui l'unissaient à Kabaptah lui paraissaient si étroits qu'il pensait ne faire qu'un avec lui.

Suivant l'emploi du temps de ce jour, soigneusement mis au point par les scribes chargés des cérémonies et des actes royaux quotidiens, la cange royale, après être entrée dans Per-nufer, le port intérieur de la ville, emprunta le canal qui conduisait vers le plan d'eau sur les bords duquel était construit le temple d'accueil de la pyramide de Khéphren. Mykérinos distingua bientôt les personnages qui se tenaient sur le haut des degrés menant de la rive du fleuve au temple : il s'agissait des directeurs des chantiers des pyramides à la tête desquels se trouvait Débéhéni, le nouveau maître des maçons royaux. Ce dernier avait été formé dans les écoles de scribes, il avait travaillé auprès des anciens prêtres de Ptah, le dieu des artisans et des architectes qu'on avait continué d'adorer en secret lors de la persécution de Khéops. Il avait été recommandé par Hérou, le père de Kabaptah, pour succéder à Ankhmarê afin d'entreprendre la construction de la pyramide du nouveau souverain. Ankhmarê avait terminé la construction de la pyramide de Khéphren, et maintenant, depuis la nouvelle lune, elle brillait de tout l'éclat de son revêtement de calcaire. L'habile architecte avait alors prié le nouveau roi de lui donner son congé car il désirait terminer heureusement ses jours dans le domaine qui lui avait été concédé par le roi justifié, le dieu Khéphren. Mykérinos, qui avait confié à Débéhéni le soin de creuser et aménager le canal intérieur de Memphis, travail exécuté avec autant d'habileté que de rapidité, avait été trop heureux d'accéder à la prière d'Ankhmarê pour pouvoir, sans causer de jalousie, confier à son nouvel architecte la succession de celui de son père et le soin de lui bâtir sa propre pyramide.

Lorsque Mykérinos descendit du bateau et gravit les degrés conduisant à la plate-forme précédant le temple d'accueil, Débéhéni et sa suite tombèrent à genoux et ployèrent le buste jusqu'à flairer le sol, puis se redressèrent et leur chef souhaita la bienvenue au roi. Interrogé par ce dernier et après s'être remis droit, il ouvrit la bouche et parla ainsi :

– Vois seigneur : comme dans ta grande bonté Ta Majesté désire ménager les efforts de ton peuple, ton serviteur a pensé qu'il serait peu sensé d'aménager un nouveau bassin au bord duquel serait construit le temple de la pyramide du dieu. Ton serviteur a repéré à peu de distance d'ici, sur ce même bassin, un lieu qui conviendrait parfaitement pour cet aménagement. Il y aura peu de terre à tailler pour agencer les escaliers, et le temple deviendra le frère de celui que mon prédécesseur a bâti pour le dieu, ton père.

– Débéhéni, lui répondit Mykérinos, Ma Majesté a mis en toi toute sa confiance car je suis satisfait du travail que tu as déjà accompli en si peu de temps. La seule exigence de Ma Majesté, tu sembles l'avoir compris, c'est que ne soient consacrés à ces constructions que peu de moyens et peu de bras, car je veux libérer le peuple de cette vallée et le rendre à d'utiles occupations. Je ne veux qu'une demeure des millions d'années de petite taille. Mais il faudra l'ériger en retrait, afin qu'elle ne paraisse pas trop mesquine comparée aux monuments de mon père le dieu, et de mon aïeul.

– Ton serviteur croit avoir bien compris les désirs de Ta Majesté et il fera tous ses efforts pour combler tes vœux.

Conduit par son architecte, Mykérinos se dirigea vers l'éminence voisine destinée à recevoir son temple d'accueil. Puis Débéhéni lui montra le chemin que devait suivre la chaussée destinée à unir le temple bas du temple haut, voisin de la pyramide. Ils s'y engagèrent alors suivis par le porte-éventail du roi, les scribes de la nécropole, les collaborateurs de Débéhéni et quelques hommes armés de lances, en petit nombre. Ils s'élevèrent tout au long de la pente douce du plateau, jusqu'à son sommet, à la hauteur des deux pyramides qui dressaient vers le ciel leur masse prodigieuse, véritable pétrification de la lumière de Rê, des rayons du soleil lorsqu'ils déchirent la nue pour illuminer le monde des mortels.

– Voici, dit le maître des maçons, le lieu que ton serviteur a choisi pour élever la demeure des millions d'années de Ta Majesté. Si ce choix t'agrée, je dessinerai le plan au sol, je ferai aménager le terrain, et avant l'inondation Ta Majesté pourra venir avec la houe afin de fendre le sol et inaugurer la construction de son monument d'éternité.

– Qu'il en soit ainsi, Ma Majesté est satisfaite de ce choix, assura Mykérinos. As-tu songé au nom qui sera donné à ce monument ?

– Bien sûr, seigneur. Il m'a semblé qu'on pourra l'appeler : Mykérinos est divin.

– C'est ce que croient les hommes de la Terre noire, mais il en est ainsi de tous les rois qui ont conduit le peuple vers sa destinée. Je préfère qu'on l'appelle la Pyramide divine, ceci en l'honneur du dieu à qui Ma Majesté a rendu tous ses pouvoirs, en l'honneur de Ptah.

– Il en sera fait comme le décide Ta Majesté. Ce sera donc la Pyramide divine. Et, afin de la distinguer des monuments des pères de Ta Majesté, il était dans les intentions de ton serviteur de revêtir la pyramide d'un parement de granit rouge de la région d'Éléphantine afin qu'elle se diapre de l'éclat du soleil à son lever et à son coucher. Ce qui justifiera d'autant plus son nom de « divine ».

– Débéhéni, reconnut Mykérinos, cette idée enchante Ma Majesté. Mais il faut tout d'abord l'ériger car, pour aussi petite qu'elle puisse être, ce n'est pas avant plusieurs années qu'on pourra songer à la revêtir de ce parement pourpre.

Comme le soleil, haut dans le ciel, surchauffait le sol, Mykérinos ne voulut pas s'attarder en ce lieu particulièrement exposé à ses ardeurs. Mais il tint à faire le détour par la pyramide de son père pour revenir au temple bas par la chaussée couverte qui descendait jusqu'au sphinx. Car, bien qu'il se soit interdit d'imiter les vues grandioses de son père et de son grand-père, Mykérinos ne pouvait s'empêcher de s'émerveiller devant leurs réalisations et de les envier. Mais il n'était que trop persuadé qu'après tant de travaux et de réussites colossales, il ne pourrait rivaliser dans le grandiose avec de tels monuments. Aussi songeait-il que c'était de sa part faire preuve d'une grande sagesse que de travailler avec modestie et de compenser le gigantisme des entreprises de ses prédécesseurs par une recherche de l'équilibre, de la beauté, c'est-à-dire du divin, dans un monument de taille modeste qui ne prétendrait pas défier les autres pyramides, mais s'imposer comme un contrepoint, faire la preuve que le divin ne s'exprimait pas uniquement à travers l'immense et l'écrasant, mais encore dans une certaine harmonie.

Le cortège fit une halte dans le temple haut de la pyramide de Khéphren où les prêtres vinrent au-devant du roi et l'invitèrent à venir faire un sacrifice d'encens dans l'adyton du sanctuaire, en l'honneur du dieu, son père. Ainsi fit-il et, lorsqu'il se retrouva dans la petite salle obscure et qu'il éleva vers l'image de Khéphren que tenaient par la main Horus avec sa tête de faucon et la déesse Isis, l'encensoir formé par un petit fourneau fixé à son support en forme de flûte, il songea qu'il avait bien négligé son père et son culte depuis qu'il était monté lui-même sur le trône d'Horus. Sans doute avait-il fait hâter les travaux pour que soit rapidement achevée la pyramide royale, mais c'était plus par nécessité que par devoir d'autant que le corps du roi gisait en réalité dans l'île souterraine. Mais dans cette île, dans le temple caché construit à l'instigation de Khéops, jamais il n'était revenu. Il est vrai qu'il ignorait le secret des chemins obscurs et labyrinthiques qui conduisaient au lac souterrain, sous les pattes du sphinx, mais il n'avait jamais eu la curiosité de demander à Hénoutsen, la seul personne qui en conservât encore le secret avec Djedefhor, de le lui faire connaître. Lors de la descente de la momie royale de Khéphren, il s'était contenté de suivre le cortège, sans chercher à se remémorer la suite dédaléenne de couloirs qu'on avait empruntés. Et il lui vint à l'esprit que si d'aventure sa grand-mère et son oncle venaient à mourir, le secret serait à jamais perdu, et l'accès des salles souterraines définitivement scellé. Il décida alors de se rendre auprès d'Hénoutsen pour lui demander de lui faire connaître le cheminement mystérieux des galeries conduisant à l'île de l'Embrasement.

Ce n'est pourtant que quelques jours plus tard que Mykérinos trouva le temps de rendre une visite à sa grand-mère. La mort de Kounérê, que Minkaf devait former à la fonction de vizir, avait contraint ce dernier à assumer cette tâche dont il avait voulu s'éloigner, mais il ne s'y adonnait pas avec la même conscience que par le passé et il laissait aux scribes de son administration le soin de le suppléer, ce qui obligeait le roi à s'investir lui-même. Il ne s'en plaignait cependant pas car, alors que dans les premiers temps de son règne il pensait avant tout à son ami Kabaptah et était plus préoccupé de leurs relations, des exercices de lutte auxquels ils trouvaient tant d'agréments, de la chasse dans les fourrés de papyrus ou dans le désert que des affaires de l'État, il avait maintenant pris plus au sérieux sa fonction royale ; il n'avait pas désapprouvé Minkaf lorsque ce dernier lui avait dit que l'administration du royaume était l'une des tâches essentielles d'un bon monarque et que lorsque Khéphren et Khéops avaient abandonné une large partie de leurs pouvoirs entre les mains de vizirs, ils avaient failli à leurs devoirs et s'étaient trop investis dans leurs gigantesques entreprises architecturales.

– Puisque tu as la sagesse de ne pas vouloir marcher sur leurs traces et qu'il est dans tes intentions de t'occuper toi-même de rendre la justice et de diriger l'administration des scribes, avait-il conclu, puisque Kounérê n'a pas voulu écouter mes conseils et a préféré aller rejoindre nos ancêtres, je veux bien encore t'aider dans ces fastidieux détails du gouvernement des hommes, mais sache que je n'ai pas l'intention de vieillir dans ces travaux et mourir à une tâche que j'ai trop longtemps assumée au détriment de mes plaisirs.

Ainsi, la fonction royale absorbait-elle une grande partie du temps du jeune roi, raison pour laquelle il ne consacrait plus que peu de moments à sa famille. Néanmoins, la personne à qui il rendait le plus souvent visite était précisément Hénoutsen qui conservait, à ses yeux autant qu'à ceux des amis du roi, un très grand prestige, bien qu'elle se soit éloignée des affaires du pays ; mais pour ce qui concernait les questions difficiles ou complexes, on ne manquait pas de venir prendre ses conseils toujours frappés au sceau du bon sens et de la largeur de vue.

Lorsqu'il se retrouva seul devant sa grand-mère, Mykérinos s'inclina avec respect, bien qu'il fût le roi. Hénoutsen le serra entre ses bras.

– Je suis heureuse de te voir mon enfant, lui dit-elle ensuite en l'invitant à s'asseoir auprès d'elle, dans l'ombre des vignes formant une tonnelle, dans le pavillon construit sur la petite île, au milieu du lac artificiel, lieu où elle se plaisait à résider, surtout lorsque venaient les grandes chaleurs annonçant la saison de l'inondation. Je vois avec satisfaction que tu te donnes avec de plus en plus d'ardeur et de détermination à la tâche qui t'est dévolue en tant que berger du peuple du soleil.

– Il est vrai, grand-mère, reconnut-il, que mon oncle Minkaf m'a bien fait sentir cette nécessité et puisque j'ai accepté de ceindre la double couronne, je serais blâmable si je n'assumais les devoirs qui sont attachés à la fonction royale.

— C'est une bonne fonction assurait ton père, mais elle n'est pas faite que de plaisirs, tout au contraire, confirma-t-elle.

— J'en ai pris une conscience aiguë ces derniers temps. Et c'est l'une des raisons qui m'ont conduit à venir devant toi. Sache que l'autre jour, tandis que Débéhéni me montrait les emplacements où vont être érigés mes temples et ma pyramide, j'ai songé que je délaissais le culte de mon père, que par mon attitude je risquais de provoquer sa colère.

— Je ne doute pas que ce sentiment n'ait été suscité en toi par l'esprit de ton père lui-même car j'ai aussi eu trop longtemps le sentiment que toute ton âme n'était plus tournée que vers ton ami dont tu as fait l'Artisan très Puissant de Ptah, bien qu'il n'ait visiblement pas été préparé à assumer une si haute charge.

— Tu n'ignores pas, grand-mère, que Kabaptah porte un titre dont son père et son grand-oncle assument la fonction. Hélas, depuis quelques jours mon cher compagnon souffre d'on ne sait quelle maladie et il est terrassé par d'étranges faiblesses qui le jettent sur son lit sans qu'il soit capable de se lever. Je crains pour sa vie...

— Mon enfant, éloigne de toi ce genre de crainte. Kabaptah est jeune et vigoureux. Tu es le premier à le déclarer lorsque tu reviens en sa compagnie de la chasse ou au sortir de ces exercices que tu continues de pratiquer comme les jeunes garçons, ce dont je ne te blâme d'ailleurs pas. En revanche, je serais plus encline à te reprocher de laisser ta sœur vivre loin de toi et, pour le moins, de ne pas vouloir une seconde épouse susceptible de te donner de beaux garçons.

— Est-ce vraiment utile ? Vois, mon petit Shepseskaf s'est finalement réveillé à la vie. Il grandit bien, il commence à parler correctement et à marcher.

— À plus de quatre ans, il en est temps, remarqua-t-elle. Mais ce dont tu dois te persuader c'est que ce qui fait la puissance et la grandeur d'une famille royale est le nombre des enfants issus des mariages royaux. C'est seulement ainsi que peut être assurée la pérennité d'une dynastie.

— Grand-mère, ce n'est pas de cela que je suis venu t'entretenir, ce ne sont pas ces recommandations que tu as si souvent réitérées que je suis venu entendre. Vois : pour assurer le culte du dieu mon père, il convient non seulement que les prêtres de son temple effectuent les cérémonies quotidiennes, mais il faut encore que nous descendions dans le sanctuaire souterrain de l'île de l'Embrasement pour procéder aux rites qui lui sont attachés. Or voici maintenant trois ans que mon père, ton propre fils, y règne aux côtés d'Osiris, mais pas une seule fois je n'y suis revenu apporter mon souffle de vie.

— Je le sais bien et je le regrette, mais tu sembles ignorer qu'à chaque nouvelle lune je me rends dans l'île souterraine en compagnie de ton oncle Hori et nous procédons aux rites prescrits par ton grand-père Khéops lui-même.

— Il n'est que trop vrai que je l'ignorais et, en tant que souverain des Deux-Terres, je pourrais...

— Menki, l'interrompit-elle d'un ton autoritaire, tu es le souverain de ce pays, mais pour moi tu n'es que le fils de mon propre fils, et lorsque je songe à toi c'est avec l'amour d'une mère. Tu n'es encore à mes yeux qu'un beau et grand jeune homme, qui as besoin d'être conseillé sinon dirigé dans la vie. Il est bon que tu rendes un culte à ton père dans son temple sous le soleil, mais je me réserve de rendre visite à son corps humain dans le monde souterrain.

— Il ne m'appartient pas, grand-mère, de porter un jugement sur tes actions, répondit-il avec humilité. Mais songe que s'il arrivait malheur à toi et à mon oncle, le secret du chemin qui conduit à l'île souterraine serait perdu.

— Je me sens toujours suffisamment vigoureuse pour vivre bien des années encore. Quant à Hori, il est éloigné de la vieillesse. Cependant, je suis disposée à te montrer par quelles voies on parvient à la porte du sanctuaire secret. Mais je ne le ferai que lorsque tu auras fait entrer dans ton palais une jeune femme que tu pourras aimer comme ton grand-père Khéops m'a longtemps aimée et qui te donnera autant d'enfants que j'en ai donnés à mon époux.

— Grand-mère, comment veux-tu que je puisse tout d'un coup aimer une femme qui viendrait je ne sais d'où ?

— Quoi, dans la Grande Maison il ne se trouve pas une fille de grand, ou même une musicienne susceptible de t'émouvoir, de susciter en toi le désir de faire une maison de plaisir ?

— S'il y en avait une, ne serait-elle pas déjà entrée dans mon harem ?

— Un harem bien vide, en effet, sans la moindre présence féminine. Même tes tantes ne l'habitent plus depuis que Persenti est allé vivre chez Hori et qu'Hedjekenou s'est installée auprès de son père dans la belle demeure que lui a donnée Khafrê.

— Pour que je puisse faire d'une jeune femme la compagne de Ma Majesté, il faudrait qu'elle soit la fille d'Hathor ou d'Isis ! s'exclama Mykérinos.

Puis, illuminé d'une idée par laquelle il voulait défier sa grand-mère, il reprit, avec un de ces sourires enchanteurs dont il avait le secret et dont il aimait jouer pour charmer son entourage :

— Vois, l'épouse que je prendrai, il faudra qu'un dieu me la donne, qu'elle me vienne du ciel. Je jure alors que je m'unirai à elle pour qu'elle donne des frères et des sœurs à Shepseskaf.

— Menki, répliqua Hénoutsen en riant, ton peuple a beau te prendre pour un dieu, je ne peux imaginer qu'un dieu régnant dans le ciel puisse faire descendre auprès de toi une créature de son royaume. Les rois de la terre, bien que dieux, doivent se contenter de filles d'humains, de leurs sœurs ou d'autres encore, mais jusqu'à ce jour, Isis est la seule déesse à avoir vécu sur la Terre chérie pour s'unir à son frère Osiris et enfanter Horus de qui descendent, dit-on, tous les rois de ce pays.

— Dans ce cas, Isis n'a qu'à revenir du ciel pour s'unir à son lointain descendant.

CHAPITRE VI

La réponse que Mykérinos lui avait lancée, comme un défi à la suite de son intervention renouvelée pour qu'il accepte de prendre une seconde épouse, avait consterné Hénoutsen. Elle sentait trop bien par cette esquive, combien son petit-fils était hostile non seulement à un second mariage, mais même à une quelconque union avec une personne du sexe féminin. Elle confia son souci à Djedefhor à l'occasion d'un séjour qu'il fit dans sa résidence du palais de Memphis. Elle profita cependant qu'il fût seul et que Minkaf soit aussi présent, pour leur demander de l'accompagner dans son kiosque sur le lac afin de les entretenir, leur déclara-t-elle, « des soucis que me causent mes petits-enfants ».

Lorsqu'elle se fut installée dans son large fauteuil et que les deux frères se furent assis sur des coussins à ses pieds, elle ouvrit la bouche et parla en ces termes :

– En me voyant ainsi installée avec toi Minkaf, mon fils, et toi Hori qui m'est aussi un fils bien-aimé, je ne puis m'empêcher d'évoquer Hétep-hérès, votre grand-mère, la mère de Khoufou. Elle aimait prendre place sur son beau fauteuil sculpté, et tout le monde venait à ses pieds écouter ses paroles pleines de sagesse. Et moi, j'étais une toute jeune fille et je me sentais remplie d'admiration et de respect pour elle. Et voici que maintenant les années se sont écoulées et c'est moi qui suis devenue la vieille

72

dame qui, assise dans son fauteuil, fait profiter ses enfants de son expérience.

Comme Djedefhor s'apprêtait visiblement à protester pour lui marquer qu'elle n'avait rien d'une vieille femme, qu'elle rayonnait encore d'une étrange jeunesse comme si une divinité immortelle vivait en elle, elle leva la main avec un sourire pour l'arrêter dans son élan et reprit :

— Mais c'est plutôt des conseils que j'attends de vous, ou encore des actions qui pourraient nous être d'un grand secours. Car il convient que notre famille, dont les membres lentement mais inexorablement sont appelés à aller vivre dans le sein de Sokaris, sans souci de leur âge, il convient, dis-je, qu'elle se soude plus fortement que jamais. Car elle est réellement menacée, la grande lignée d'Osiris incarnée dans les rois descendant du grand Djéser et du dieu Snéfrou

— Ma mère, intervint alors Minkaf, nous en sommes tout aussi conscients que toi, mais que pouvons-nous faire contre ce qui est, comme tu le dis, inexorable ? Au point que moi-même je m'étonne de me voir encore bien vivant et rempli de vigueur et de désir de vivre, de sorte que j'ai hâte que mon royal neveu trouve enfin quelqu'un apte à occuper la fonction de vizir afin que je commence à mener la vie qui convient à mon cœur.

— Il est cependant des événements que nous pouvons provoquer, des occasions qu'il nous revient de saisir, des éventualités que nous pouvons utiliser à notre profit. Je veux tout d'abord, m'adresser à toi, Hori. Tu ne peux plus ignorer que ma petite Khamernebti est tombée amoureuse de toi. Si depuis maintenant deux ans elle a quitté son époux pour revenir prendre des leçons de sagesse à ton école à Héliopolis, c'est dans l'espoir que tu t'intéresses à elle autrement que comme tu pourrais le faire pour une nièce ou une élève.

— Hénoutsen, reconnut Djedefhor, c'est là l'un de mes soucis. Plus d'une fois Nebty ne m'a pas caché que, bien que l'épouse de son frère et, dans ces conditions, se voyant dans l'impossibilité d'entrer dans ma demeure comme une autre maîtresse de mes biens, elle aimerait partager mon affection avec Persenti.

– Quoi ! s'étonna Minkaf, ne me dis pas que tu n'as pas répondu aux désirs de notre nièce ! Elle est suffisamment bien faite, tendre, attirante, charmante, pour qu'on puisse répondre à son désir.

– Je ne te contredirai pas, Minkaf, reconnut Djedefhor. Il y a déjà longtemps que j'ai compris que je ne laisse pas Nebty indifférente. Mais, alors, elle était destinée par son père à Menki et moi-même j'avais d'autres préoccupations. Lorsqu'elle a quitté son royal époux pour revenir à Héliopolis, elle était encore à mes yeux l'épouse du nouveau souverain des Deux-Terres, comme l'était jadis Persenti. Et aussi j'avais alors quelques scrupules à répondre à ses avances qui, néanmoins, restaient discrètes. Puis Persenti est revenue dans ma vie. Or, voici : il ne me déplairait pas de m'unir à Nebty pour tenter de donner au couple royal un ou plusieurs nouveaux enfants ; mais Persenti est jalouse, je crains que si j'agissais ainsi, elle ne me quittât ou, tout au moins, qu'elle ne m'en fasse tant de reproches que la vie deviendrait difficile dans ma propre demeure.

– Qu'elle te quitte, intervint Hénoutsen, je ne le pense pas. Mais il est vrai qu'elle a trop souffert de la présence d'autres épouses auprès de Khafrê pour accepter que tu agisses à son égard comme l'a fait ton frère. Néanmoins, je suis disposée à la raisonner car ce n'est pas par un simple caprice que tu dois faire entrer ta nièce dans ton lit, c'est pour assurer la pérennité de notre dynastie.

– S'il ne s'agit que de cela, intervint Minkaf, je suis tout disposé à me dévouer. Je ne me suis pas imposé l'embarras d'un foyer et d'une épouse, je suis donc libre de traiter ma nièce comme une concubine afin de lui faire un enfant royal.

– Il convient que le consentement soit réciproque, répliqua sa mère. Or ce n'est pas auprès de toi que Nebty s'est réfugiée, mais d'Hori. C'est donc à lui que revient la tâche de pérenniser le sang d'Horus, lui qui est le seul descendant direct de Mérititès.

— Ne vaudrait-il pas mieux, suggéra Djedefhor, que tu uses de ton autorité pour persuader Menki de rappeler sa sœur auprès de lui, dans la Grande Maison, et de se comporter à son égard comme doit le faire un mari avec son épouse ?

— Cela ne se peut, assura Hénoutsen. Vois : j'ai parlé à Menkaourê, je lui ai dit que, s'il répugnait à s'unir à sa sœur, il convenait qu'il prenne une seconde épouse pour qu'elle lui donne de nouveaux enfants, afin d'assurer la pérennité du trône d'Horus dans le cas où, par malheur, le petit Shepseskaf ne parviendrait pas à l'âge d'homme. Or, voici ce qu'il m'a répondu, en ces termes exacts : « L'épouse que je prendrai, il faudra qu'un dieu me la donne, qu'elle me vienne du ciel. Je jure alors que je m'unirai à elle pour qu'elle donne des frères et des sœurs à Shepseskaf. » Serment aisé à prêter car, même serait-il le dieu que le peuple de la Terre noire croit qu'il est, il sait bien que nulle femme ne peut lui venir du ciel. À moins, ajouta-t-elle avec un petit rire, que l'un de ces beaux oiseaux aux plumes colorées qui logent dans les fourrés de papyrus et de roseaux ne se transforme soudain en une très belle fille...

— On n'en a pas d'exemple, remarqua Minkaf, mais tout est possible pour un dieu, à ce que prétendent les prêtres. Qu'en dis-tu, mon frère d'Héliopolis ?

— Je ne peux te répondre que le seul oiseau dont on pense qu'il a pu prendre une forme humaine est le faucon. Mais en réalité il s'agissait du dieu Horus.

— Peut-être Horus pourrait-il s'incarner dans un faucon pour apporter au roi, notre neveu, une fille aussi belle qu'Hathor, la Dorée, de sorte qu'elle enchanterait notre Menki au point qu'il en oublierait l'amour de son beau Kaba.

— Un amour qui semble quelque peu se refroidir, me semble-t-il, remarqua Hénoutsen. Mais ce n'est pas pour autant que Menki pourra accepter de faire entrer une femme dans sa demeure. Le serment qu'il m'a prêté révèle trop son état d'esprit.

— Si nous pouvions le prendre à son propre piège et l'obliger à observer son serment... soupira Minkaf.

— Il m'apparaît, conclut Djedefhor, que je vais devoir faire comprendre à Persenti qu'il est de notre devoir de participer à la prospérité de la dynastie du dieu Snéfrou.

— Je m'étonne d'ailleurs, enchaîna Hénoutsen, qu'elle ne t'ait pas encore donné un nouvel enfant.

— J'en suis tout aussi surpris que toi car je peux t'assurer que depuis que nous nous sommes retrouvés enfin unis, nous n'avons pas dédaigné les plaisirs d'Hathor. Or, malgré tous nos efforts, rien n'est issu de tant de conjonctions.

— Il n'y a là rien de surprenant, assura Hénoutsen. Vois : Khafrê ne s'est-il pas uni à elle après en avoir fait son épouse, et ceci pendant plusieurs années sans qu'elle parvienne à enfanter ? Comme si les longues années de solitude qui ont précédé cette union l'avaient stérilisée.

— À moins que je ne sois le responsable, soupira Djedefhor.

— Fais quelques bonnes maisons de plaisir avec Nebty, lui répondit Minkaf, c'est le meilleur moyen pour toi de savoir ce qu'il en peut être.

L'apparition de Persenti, sur la rive du lac, qui les interpella, mit fin à leur entretien. Hénoutsen l'invita à venir à elle en prenant l'une des petites nefs en papyrus liées à un ponton puis, s'adressant aux deux hommes, elle les invita à se retirer.

— Persenti m'offre là une occasion de lui parler seule, entre femmes, dit-elle à Djedefhor.

— Ne va-t-elle pas s'étonner que nous nous éloignons lorsqu'elle arrive ?

— Dites simplement que vous devez tous deux vous rendre au Grand Palais, auprès du roi. De mon côté, je vais voir si je peux réussir à la persuader de ne pas voir en la sœur de Menki une rivale susceptible de lui enlever ton amour.

CHAPITRE VII

Il était dans la nature de Minkaf d'aimer étonner autrui, en particulier si une action d'éclat pouvait être utile à quelqu'un et, naturellement, avant tout à ses proches. C'est pourquoi, après avoir quitté sa mère et Djedefhor, il se mit à réfléchir à la manière dont il pourrait émerveiller son entourage en imaginant un moyen de contraindre Mykérinos à tenir son engagement. Ainsi déambula-t-il à travers les rues de Memphis, passant devant les tavernes et les maisons de plaisir dont il connaissait, souvent intimement, les occupantes. Devant chaque porte il rappelait à sa mémoire les visages des jeunes femmes qu'il y avait connues. Car il songeait que ce n'était qu'en ces lieux qu'il pourrait découvrir ou retrouver une jeune beauté susceptible d'émouvoir le cœur de son royal neveu. Lorsqu'il lui arrivait de rester immobile devant la porte d'une taverne où il n'avait pas remis les pieds depuis déjà quelque temps, afin de chercher à se remémorer des visages perdus de vue, si un taulier le reconnaissait, il s'empressait de venir devant lui, et, tout en s'inclinant, il lui disait :

— Bienvenue, bienvenue. Seigneur, fais l'honneur à ma modeste taverne de venir boire la bière fraîchement filtrée ou le vin décanté de cette année.

Minkaf entrait alors en demandant si de nouvelles servantes avaient été embauchées et, dans le cas d'une réponse affirmative, il demandait à les voir. Les petites, à qui le tavernier avait déclaré que le personnage devant qui elles allaient paraître était un très haut seigneur, parent de Sa Majesté, venaient à lui rieuses et pleines d'espoirs ; elles s'en retournaient bien déçues, les pauvres filles, car Minkaf ne voyait aucune d'entre elles susceptible de satisfaire le roi, et lui-même, s'il arrivait que son désir fût réveillé par quelque gracieux visage, réfrénait sa concupiscence en songeant qu'il était là pour le service de son neveu et non pour son propre plaisir.

Ainsi passa-t-il tout le reste de sa journée et une grande partie de la nuit à parcourir en vain les tavernes. Il rentra dans sa résidence, épuisé par de si longues pérégrinations et titubant d'ivresse car il n'avait jamais refusé de boire à la santé de Sa Majesté, ainsi que le lui proposait chaque taulier.

Or, une nuit, au plus profond de son sommeil, il fut visité par un rêve. Il se vit sur une large esplanade au sol couvert de briques lisses sur lesquelles il prenait plaisir à poser ses pieds nus. Le soleil était bas sur l'horizon, de sorte que le ciel du côté du couchant commençait à s'iriser de ces teintes veloutées qui éblouissent le regard par leur chatoiement. Ainsi marchait-il, dans un poudroiement d'or purpurin qui lui faisait paraître irréel le monde où il se mouvait ; d'autant plus irréel que, bien qu'il continuât d'avancer, il ne voyait pas l'extrémité de l'esplanade, devenue pareille à une large rue bordée de belles demeures, qui se déployait à perte de vue. Sur son chemin se pressaient des enfants, des femmes, des hommes, ce qui confirmait en lui l'impression de se retrouver en un lieu vivant qui ne lui était pas étranger bien qu'il ne pût l'identifier ; au demeurant, il n'y songeait pas, il se contentait d'aller toujours plus avant, comme s'il cherchait l'issue de l'espace où il évoluait. Puis, soudain, il vit à ses côtés sa mère qui lui demanda : « Eh bien, mon cher fils, as-tu enfin trouvé celle que tu cherches ? » Sans savoir pourquoi, il lui répondit : « Oui, ma mère, je l'ai trouvée. » Et tout en parlant ainsi il vit, à peu de distance, se profiler une silhouette. Elle ne portait pas la robe en forme de fourreau, cette étroite robe de fin lin blanc qui moulait le corps, maintenue par deux bandes de tissu sur les épaules, propre à la plupart des femmes de la Terre noire : elle était vêtue d'une robe qui, si elle moulait son torse qu'il ne voyait que de dos, s'évasait à la hauteur des hanches en amples volants horizontaux qui descendaient jusque sur ses chevilles. Elle s'était tournée vers lui, mais il ne put voir son visage car elle le voilait jusqu'aux yeux avec un pan d'un ample châle jeté sur ses épaules. Il marcha délibérément vers elle, mais, elle lui tourna le dos, et s'éloigna sans l'attendre. Il hâta le pas, sans réussir à la rejoindre comme si elle cherchait à le fuir. Il voulut l'appeler, mais aucun son ne sortit de ses lèvres. Il courut alors, mais sa silhouette s'estompa et disparut.

Il se réveilla en sueur sur sa couche. L'air de la chambre était chaud et le jour y pénétrait par les interstices de l'épais rideau qui masquait la porte. Il resta étendu sur le dos, sans bouger, cherchant à interpréter ce rêve qui l'intriguait. Il se demanda si c'était une divinité qui le lui avait envoyé pour lui donner une indication sur la personne cherchée. Mais il eut beau fouiller dans sa mémoire, y faire défiler toutes les femmes qu'il avait pu voir dans les tavernes où il était passé, pas une seule lui parut correspondre à la silhouette du rêve.

Et, soudain, il se redressa en disant à voix haute : « J'y suis ! C'est elle ! »

Il lui était revenu à la mémoire que, alors qu'il résidait à Khem, il avait fait un voyage à Athribis [1]. Il n'avait fait qu'y passer en se rendant à Busiris, au nord de la Basse-Égypte, où il avait été envoyé par Mykérinos pour le représenter à l'occasion de la consécration d'un nouveau temple dédié à Osiris, dieu tutélaire de la cité. L'avenue qu'il avait vue dans son rêve était l'image agrandie de l'esplanade du temple de Kem-ouet, le Grand-Noir,

---

1. C'est le nom donné par les Grecs à la ville appelée par les Égyptiens Houtériib. Son site se trouve près de l'actuelle Benha, au sud du delta, sur la branche du Nil de Damiette, au nord du Caire. C'était le chef-lieu du dixième nome de Basse-Égypte.

79

le Taureau divin, antique dieu tutélaire de la cité et de la région. Les prêtres du temple l'avaient invité à venir offrir un sacrifice au nom de Sa Majesté, dans le sanctuaire. Il se rappela qu'en traversant cette esplanade, il avait entrevu cette forme féminine revêtue de cette ample robe et d'un châle léger, teint avec la pourpre de Tyr. Il avait été frappé par la grâce de cette apparition fugitive. S'il n'avait pas été à la tête d'un cortège, entouré de prêtres, précédé de gardes, au milieu d'une foule dense, il aurait volontiers suivi cette femme afin de voir si la beauté du visage correspondait à l'élégance du corps ainsi entrevu. En d'autres circonstances, il aurait songé, en quittant le temple, à se renseigner, à demander à rencontrer cette femme dont il ne savait si elle était vieille ou jeune, ou entre deux âges. Mais il était retourné au bateau aussitôt le sacrifice offert, car il était attendu à Busiris. Pris ensuite par ses devoirs et ses tâches quotidiennes, il avait bientôt oublié cette vision, restée enfouie au plus profond de sa mémoire. Il n'en fallut pas plus pour qu'il soit convaincu que ce rêve marquait la volonté d'un dieu, qu'il devait revenir à Athribis afin d'y rencontrer cette femme qui semblait bien lui avoir été désignée comme celle qu'il cherchait.

Un moment encore il demeura ainsi, assis sur son lit, enfoncé dans ses réflexions, l'esprit tendu par les efforts qu'il faisait pour retrouver les détails du rêve et de la réalité qu'il avait alors vécue. Il se demanda pourquoi il avait vu, dans son rêve, une image crépusculaire alors que la vision qu'il avait eue dans la cité était nimbée par la cendre du soleil. « Le dieu, se demanda-t-il, voudrait-il signifier que cette femme est celle que je dois retrouver, mais que cela n'empêchera pas la disparition de la dynastie de Khéops ? Est-elle réellement destinée à s'éteindre avec le soleil d'un jour, cette grande lignée d'hommes divins qui ont construit tous ces monuments éternels ? » Ces réflexions le plongèrent dans un sentiment de mélancolie qu'il s'efforça de chasser loin de lui.

Il sauta hors du cadre du lit et, comme il s'était installé dans son ancienne résidence, dans le Grand Palais, à peine se fut-il trempé dans le bassin de son jardin et eut-il ceint son pagne qu'il se rendit auprès de son neveu. Le jeune souverain logeait dans ce qui avait été la résidence de Khéops, et il prenait alors sont premier repas dans le jardin où avait aimé séjourner son grand-père. Minkaf, en tant que vizir et oncle de Sa Majesté, avait accès aux appartements royaux à tout moment de la journée. Aussi trouva-t-il son neveu, seul dans son jardin, assis devant une table sur laquelle étaient disposés des plats chargés de dattes et de galettes.

— Mon bon oncle ! s'exclama Mykérinos en voyant paraître Minkaf, tu arrives à point pour me tenir compagnie : je m'apprêtais à te faire appeler. Viens partager mon triste repas.

— Menki, lui répondit Minkaf en s'arrêtant devant lui tandis qu'un serviteur avançait pour lui une table, tu me parais triste et chagrin...

— Minkaf, m'as-tu déjà vu ainsi seul dans ce beau jardin ?

— Est-ce la santé de Kabaptah qui t'inquiète ?

— Qu'est-ce encore qui pourrait me rendre aussi maussade ? Tout va bien dans le royaume que tu administres toujours avec autant d'adresse et d'expérience, ma famille prospère, la reine Hénoutsen reste toujours aussi resplendissante, nul ennemi ne menace nos frontières, le peuple est retourné à ses tâches naturelles et il a cessé de se plaindre. Je crois même qu'il loue son nouveau souverain.

— Le tableau que tu brosses de ta famille et de ton royaume est judicieux, lui accorda Minkaf. Tu devrais t'en réjouir, même si ton ami n'est pas encore remis sur pied.

— Je crains, Minkaf, que Ma Majesté ne puisse plus se réjouir en voyant son ami auprès de lui. Je suis comme ce Gilgamesh dont nous a si souvent parlé Hori : la tristesse l'a envahi quand il a perdu son ami Enkidou, lorsque celui qu'il aimait si vivement l'a quitté pour descendre dans l'autre monde. Je crains bien que Kaba ne fasse pareil et que je ne me retrouve dans le même malheur qui a abattu cet ancien roi d'Ourouk.

81

– Menki, n'attends pas de moi de fausses consolations pour te rassurer. Je ne sais quel mal ronge Kabaptah, et je ne sais pas plus s'il guérira ou si, au contraire, il sera envoyé devant le tribunal suprême d'Osiris. Mais dans ce cas, songe que s'il en est ainsi, telle est la volonté d'un dieu, ou même de ton père le dieu Khafrê, qui voit avec tristesse la fin de sa lignée et la réalisation si proche de la prophétie que lui a faite un jour cet homme que Hori a conduit devant lui...

– Je sais, mon oncle, on me l'a si souvent répété ! Mais quoi qu'il arrive à mon ami, je ne m'en dédie pas : j'ai déclaré à Hénoutsen que je n'épouserai qu'une fille venue du ciel...

– Je crois comprendre, se hâta-t-il d'intervenir, que par ces paroles tu signifies que tu accepteras de prendre pour seconde épouse ou pour concubine une femme désignée par un dieu.

– Tu peux l'interpréter ainsi. Mais il me faudra un signe évident de cette volonté divine.

– Dans ce cas, reconnut Minkaf, laissons au dieu le soin de te donner un tel signe. Je ne vois pas ce que nous autres, pauvres humains, pouvons faire d'autre que de laisser s'exprimer la divinité.

Satisfait de sa conclusion, il s'assit sur le siège disposé auprès de la table où les serviteurs avaient déposé tout ce qu'il pouvait désirer pour alimenter sa gourmandise.

– Menki, reprit-il au bout d'un moment, Mykérinos continuant de manger en silence, visiblement perdu dans ses tristes pensées, il va falloir que Ta Majesté se passe de son serviteur pendant un certain temps. Je dois retourner dans mon domaine de Khem que j'ai quelque peu délaissé. Il y a maintenant autour de toi suffisamment d'Amis compétents et une administration solidement établie, de sorte que le royaume continuera d'être bien gouverné pendant mon absence. Au demeurant, tu t'es bien passé de moi pendant les premiers temps qui ont suivi ton couronnement sans que l'Égypte en souffre. Nul d'entre nous n'est indispensable à la bonne marche du pays, pas même toi, et moi encore moins.

– Il est vrai que lorsque meurt un roi, on en trouve aisément un autre pour le remplacer, mais il n'en va pas de même pour un bon vizir, repartit Mykérinos. Or tu es certainement le plus grand, le meilleur depuis l'époque où Imhotep administrait le royaume de notre ancêtre Djéser et lui construisait son monument des millions d'années. Voilà pourquoi je peux difficilement me passer de toi.

– Il faudra pourtant prendre ton parti car je peux mourir aussi bien demain, voire ce jour même.

Cette idée de toute mort plus ou moins prochaine, qui le concernait aussi malgré son jeune âge, plongea Mykérinos dans un nouvel abîme de réflexions et de tristesse auquel l'abandonna son oncle en déclarant qu'il était temps pour lui de régler encore quelques affaires du royaume avant de repartir pour Khem où, assura-t-il, il ne resterait que peu de temps.

Minkaf se trouvait dans son domaine de Khem où il venait d'arriver, étape au voyage qu'il avait prévu de faire à Athribis, lorsqu'un messager lui apprit la mort de Kabaptah. Il ne se crut pas obligé de rentrer pour autant à Memphis, assuré que la personne qui saurait le mieux consoler son neveu était sa propre mère Hénoutsen. Cependant, il décida de ne plus mettre de hâte dans la réalisation de son projet, afin que le roi ne fût plus sous le coup de la douleur lorsque lui parviendrait le signe attendu du ciel.

CHAPITRE VIII

Pendant le mois qui suivit la mort de Kabaptah, Mykérinos ne quitta son palais que pour s'occuper de son ami défunt, veiller personnellement à ce qu'il fût momifié convenablement, rite réservé aux membres de la famille royale et à quelques privilégiés Amis du roi, et qu'il fût enseveli dans une tombe voisine de la pyramide qu'il se faisait construire. En ces temps, la momification, réservée à quelques hauts personnages, n'avait pas atteint le degré de perfection qui a été le sien mille ans plus tard. On se contentait d'effectuer des excisions dans le corps pour en extraire les viscères, puis, après l'avoir laissé baigner pendant quelques jours dans du natron, on l'enveloppait dans des bandelettes imprégnées de résines odoriférantes. Puis ont procédait aux rites d'ouverture de la bouche, ce qui était la tâche d'un prêtre spécialisé, mais, en cette circonstance, c'est le roi en personne qui voulut procéder à ce rite. Aussi, malgré le chagrin qu'ils éprouvaient d'une pareille perte, Hérou et son oncle Khouenptah s'étaient sentis rassurés, car ils avaient redouté que le roi, qui semblait se détacher de son favori, ne se détournât du dieu. Or Mykérinos décréta que Hérou recevrait de la main du roi l'investiture de la grande prêtrise de Ptah et, en souvenir de son défunt ami, il voulut que le tout jeune frère de ce dernier, un enfant de trois ans appelé Ptahshepsès, que la femme d'Hérou avait donné tardivement à son époux, une fois en âge d'entrer dans l'école de scribes, soit élevé avec le prince héritier Shepseskaf, lequel n'était jamais que de trois ans son aîné.

Ayant ainsi arrangé les affaires de Ptah pour sa plus grande satisfaction et, surtout, pour celle de la famille de Kabaptah, Mykérinos décida de se porter en personne auprès de son oncle Djedefhor, à Héliopolis. Il s'y rendit sans aucun apparat, non sur la barque royale officielle, mais sur une simple cange, afin de passer inaperçu. Comme il n'avait averti personne de son projet, grande fut la surprise des prêtres du temple de Rê lorsqu'ils virent Sa Majesté apparaître devant eux. Ils vinrent flairer le sol à ses pieds, mais Mykérinos se hâta de leur ordonner de se relever et demanda à être conduit auprès de son oncle, le prince Djedefhor.

— Seigneur, lui fit savoir Raouser qu'on était allé chercher en hâte, le Grand Voyant de Rê n'est pas ici. Il n'est pas venu parmi nous depuis déjà plusieurs jours.

— Sais-tu où Ma Majesté peut le trouver ? s'enquit Mykérinos.

— Je ne le sais, ton serviteur l'ignore. Sans doute dans sa demeure, ou encore dans la maison de vie où il dispense son immense savoir et sa sagesse.

— C'est une bonne chose. Raouser, j'ai appris que ma cousine Néferhétépès, ton épouse, t'a donné un fils. Comment va le petit Ouserkaf ?

— Seigneur, les Sept Hathors semblent s'être penchées sur son berceau car l'enfant va bien, il est bien portant et tout souriant. Mon épouse est contente et le dieu est satisfait.

— Dans ces conditions, je le suis aussi. Je passerai rendre une visite à ma cousine, aujourd'hui même ou demain car j'ai l'intention de rester quelques jours dans la cité du Phénix.

Comme la belle demeure où s'était installée la reine Khamernebti, dans laquelle Mykérinos avait l'intention de s'établir pendant son séjour à Héliopolis, se trouvait à proximité du temple de Rê, le roi s'y rendit afin de s'y faire annoncer et s'y rafraîchir. Il ne pensait pas y trouver sa sœur et épouse car il s'était laissé dire qu'elle résidait plus souvent dans la maison de vie où elle était la meilleure élève de leur oncle. Or il la trouva dans le jardin intérieur où elle posait devant un sculpteur qui épannelait la pierre en de légers coups de son maillet.

Lorsque apparut le roi, l'artiste, qui l'avait déjà entrevu et le reconnut, se jeta sur le sol tandis que Khamernebti restait toujours debout et immobile, dans son étroite robe de lin blanc.

— Menki, mon frère, quelle surprise ! se contenta-t-elle de s'exclamer.

— Je ne pensais pas te trouver ici, reconnut-il, puis il invita le sculpteur à se retirer.

— Ainsi, reprit-il alors, tu te permets de te faire représenter ainsi seule, comme une divinité...

— Et pourquoi pas, mon cher époux ? Ne suis-je pas une déesse au même titre que toi ? Et je veux avoir une belle représentation de moi tant que je possède cette jeunesse et cette beauté que tu as si injurieusement dédaignée.

Devant l'agressivité de la jeune femme, Mykérinos préféra prendre une attitude conciliante, car il savait qu'il n'aurait pas le dernier mot avec elle, même s'il prétendait user de son pouvoir royal. Il se détendit et sourit.

— Chère petite sœur, lui dit-il, je ne dis pas que tu ne sois pas belle, seulement je n'éprouve aucun désir pour toi. Mais je suis content de te trouver ici. Vois, je suis tout autant persuadé que notre grand-mère qu'il est nécessaire que tu donnes encore d'autres enfants à notre famille. Je sais que tu as plus qu'une affection filiale pour Djedefhor, c'est pourquoi je voudrais que tu t'unisses à lui pour qu'il te fasse un enfant de sang royal. Mais de telles relations doivent demeurer secrètes car, dans le cas où tu mettrais au monde un nouvel enfant, il convient qu'on pense que j'en suis le père.

— Crois bien, Menki, que je serais la première ravie d'avoir un enfant d'Hori. Mais il y a entre lui et moi un obstacle qui s'appelle Persenti. Et Hori est si délicat qu'il ne veut rien faire avec moi sans l'accord de sa concubine. Or, sache que la reine Hénoutsen en personne est intervenue auprès d'elle. Mais elle s'est montrée si chagrine, si indignée d'une telle intervention que grand-mère n'a plus insisté.

— Dans ce cas, c'est Ma Majesté qui décidera. Voilà ce qu'il en coûte de recueillir dans sa demeure une fille du peuple. Elle en perd toute mesure et elle se croit une divinité alors qu'elle a encore les pieds pleins de boue. Quoi ! Les princesses de notre famille ont toutes admis que leurs époux s'unissent à d'autres femmes, prennent des épouses ailleurs, et voilà que cette ancienne danseuse exige de son amant, prince royal, fils du dieu Khéops et de la reine Mérititès, une ridicule fidélité ? Comme si le fait de partager parfois ta couche devait avoir quelque conséquence sur ses relations avec lui !

— Au moins, elle, elle l'aime son Hori ! Je ne peux le lui reprocher.

— Elle l'aime trop. Comment notre oncle peut-il supporter une si impérieuse domination d'une fille ramassée dans une école de danse ?

— C'est précisément pour cela qu'il accepte cette domination, c'est parce qu'il s'est épris d'elle qu'il se comporte ainsi. Ne sais-tu pas qu'il est tombé si follement amoureux d'elle dans sa jeunesse que, afin de la séduire, il est allé jusqu'à se faire admettre dans l'école du temple d'Isis comme un simple danseur et qu'il s'est conduit comme s'il était le fils d'un couple de serviteurs ?

— Je le sais, je le sais, mais il s'est passé tant d'années depuis cette époque, qu'il pourrait avoir repris l'autorité naturelle que lui confère sa naissance ! Mais où donc est Hori ? Je te croyais auprès de lui dans la maison de vie.

— Il s'est rendu dans le désert de Kerâha, dans le lieu où s'est définitivement retiré ce Djedi, ce sage dont il aime encore prendre les conseils.

— Quoi, cet homme vit encore ? Je croyais qu'il avait depuis déjà longtemps rejoint son Ka.

– Il est vrai qu'il est sec comme un squelette, desséché par le soleil et le vent du désert, mais il est toujours aussi solide, jamais malade. En tout cas, lui, si jamais un jour il meurt, il ne sera pas nécessaire de le momifier, c'est déjà fait de son vivant.

– Pour ce qui est de cette Persenti, reprit Mykérinos, je vais la convoquer devant Ma Majesté et il faudra bien qu'elle s'incline devant ma volonté royale.

– Menki, je ne pense pas que ce soit là une bonne résolution. Elle pourra aussi bien paraître s'incliner, mais lorsqu'elle se retrouvera seule face à Hori, il lui sera facile de lui interdire de venir à moi.

– Alors, je sévirai.

– De quelle manière ? Son ascendant sur Hori me paraît suffisamment fort pour qu'il se résigne à déclarer que lui-même ne veut pas s'unir à moi. Vois : je ne doute pas qu'Hori ressente du désir pour moi. Mais pas une seule fois il n'a eu l'occasion de se trouver seul avec moi. Persenti est toujours là, elle le suit comme son ombre tant elle craint qu'il ne lui fasse quelque infidélité. Or, je suis certaine que si l'occasion s'en présentait, il serait trop heureux d'échapper à son emprise et il ne dédaignerait pas de passer quelques nuits en ma compagnie. Il suffirait de trouver une raison pour la séparer de lui.

– Si ce n'est que cela, Ma Majesté dispose du meilleur moyen pour éloigner cette femme de notre oncle.

– Et quel est ce moyen ?

– C'est un secret d'État que Ma Majesté ne peut partager avec personne, même pas avec sa Grande Épouse.

– Peu m'importe, du moment que je pourrai me retrouver seule avec Hori, concéda Khamernebti malgré la curiosité qu'il avait éveillée en elle.

Mykérinos s'installa dans la demeure de sa sœur en attendant le retour de Djedefhor. Avisée de la visite du roi, Persenti envoya auprès de lui Ouadjet afin de lui témoigner sa déférence et demander l'autorisation de venir saluer Sa Majesté. C'est ce qu'espérait le roi. Comme il tenait sa cour en présence de Khamernebti et de quelques Amis de sa suite, il se leva de son siège et invita la jeune femme à le suivre dans une salle retirée. Ouadjet dissimulait son anxiété, surprise de la volonté du roi de l'entretenir en secret. Elle imagina un instant que, maintenant qu'il avait perdu son ami, il avait des vues sur elle. Elle resta muette de stupeur lorsque, après avoir pris place sur un siège et la laissant debout devant lui, il lui déclara :

— Ouadjet, il est préférable que notre entretien demeure secret car il déplairait à Ma Majesté que ce que tu vas me confesser ne s'ébruite.

— Seigneur, s'inquiéta-t-elle, qu'aurais-je à confesser à Ta Majesté ?

— Le nom de ton père est bien Djati ?

— C'est son nom.

— Et ton époux Héqeq est dans le même temps ton demi-frère et ton cousin, puisqu'il est le fils d'Ankhi et que vous avez la même mère.

Elle le reconnut tout en se sentant envahie par un grand trouble.

— Or, ton père et ton oncle haïssaient mon père et mon grand-père, les dieux qui sont maintenant auprès d'Osiris.

— Je... je ne sais pas, seigneur.

— Tu le sais bien, d'autant mieux que c'est par ton intervention que mon père a rejoint son Ka alors qu'il était en pleine force.

— Seigneur ! Comment... bégaya-t-elle en tombant à genoux.

— Ne t'alarme pas, tu n'es pas devant un tribunal. Dis-moi, c'est bien un poison subtil qui a été versé à mon royal père ?

Elle se contenta d'incliner la tête. Elle ne savait comment le roi avait pu avoir eu vent du complot, mais elle se persuada qu'il était inutile de nier, qu'il lui était facile de la confondre. Or, comme il ne paraissait pas en être irrité et qu'il lui parlait même sur un ton plein de douceur, elle se rasséréna.

— Et ce poison a été versé par Hedjekenou qui l'a reçu de Persenti... poursuivit Mykérinos, afin d'obtenir une certitude sur une simple hypothèse qu'il avait pu échafauder à partir de ce que lui avait jadis confié Kabaptah et des déductions qu'il avait pu faire à la suite d'une enquête très discrète. Or Ouadjet ne chercha plus à dissimuler quoique ce soit. Il lui semblait que dans sa prescience propre à sa nature divine, le roi pouvait aisément discerner le vrai du faux. Cependant, elle s'était si fortement attachée à Persenti, qu'elle voulut la disculper, dans la crainte que le roi ne fit retomber sa colère sur sa belle-mère.

— Elles croyaient qu'il s'agissait d'un philtre qui leur rendrait l'amour du roi. Seigneur, je suis la seule coupable, Ta Majesté ne doit pas punir Persenti car elle ne savait pas...

— Qui t'a parlé de punition ? l'interrompit Mykérinos. Il est vrai que si Ma Majesté constituait un tribunal et remettait cette affaire entre les mains de juges, les deux reines seraient condamnées à mort, tout autant que toi-même, ton frère et vos pères. Mais tout cela va rester entre nous.

— Quoi, seigneur ? Ta Majesté...

— Ma Majesté préfère continuer à ignorer la cause réelle de la mort de son père... Dans la mesure où tu me seras une fidèle servante, bien entendu.

— Seigneur, je te suis totalement dévouée : ordonne et je t'obéirai en toute chose.

Il y avait dans le ton de la jeune femme une telle sincérité et un tel soulagement, que Mykérinos comprit qu'il pouvait lui accorder une totale confiance.

— Dis-moi sans mentir : ta maîtresse est-elle réellement éprise de mon oncle, le prince Djedefhor ?

— Elle paraît l'être car elle répugne à se séparer de lui, assura Ouadjet.

— Il est pourtant séparé d'elle ces derniers jours.

— C'est quand elle ne peut faire autrement. Il est allé rendre une visite au sage Djedi.

– Et lui, ne te paraît-il pas parfois fatigué d'un si violent attachement qu'il ne peut faire un pas sans qu'elle le surveille ?

– C'est possible, bien qu'il ne s'en soit pas ouvert à qui que ce soit, que je sache.

– Es-tu certaine qu'il ne court pas parfois les tavernes afin d'y faire une maison de bière et y retrouver quelque fille qui le change d'une femme qui n'est maintenant plus très jeune ?

– Je peux assurer Ta Majesté qu'il n'en a jamais été ainsi. Sache, seigneur, que ma maîtresse a mis en moi une confiance aveugle et qu'elle m'a chargée de surveiller les actes de son amant. Or je peux déclarer que jamais encore je ne l'ai vu trahir la confiance de ma maîtresse.

– Quoi, cette Persenti serait-elle jalouse au point de surveiller aussi étroitement un homme qui n'est même pas son mari et lui-même accepte une telle contrainte ?

– Il en est ainsi, seigneur. Mais, en vérité, s'il se comporte d'une manière si étrange, c'est, me semble-t-il, par égard pour une femme qu'il a délaissée pendant tant d'années de sorte qu'elle a été contrainte d'aller vers un homme qu'elle n'aimait pas profondément, le père de Ta Majesté.

– En vérité mon oncle est plus fou que sage. Puisque cette Persenti prétend le dominer de la sorte et se montre si ombrageuse, voici ce que Ma Majesté a décidé de faire. Tu vas m'écouter attentivement et agir comme je vais te le prescrire. Mais auparavant, dis-moi si tu sais quand le prince Djedefhor doit rentrer à Héliopolis ?

– Son retour est prévu pour demain, sans doute à la fin du jour, selon ce que j'ai cru comprendre.

– Voilà qui tombe bien et arrange nos affaires. Maintenant, voici ce que Ma Majesté a conçu dans son cœur.

Lorsque Ouadjet fut de retour auprès de Persenti, elle lui fit d'abord savoir que le roi était très occupé avec les devoirs de sa charge et qu'il n'envisageait pas de recevoir sa belle-mère. Comme Persenti semblait s'en offenser, Ouadjet reprit aussitôt :

– Maîtresse, cela est de bien peu d'importance. Sache plutôt que j'ai écouté des gens parler et vois : en vérité, le prince Dje-defhor ne se trouve pas dans le désert auprès de Djedi. Il paraît qu'on l'a vu dans des tavernes en compagnie de son frère Minkaf avec qui il fait des maisons de bière.

– Que me dis-tu là ? s'écria Persenti. D'où tiens-tu une pareille rumeur ?

– De personnes qui l'ont vu à Memphis.

– Quoi, il ne serait pas allé visiter ce Djedi ?

– Peut-être y est-il allé, mais il n'y est pas resté.

– Ouadjet, que sais-tu encore ?

– Il paraîtrait qu'il rencontre une belle cabaretière de Memphis dans la nuit, dans les fourrés qui se trouvent sur les rives du fleuve.

– Je ne peux le croire !

– Tu as raison, ce ne sont sans doute que des ragots, mais je ne pouvais te le cacher. Attendons demain son retour, et tu pourras le sonder. Les hommes ne savent pas bien mentir. Tu auras tôt fait de savoir si vraiment il vient du désert ou s'il était bien à Memphis.

Cette réserve rassura Persenti, sans cependant ôter tout doute de son esprit. Cette nuit-là, elle eut du mal à trouver le sommeil. Cependant, elle se réveilla plus rassurée, s'étant persuadée que son Hori ne pouvait la tromper. Mais dans le courant de la matinée, un messager, dont elle ignorait que, en réalité, il était envoyé par Mykérinos, vint devant elle pour lui faire savoir que le prince avait retardé la date de son retour, qu'il ne rentrerait pas le lendemain, comme prévu, mais plus tard, il ne savait précisément quand.

– Ouadjet, dit alors Persenti à sa confidente, je ne peux plus tenir. Va aux nouvelles, essaye de savoir si l'on a réellement vu Hori à Memphis et, dans ce cas, où il a été vu.

La jeune femme s'absenta un long moment. Elle ne revint que vers le milieu de l'après-midi et, à Persenti qui l'interrogeait, elle déclara :

– Il faudra te persuader que ton Hori t'a trompée. Il paraît qu'il doit retrouver une fille ce soir, en un lieu qui m'a été désigné. Je te le dis, il convient que tu rassures ton cœur. Le mieux, c'est que nous allions à Memphis, dans les tavernes où il a été vu, et si on ne l'y trouve pas, rendons-nous au lieu où il doit avoir son rendez-vous.

Personti se laissa persuader et avant la fin du jour, elle prit place dans une petite embarcation dont Ouadjet tint les rames, et elles naviguèrent vers Memphis.

Or, averti de la visite du roi à Héliopolis par un messager qui lui fit savoir que Sa Majesté désirait le voir sans plus tarder, Djedefhor quitta Djedi et se rendit directement à la résidence héliopolitaine de son neveu où il parvint à la tombée du jour. Mykérinos le reçut en manifestant une grande joie qu'il ressentait sincèrement :

– Mon oncle, je suis content de te retrouver toujours aussi vert, toujours aussi florissant. Il paraît que tu étais en visite chez ce sage qui a prédit à mon père la fin de notre dynastie... T'a-t-il fait de nouveaux pronostics au sujet de notre double couronne ?

– Il n'en a pas été question, assura Djedefhor. Il me plaît de rester en compagnie de cet homme qui a atteint le détachement de la vraie sagesse.

– Un détachement dont tu sembles encore être éloigné, remarqua Mykérinos.

– Il est vrai que je reste toujours fortement attaché aux plaisirs de ce monde, et je ne trouve pas de raisons péremptoires de m'en détacher.

– Je t'approuve en cela car c'est à mes yeux une grande folie que de mépriser les biens que les dieux nous donnent. S'ils ont créé tout ce que nous pouvons aimer, c'est pour que nous en jouissions et c'est, aux regards de Ma Majesté, une insulte qu'on leur fait en montrant du mépris pour ce qu'ils nous offrent. La plus grande offense qu'on puisse faire aux dieux, c'est de dédaigner ce qu'ils ont créé pour nous, par amour des humains.

– Encore faut-il croire en l'existence réelle de ces dieux, mais, quoi qu'il en soit, c'est une manifestation d'une grande sottise que de mépriser les biens de ce monde. La vraie sagesse est de savoir en user selon les capacités de chacun. Lorsqu'on va au-delà de ce qui convient à notre nature, un plaisir peut ensuite apporter des désagréments sinon une souffrance : c'est ce qu'il faut éviter car tout plaisir est alors gâté s'il doit avoir des conséquences fâcheuses.

– Mon oncle, il me semble que tu as atteint la véritable sagesse si tu es capable d'agir dans les limites que tu t'imposes, selon tes dires.

– Je ne peux le prétendre car je suis partagé entre ce désir de jouir des plaisirs de la vie et une autre forme de sagesse qui se rapproche du dépouillement dans lequel vit ce Djedi.

– Ton Djedi me semble être peu sensé. Le véritable exemple de sagesse m'est donné par mon oncle, ton frère Minkaf. Toi-même me parais peu sage dans ton comportement à l'égard de ta concubine.

– En quoi mon comportement te paraît-il critiquable ? Je ne fais que manifester l'affection, ou plutôt l'amour que j'ai pour elle. C'est d'ailleurs pour cela que je suis heureux de ta visite, Menki. Non pas que je veuille t'entretenir de Persenti, mais sache que j'ai décidé d'abandonner ma fonction de Grand Voyant du dieu. Oui, je me suis détaché de toute croyance en la réalité des dieux, autant de Rê que de Ptah ou que de tous les autres dieux. Il est possible que les prêtres d'Héliopolis ou ceux de Memphis expriment une vérité en affirmant que le dieu a créé toutes les formes par sa voix ou par ses humeurs, mais je ne peux me les figurer comme des êtres qui nous ressemblent. J'ai finalement trop éprouvé le vide de nos rites, je ne crois plus en leur valeur, en leur efficacité. Peut-être parce que j'ai vu trop de peuples qui vivaient tout en pratiquant des rites et des croyances totalement différents des nôtres, sans que nos dieux paraissent s'en offenser. Ils ne pensent pas que Maât est le soutien du monde, que si l'on délaissait les rites rattachés à son culte, l'Univers s'écroulerait de sorte que, non seulement ils ne pratiquent pas son culte, mais ils ignorent même son existence. Or, le monde continue de subsister et le soleil se lève toujours à l'est pour se coucher à l'ouest. Aussi ai-je pris la décision de ne plus présider à un culte qui a perdu à mes yeux toute valeur. Je voulais te prier de nommer à mon poste Raouser qui, lui, croit encore en la réalité de Rê. Car pour moi, si je vois bien le soleil, si je sens bien la bienfaisance de ses rayons, je ne vois pas là la main d'un dieu, même si je me sens bien incapable de comprendre la nature de sa lumière et la manière dont il peut parcourir le ciel comme il le fait et se maintenir toujours si haut sans jamais tomber sur la terre. Mais je suis persuadé qu'un jour viendra où les hommes appréhenderont mieux la nature des étoiles, de la lune et du soleil. Pour ce qui me concerne, je dois me contenter d'observer cette réalité sans pour autant y voir l'intervention d'une quelconque divinité.

— Hori, si les dieux n'existaient pas, comment expliquer le monde ?

— Sans doute, Menki, mais encore, comment expliquer les dieux ? Qui leur a donné leur existence et pourquoi ?

— Qui leur a donné leur existence ? Mais, n'est-ce pas le dieu suprême, celui qui a tout créé à partir de lui-même, peu importe qu'on l'appelle Atoum, Ptah ou encore Thot. N'est-ce pas ce qui est enseigné dans le temple de Rê ?

— Cela ne nous explique pas pourquoi il a décidé de créer le monde à partir de lui-même, ni même comment lui-même est venu à l'existence. Voilà ce qui trouble mon esprit, et, à cela, je n'ai encore trouvé aucune réponse. Ni moi, ni personne d'autre et je doute que les générations futures en trouvent une qui satisfasse l'esprit. Pendant des années j'ai cherché, j'ai même cru pouvoir trouver une réponse dans ce mystérieux livre de Thot, mais je suis maintenant convaincu que ce livre n'existe pas, et même existerait-il, il ne pourrait apporter de réponse à nos questions car le mystère du monde est bien trop vaste, trop profond, pour pouvoir être résolu par des mots, tiendraient-ils dans mille rouleaux de papyrus.

– Hori, tes paroles me navrent tout en me plaisant car, sans parcourir le monde, simplement en écoutant tes paroles lorsque j'étais ton élève et en réfléchissant moi-même à ce qui est, je suis aussi persuadé que toi de la vanité de nos croyances. Mais voilà, toi tu peux abandonner entre les mains d'un autre ta fonction de Grand Voyant, mais moi je suis le roi, je dois donc me comporter comme si j'étais un dieu alors que je ne suis qu'un homme, car je n'ai même pas la latitude de déposer mes couronnes qui, elles aussi sont des objets divins. Et pourtant il est visible que ma puissance est bien limitée puisque je n'ai même pas pu empêcher celui que j'aimais de quitter notre monde pour s'éloigner vers ces lieux d'où nul n'est revenu pour nous dire comment ils étaient, si encore leur existence n'est pas le fruit de notre imagination ou du délire de quelque prêtre. Ce qui me navre plus particulièrement c'est que mon frère Nékaourê est parti cela fait déjà plusieurs années en quête de ce livre de Thot et de cette île du Double qui, même existeraient-ils, et même les trouveraient-ils, ne changeraient rien à ce que nous savons.

Ainsi devisaient d'une façon désabusée l'oncle et son royal neveu dans le jardin de la résidence, tandis que tombait la nuit et qu'un vent léger rafraîchissait insensiblement l'air chaud du soir.

CHAPITRE IX

Khamernebti, impliquée dans l'intrigue par son frère, vint saluer son oncle et elle l'invita à partager avec eux son repas. Des serviteurs vinrent déposer devant les sièges des tables carrées en bois précieux incrusté de nacre, qu'ils garnirent de plats chargés de nourriture. Avec une belle verve, Mykérinos entretint la conversation, aidé par Kamernebti assise entre les deux hommes. Si bien que la nuit était avancée lorsque Djedefhor déclara qu'il était temps pour lui de rentrer à sa demeure.

— Pourquoi cette hâte à t'en retourner auprès de Persenti ? lui demanda Mykérinos. Elle ne t'attend pas puisqu'elle te croit encore dans le désert, auprès de ce Djedi. Une chambre est prête pour toi dans notre palais. Ma Majesté serait bien fâchée que tu dédaignasses notre hospitalité. Serais-tu encore si amoureux que tu ne puisses passer une nuit loin d'elle ? Dans ce cas, pourquoi l'avoir délaissée pour aller trouver ce Djedi ?

— Menki, rétorqua Djedefhor, la passion que j'ai longtemps eue pour Persenti s'est apaisée comme la colère de la déesse lointaine après avoir bu la bière qu'elle croyait être du sang.

— Commencerais-tu à te lasser d'elle ?

— Notre union est entretenue par l'habitude, le plaisir de nous retrouver ensemble, l'affection que nous nous portons mutuellement.

97

– C'est une bonne chose. Mais il ne semble pas qu'il en aille de même pour elle car tout le monde peut voir la manière dont elle te tient dans le creux de sa main, comme si tu n'étais qu'une petite grenouille.

– Mon cher frère, intervint alors Khamernebti en riant, voilà une comparaison qui reflète bien la réalité. Notre oncle, maître de sagesse, reste comme un enfant devant cette femme sortie du peuple. Elle est trop heureuse, grâce à cela, et aussi à la trop grande mansuétude de notre grand-mère Hénoutsen, non seulement d'avoir pu devenir l'épouse de notre royal père, mais même après qu'il fut parti dans le monde des étoiles, de conduire par la bride, comme un ânier son aliboron, le frère de son ancien époux, l'homme considéré par tous les gens de la Terre noire comme le plus grand sage né au bord du Nil. Au point que tout le monde en rit.

Djedefhor se sentit embarrassé par la sortie car il se savait ridiculement faible à l'égard de son amante, il s'en adressait des reproches sans pour autant se résoudre à faire preuve de l'autorité que pouvait lui conférer tout aussi bien son origine royale et sa situation sociale que son sexe. Il se contenta de répondre par un sourire à la sortie de sa nièce et de donner son consentement à l'invitation.

En réalité, Djedefhor se doutait que le rusé couple s'était concerté pour le retenir de cette manière dans leur demeure, mais il n'était pas fâché de cette invitation. Il se doutait de la raison qui avait poussé son neveu à agir ainsi, Mykérinos s'étant visiblement fait le complice de sa sœur.

Comme il s'y attendait, à peine s'était-il couché et avait-il soufflé les petites flammes des lampes à huile qui éclairaient sa chambre qu'il sentit un parfum qui ne lui était pas inconnu et perçut de légers froissements. Peu après, un corps chaud se pressait contre lui, des bras tièdes l'enlaçaient et une bouche caressait son cou. Lui-même avait depuis trop longtemps éprouvé un désir discret pour sa nièce, pour ne pas répondre à une pareille ouverture.

Lorsque, au réveil, il se retrouva dans la lumière diffuse qui provenait du rideau masquant la porte de la pièce, enlacé à la jeune femme, il n'éprouva ni regret ni remords, et il se dit que la coutume dans les familles royales étant de prendre plusieurs épouses, il avait été bien pusillanime de ne pas s'être imposé une si délicieuse loi.

Quand il arriva chez lui après avoir promis à Khamernebti de revenir lui rendre de nouvelles visites, tout en regrettant de ne pas pouvoir la garder à demeure dans sa propre résidence puisqu'elle restait toujours la Grande Épouse royale de Mykérinos, il fut surpris de ne pas y trouver Persenti. Un serviteur lui fit savoir qu'elle était partie la veille avec Ouadjet, sans doute à Memphis. Il s'en étonna d'autant plus que son informateur lui précisa qu'elle avait quitté la maison avant la fin de l'après-midi. Il pensa qu'elle était allée rendre visite à Hénoutsen, ou encore à l'un de ses parents établis à Memphis ou dans les bourgades des environs. Aussi ne s'inquiéta-t-il pas, et même, au fond de lui, sans cependant vouloir le reconnaître, il s'en réjouit en se disant que si elle n'était pas de retour dans la soirée, il irait passer une nouvelle nuit dans la résidence royale déjà délaissée par Mykérinos qui, ce jour même, ayant réalisé ce pourquoi il s'était déplacé, avait regagné son palais.

Or, comme elle n'était toujours pas rentrée le lendemain, il commença à s'en inquiéter.

– Je vais à Memphis pour voir où elle a pu se rendre, dit Djedefhor à Khamernebti.

– Hori, tu ne devrais pas courir ainsi après elle. Tu vas lui laisser penser qu'elle est indispensable à ta vie, que tu ne peux passer plus de deux ou trois jours loin d'elle.

Comme il reconnaissait la justesse du conseil, elle reprit :

– N'est-ce pas un heureux hasard, à moins qu'il ne s'agisse de la volonté du dieu, qu'elle se soit ainsi absentée ? Sans quoi, jamais tu n'aurais répondu à mon amour tant tu parais craindre ses humeurs.

– Tu le sais, Nebty, je ne veux simplement pas lui faire de peine.

– C'est à moi que tu en as fait en me tenant toujours loin de toi. Vois : je suis même certaine que c'est Hathor, ou encore Isis qui tient éloignée de toi cette Persenti afin que tu donnes un héritier au trône d'Horus. Car je ne sais si mon petit Shepseskaf survivra à son père. À moins que je ne donne le jour à une fille : dans ce cas, elle l'épousera, selon la tradition de la famille, car elle aura par toi le sang divin de ta mère Mérititès.

Ils s'étaient rendus ensemble à la demeure de Djedefhor d'où, n'y ayant pas trouvé Persenti, ils revenaient vers le temple de Rê afin d'y rencontrer Raouser.

– Si je peux encore te donner un conseil, bien qu'étant ta modeste disciple, poursuivit Khamernebti tout en marchant à ses côtés, passons par ma résidence d'où j'enverrai un serviteur afin de se renseigner sur l'endroit où est allée Persenti. Ainsi tu seras rassuré et tu auras l'esprit tranquille.

– Ma petite Nebty, lui accorda-t-il, tu es de très bon conseil. Il est mieux que ce soit l'un de tes serviteurs, mais quelqu'un de confiance, qui se renseignera discrètement. Ainsi Persenti ne saura-t-elle rien de ma démarche, contrairement à ce qui se serait passé si j'avais délégué quelqu'un de ma maison.

Khamernebti savait d'avance quel serait le serviteur avisé à qui elle confierait le soin de retrouver sa belle-mère, car tout le cours des événements tel qu'il se déroulait parfaitement avait été prévu par Mykérinos avec la complicité de sa sœur. Aussi écouta-t-il les instructions de sa maîtresse avec attention quoique sachant d'avance ce qu'il devait faire. Sa conscience ainsi satisfaite, Djedefhor poursuivit sa route jusqu'au temple où il trouva Raouser qui accomplissait en son nom et en celui du roi, les divers rites du culte.

– Raouser, lui dit-il après l'avoir fait venir devant lui dans la salle où il se tenait pour recevoir le personnel du temple aussi bien que ceux qui désiraient avoir une audience du Grand

Voyant, Sa Majesté m'a donné son accord : je vais abandonner entre tes mains les soins de mon ministère dans le temple de Rê. Tu seras prochainement investi dans la fonction de Grand Voyant du dieu, ce que tu es déjà officieusement. Pour moi, je crois que je vais m'en retourner dans mon palais de Memphis ; cependant, je viendrai souvent à Héliopolis pour te seconder et te dispenser mes conseils.

– Seigneur, répondit Raouser, mon cœur se réjouit et te rend grâce pour tout ce que tu as fait pour ton indigne serviteur. Sans doute recevrai-je avec joie tes conseils, mais moi-même autant que mon épouse aimée Néferhétépès, nous serons tristes pendant les jours où nous ne te verrons pas, pendant les temps de tes absences.

– Il est temps pourtant que je songe à vivre pour moi et à faire de chaque jour de ma vie une belle fête. Néanmoins, comme il me plaît de dispenser le peu de sagesse que j'ai acquis, lorsque ton petit Ouserkaf aura un peu grandi, je le prendrai volontiers dans ma résidence de Memphis pour l'éduquer comme je l'ai fait pour mes neveux.

– Et aussi pour ton serviteur car c'est de toi que je tiens le peu de sagesse qui m'est imparti.

Djedefhor se contenta de sourire et prit la main de Raouser :

– Tu possèdes beaucoup plus de savoir et de sagesse que tu ne le laisses entendre dans ta modestie. Je sais que tu seras un grand et sage chef du clergé de Rê et d'Atoum et que sous ton commandement la maison du Phénix ne pourra que prospérer.

Ce n'est que vers la fin de la journée suivante que le serviteur envoyé par Khamernebti à Memphis vint devant Djedefhor qui s'était établi temporairement dans la demeure royale de sa nièce. Il tomba à genoux devant le prince avant de prendre la parole à la demande de ce dernier :

– Seigneur, lui apprit-il, ton serviteur s'est rendu à la demeure de la reine Hénoutsen, mais personne n'y a vu Persenti. Je suis ensuite allé chez ses parents, chez sa jeune sœur, mais là non plus elle n'a pas été aperçue. Maintenant, voici : ton serviteur s'est renseigné, dans les rues de la ville. J'ai appris qu'on a vu arriver Persenti avec sa servante l'autre soir : elle s'est rendue dans une taverne. Ton serviteur y est allé, il s'est renseigné. Elle y a été vue, elle y a parlé au tavernier et à d'autres personnes. Ton serviteur les a interrogés, ainsi a-t-il pu suivre ses pas dans plusieurs tavernes. Ce qu'elle y a fait, je ne le sais. Mais certains ont assuré l'avoir reconnue alors qu'elle se dirigeait vers le port sur le Nil et vers les berges du fleuve, en un endroit envahi par les papyrus. Et ensuite, personne ne l'a plus revue, ni elle ni sa servante, Ouadjet. Voilà tout ce que ton serviteur peut dire avec Maât sur la langue.

Ce discours laissa Djedefhor aussi consterné qu'atterré.

— Par la vie ! s'écria-t-il, qu'est-ce que Persenti a bien pu aller faire dans ces tavernes et ensuite au bord du fleuve ? Quel malheur va encore assaillir mon cœur ?

— Hori, intervint Khamernebti, si Ouadjet était avec elle, tu n'as rien à craindre pour elle. Ce que tu peux surtout redouter, c'est qu'elle se soit consolée de ton absence entre les bras d'un autre homme.

— Comment le croire, elle qui semblait si jalouse de moi !

— Ce n'était peut-être qu'une attitude pour t'étonner et te donner le change, suggéra-t-elle perfidement.

Une pareille perspective laissa Djedefhor songeur. Il est vrai qu'elle n'avait aucune raison de chercher à se donner la mort, et il savait qu'Ouadjet l'aurait découragée d'un tel dessein si jamais elle y avait songé ; elle ne l'aurait pas, non plus, accompagnée. Mais il ne pouvait croire qu'elle ait pu aller rejoindre un quelconque amant, d'autant qu'elle savait qu'il n'allait pas tarder à rentrer de sa visite à Djedi.

— Je vais sans plus tarder à ma résidence, dit-il alors à Khamernebti. J'y rassemblerai quelques serviteurs et je partirai à la recherche de Persenti.

– Quoi ? Maintenant ? Vois, le soleil est bas sur l'horizon, la nuit va bientôt tomber, elle sera là avant que tu ne sois parvenu à Memphis. Que pourras-tu alors faire dans cette ville ?

– Je vais t'emprunter ton serviteur : il nous conduira là où il a suivi les pas de Persenti et il me mènera à l'endroit où s'est perdue sa trace. Je verrai alors ce qu'il y a lieu de faire.

– Dans la nuit, tu ne pourras rien faire. Pour le moins, attends que revienne le jour, demain matin.

– Non, je suis trop inquiet, je ne pourrais trouver le sommeil. Je veux que tu rappelles ton serviteur, il nous conduira dans les lieux où elle a été vue. Ce sera plus facile de retrouver les témoins, ceux qui l'ont aperçue ce soir-là, alors qu'ils étaient dans les tavernes où on prétend l'avoir aperçue. Car je ne peux croire qu'elle ait ainsi couru les maisons de bière, la nuit, comme une fille de mauvaise vie.

Khamernebti n'insista pas pour le garder auprès d'elle car, de son côté, elle commençait à s'inquiéter de l'absence de Persenti et de sa compagne. Il avait, en effet, été prévu qu'elle s'absenterait deux nuits, Ouadjet ayant pour mission de l'inciter à passer la nuit dans la résidence royale de Memphis et de reprendre sa quête la nuit suivante, mais elle aurait dû être de retour dans la journée. Elle avait aussi bien pu décider de prolonger son séjour à Memphis, mais le fait que le serviteur était passé dans la résidence royale de Memphis où personne n'avait vu les deux femmes, la plongeait dans une certaine anxiété.

Alors qu'il s'apprêtait à embarquer sur sa cange personnelle après avoir réuni plusieurs hommes de sa maison, tandis que le soleil empourprait le ciel de sa lumière crépusculaire, Djedefhor fut surpris de voir un bateau aborder le quai où était amarré le sien. Il reconnut tout de suite l'élégante embarcation aux rames légères et à l'étrave élancée d'Hénoutsen. Aussitôt il se hâta vers le bateau qui venait d'accoster tandis qu'était jetée la passerelle sur laquelle apparut la reine, toujours souple et juvénile dans sa

103

robe étroite. Elle avait un visage grave qui s'éclaira cependant lorsqu'elle reconnut Djedefhor qui se hâtait vers elle.

— Hénoutsen, lui dit-il en lui prenant les mains, ta visite inopinée réjouit mon cœur, mais j'allais m'embarquer pour Memphis...

— Tu allais à la recherche de Persenti, je présume, lui répondit-elle.

— Serait-elle venue auprès de toi ?

— Hori, accompagne-moi chez toi. Il est inutile que tu te rendes à Memphis.

— Que veux-tu dire ? s'inquiéta-t-il.

— Je te parlerai lorsque nous serons dans ta demeure. Il n'est pas bon que les gens qui sont autour de nous entendent ce que j'ai à te dire.

Deux robustes Nubiens étaient descendus du bateau à la suite d'Hénoutsen, portant sa chaise dans laquelle elle prit place. Aussitôt après ils partirent d'un pas rapide en direction de la demeure de Djedefhor, située à peu de distance. Djedefhor lui-même marchait à côté d'Hénoutsen sans cependant oser l'interroger, bien qu'il brûlât d'inquiétude. Il patienta cependant jusqu'au moment où il se retrouva seul avec elle dans le jardin de sa résidence.

— Hori, lui dit Hénoutsen après avoir pris place dans un fauteuil, un grand malheur est arrivé, tu as dû t'en douter en me voyant ainsi venir. C'est Menki en personne qui est venu pour m'en faire le récit et me prier de me rendre auprès de toi.

— Qu'est-il arrivé à Persenti ? Car c'est bien d'elle qu'il s'agit, n'est-ce pas ?

Hénoutsen hocha la tête et reprit :

— Je ne sais de quelle manière le bruit est venu à ses oreilles qu'on t'aurait aperçu dans les maisons de bière de Memphis.

— Qui a bien pu...

— Je t'ai dit qu'il s'agissait d'une rumeur, l'interrompit-elle. Qui l'a lancée, peu importe, je ne le sais pas plus que toi. Toujours est-il qu'elle a pris la folle décision, voici trois jours, de se rendre à Memphis la nuit afin de te chercher dans les tavernes.

Djedefhor hocha la tête car ce que lui rapportait Hénoutsen correspondait à ce que lui avait rapporté le serviteur. Mais il évita de faire un quelconque commentaire car il avait quelque vergogne d'avoir pu imaginer que c'était par un désir de faire à son profit des maisons de bière que Persenti était ainsi allée de nuit dans les tavernes de la grande ville.

– Naturellement, poursuivit Hénoutsen, elle ne t'y a pas trouvé.

– Comment l'aurait-elle pu puisque je n'ai que bien rarement mis les pieds dans une taverne, contrairement à mes frères, et que ces derniers jours, après avoir quitté Djedi, j'ai dormi dans la demeure royale de Khamernebti.

Cette dernière mention suscita un léger sourire sur les lèvres d'Hénoutsen qui reprit :

– Mais, hélas ! elle s'est laissé dire qu'on t'avait vu te diriger avec une femme dans les papyrus qui bordent le fleuve sur la rive orientale de la ville. Et elle y est allée, toujours accompagnée d'Ouadjet par qui nous savons ce qui s'est passé. C'est, en effet, un lieu où aiment à se retrouver les jeunes gens de Memphis qui veulent tenir secrètes leurs amours ou encore qui désirent rencontrer des filles faciles. Selon ce qu'a rapporté Ouadjet, Persenti, qui connaissait mal ces lieux et s'est montrée bien imprudente, Persenti, dis-je, a parcouru tous les fourrés pour te chercher dans la nuit. Il paraît qu'elle était pareille à une bête affolée, qu'elle courait partout en t'appelant. Le malheur ou son destin, a voulu qu'elle s'aventurât tout au bord du fleuve et elle est tombée dans un trou profond dissimulé par la végétation. Le fleuve est en train de monter avec le début de l'inondation et les tourbillons y sont nombreux. Mais comme Persenti est une bonne nageuse, cet accident aurait été sans conséquence grave et elle se serait certainement tirée d'affaire si le mauvais dieu Sobek n'avait veillé. Oui, Hori, il y a déjà longtemps qu'on ne voit plus de crocodiles dans les eaux de Memphis, mais il arrive, tu le sais, que la montée des eaux en entraîne des rives de Crocodilopolis. Et le destin a voulu que, justement il s'en soit trouvé un dans les parages. Il a saisi Persenti et l'a emportée au fond des eaux, sans qu'Ouadjet ait pu faire quoi que ce soit. La pauvre fille était si terrorisée qu'elle est restée là le reste de la nuit et toute la journée suivante en espérant qu'elle avait été trompée par l'obscurité, que Persenti allait reparaître à ses yeux. Mais elle a dû se rendre à l'évidence, Persenti n'est pas reparue. Alors elle s'est rendue au Grand Palais pour prendre les conseils de son époux. C'est lui qui l'a conduite devant le roi à qui elle a rapporté l'affaire. Vois, Hori, c'est cette jalousie incroyable qui a perdu Persenti ! Car, au lieu de se raisonner, de se dire que ce qu'on rapportait n'était que calomnies, au lieu même de se renseigner auprès de Djedi, elle a tout de suite couru à Memphis, elle a visité les tavernes pour t'y surprendre, au risque de perdre sa réputation ou de te contrarier violemment dans le cas où elle t'y aurait trouvé, mais c'est son destin qu'elle a rencontré, c'est la mort qui l'a surprise. Le dieu Sobek l'a finalement emportée, elle que moi-même j'avais sauvée de ses dents, à l'époque où ton frère Didoufri voulait la faire entrer de force dans la Grande Maison.

CHAPITRE X

Les pouvoirs dont disposait Minkaf lui auraient permis de retrouver aisément la femme qu'il avait entr'aperçue dans son rêve et dans la réalité. Mais, pour la réussite de son plan qu'il s'était donné le loisir de méditer, il devait agir seul, sans en rien dire à qui que ce soit. Car quiconque aurait été au courant de ce qui devait être une supercherie, aurait pu facilement, par la suite, s'en ouvrir au roi, lui révéler les dessous de l'affaire et la duplicité du vizir, ce qui aurait pu faire échouer tout le projet.

Aussi est-ce comme un simple voyageur qu'il se rendit incognito à Athribis. Et, afin de ne pas être reconnu par hasard par l'un des prêtres du Grand Noir, le dieu de la cité, à l'autel duquel il était allé sacrifier jadis, il avait pris le temps de se laisser pousser la barbe au lieu de la raser soigneusement comme le faisaient les Égyptiens. Au demeurant, la plupart des hommes de la Terre noire n'étaient guère velus, et nombreux étaient ceux qui restaient imberbes naturellement, ce qui justifiait que nul ne portât la barbe et que rares étaient ceux qui se laissaient pousser la moustache, lorsque celle-ci pouvait encore se révéler susceptible d'être suffisamment fournie. Or, Minkaf était le seul membre de la famille royale qui devait se faire raser souvent par son barbier. Hénoutsen, qui avait remarqué le phénomène, alors que ses frères étaient imberbes, pensa à part elle qu'il tenait cette pilosité faciale de son véritable père, Sabi, car elle avait remarqué que celui-ci devait se faire raser, ce qui l'avait persuadée qu'il avait une origine asiatique, tout au moins partielle.

Comme il savait s'exprimer dans la langue des gens de Byblos, qu'il avait apprise auprès d'Ibdâdi et d'Ayinel en compagnie de son frère Djedefhor, il avait décidé de se faire passer pour un négociant venu de ce port qu'il connaissait bien par ouï-dire. Ainsi débarqua-t-il à Athribis sous un aspect méconnaissable, le visage transformé par une barbe bien taillée unie à la moustache, selon la mode asiatique, et vêtu non d'un pagne mais de la robe à franges croisée sur le devant des gens du Kharou. Il s'était assuré le concours de serviteurs fidèles et discrets, sans, toutefois, leur révéler les raisons de son comportement, pour charger un bateau de marchandises et le conduire jusqu'aux quais d'Athribis. Il avait cependant pris soin de sélectionner tous ceux qu'il avait pu trouver parmi les serviteurs étrangers venus de Byblos, de Tyr, de Simyra, ou encore des gens d'Ur qu'avait ramenés Djedefhor avec lui. Il leur avait déclaré que son action était un secret d'État et qu'ils devaient se garder de révéler à qui que ce soit sa propre identité sous peine de mort. Puis il leur avait fait savoir que, si on leur demandait qui il était, ils devaient dire qu'il s'appelait Hozat, nom qu'il avait spécialement choisi sachant que dans la langue des gens de Byblos et d'Ugarit ce mot signifiait « bon » ou « fortuné ».

Ainsi s'installa-t-il dans une belle demeure en location à peu de distance du port fluvial, l'un des plus importants sur ce bras du Nil, car les bateaux de commerce venus de Byblos et des villes des côtes du Kharou et de Canaan accostaient là pour décharger leurs marchandises d'où elles étaient ensuite diffusées à travers l'Égypte par des bateaux égyptiens. Athribis était ainsi le grand port international de la vallée du Nil, celui où les douanes royales contrôlaient l'arrivée des bateaux venus des diverses cités maritimes de la Grande Verte. Rares étaient les vaisseaux étrangers à qui le roi ou son administration donnaient l'autorisation de s'aventurer jusqu'à Memphis. Cette loi avait été instaurée depuis déjà des siècles afin que, sous prétexte de commercer, les pirates qui écumaient la haute mer ne puissent ainsi parvenir jusqu'à la capitale, à la balance des Deux-Terres.

Comme il ne savait qui était la personne qu'il avait naguère entrevue, ni même si elle résidait à Athribis, il dut se résoudre à aller arpenter les rues de la ville dans l'espoir de la rencontrer. Il s'était donné tout le temps nécessaire à cette recherche en faisant savoir au directeur du port et au chef de la police des étrangers qu'il venait s'installer dans la ville pour y faire du commerce, ceci avec la protection des plus hautes autorités du royaume, et, afin de justifier cet appui il lui avait été facile de fournir un papyrus signé du vizir, c'est-à-dire de lui-même, lui donnant tout loisir pour s'établir selon son gré dans le port, d'y prendre une résidence et de se rendre à Memphis si besoin en était. Les deux hauts scribes à qui il s'était adressé, qui n'avaient fait qu'entrevoir le vizir lors de son passage à Athribis, ne surent le reconnaître sous son habit de marchand. Ils portèrent le papyrus ministériel à leur front et invitèrent le seigneur Hozat à s'installer selon son gré sous leur haut patronage. Attitude qui charma Minkaf en découvrant ainsi combien les chefs de son administration se montraient respectueux de ses décrets. Il espéra cependant que les hauts fonctionnaires de la province ne poussent pas leur zèle au point de suggérer au nomarque [1] de venir rendre une visite à un étranger jouissant de si hautes protections, car celui-ci avait eu trop souvent l'occasion de venir devant le vizir à Memphis pour lui faire ses rapports annuels, pour ne pas le reconnaître malgré sa barbe et son vêtement.

Il commença par parcourir le quartier noble de la ville, celui où il lui semblait avoir le plus de chances de rencontrer celle qu'il cherchait. Puis, il s'enquit, auprès du chef de la police, des

---

1. « Nomarque » est le terme grec pour traduire le titre égyptien des gouverneurs des provinces, ces dernières étant appelées « nomes » par les Grecs.

étrangers qui vivaient dans la ville, en supputant une telle origine du fait qu'elle portait un vêtement qui n'était pas égyptien.

– Il me plairait, dit-il pour se justifier, de rencontrer des gens de mon pays établis ici.

Le scribe lui fournit obligeamment une liste de ces gens en lui désignant les maisons où ils étaient établis ou les auberges dans lesquelles ils séjournaient. Il se résolut alors à utiliser ses serviteurs pour faire le guet autour de ces demeures en leur demandant de lui signaler toute personne qui s'exhiberait en vêtements amples, comme devaient en porter les femmes étrangères, sans pouvoir d'ailleurs préciser de quel pays elle pourrait venir et perpétuer la mode. Plusieurs jours s'écoulèrent sans qu'un seul serviteur vînt lui annoncer avoir vu une étrangère ainsi vêtue. On lui signala bien la présence de femmes de Canaan et du Kharou dans certaines maisons, mais, après qu'il se fut personnellement dérangé et qu'il eut pu voir de ses yeux lesdites personnes, il se convainquit qu'aucune d'entre elles ne pouvait être la femme en question.

Près d'un mois s'écoula ainsi sans qu'il soit plus avancé qu'au jour de son arrivée. Il n'avait acquis que des certitudes négatives : elle n'appartenait ni à la haute société de la ville, ni aux petites colonies d'étrangers, des gens, commerçants ou artisans, venus de Byblos principalement, ni à la classe des filles d'auberge. Car, tandis que ses serviteurs surveillaient les bonnes maisons, lui-même, aussi bien par goût que repris par ses anciennes habitudes, avait passé une partie de ses nuits dans les tavernes où, s'il avait vu nombre de filles de petite vertu, il n'avait pas reconnu parmi elles la femme de son rêve. Il se faisait même le reproche d'avoir pu imaginer que cette élégante silhouette puisse être celle d'une fille de tavernier car, pour aussi mignonne qu'ait pu lui paraître une Hedjekenou lorsqu'il l'avait vue chez son père, elle manquait de cette grâce et de cette élégance qu'on ne rencontrait qu'exceptionnellement dans les milieux populaires.

Ainsi Minkaf commençait-il à désespérer de ne jamais retrouver son étrangère et il se prenait à croire qu'elle avait quitté la ville, lorsque Impi, un riche Égyptien qu'il avait rencontré dans une taverne au cours de l'une de ses sorties nocturnes et avec qui il s'était lié, lui dit un jour :

— Seigneur Hozat, j'ai vu que tu te plaisais à quitter ta demeure le soir venu pour aller chercher fortune dans les tavernes. Ainsi me suis-je autorisé à penser que tu aimais la vie nocturne et les plaisirs qu'elle peut offrir. Aussi, puisque tu aimes les agréments de la vie et que tu sembles riche puisque tu dépenses sans compter pour tes amis, j'aimerais que tu m'accompagnes chez Oukheryt.

Car il était vrai que Minkaf se montrait généreux et dépensier très ostensiblement afin de s'acquérir une réputation de riche étranger, ce qui, espérait-il, pourrait le faire remarquer de personnes connaissant celle qu'il était venu chercher.

— Qui donc est cet Oukheryt ? Si j'en juge par son nom, c'est un homme du Kharou ?

— Sa famille est, en effet, originaire d'Ougarit. Mais il vit depuis si longtemps en Égypte qu'il est comme un homme de chez nous.

— Apprends-moi donc qui est cet homme dont je n'avais encore jamais entendu parler jusqu'à ce jour et que se passe-t-il dans sa demeure qui puisse m'apporter quelque agrément ?

— C'est un homme déjà d'un certain âge, quoiqu'il soit impossible de se faire une idée exacte de son âge car, pour ne rien te cacher et afin que tu n'aies pas une mauvaise surprise en le voyant, sache qu'il est de toute petite taille, c'est un nain quelque peu difforme. En revanche, tu pourras voir dans sa demeure la plus belle fille que tes yeux auront jamais pu admirer.

Cette précision éveilla l'attention de Minkaf qui demanda :

— Par la vie ! sache que j'ai eu l'occasion au cours de ma longue vie de voir de bien jolies personnes et de faire avec elles des maisons de plaisir. Je ne pense pas que celle dont tu parles puisse m'étonner.

— Je le crois pourtant. Mais ce qui est d'autant plus surprenant c'est que, à ce qu'on rapporte, ce nain difforme est le grand-oncle de cette jeune fille : de la semence de son père est sortie aussi une femme qui est la grand-mère de cette jeune beauté.

– Bien. Mais que fait cette si belle personne ?

– Elle danse. Et elle danse à ravir des danses de son pays aussi bien que des danses des filles du Nil.

– La demeure de cet Oukheryt est-elle un cabaret ?

– Pas du tout, c'est une simple maison de particulier. Mais plusieurs fois chaque mois, le nain entrouvre la porte de sa demeure pour recevoir huit ou dix personnes de la ville ou de passage à Athribis et leur offre le spectacle des danses de sa petite-nièce.

– Comment les choses se passent-elles ?

– Les heureux élus, c'est-à-dire les invités, viennent chacun avec un présent, de préférence des objets précieux, de la vaisselle rare, un beau bijou, un meuble.

– C'est cher payé pour un simple spectacle, remarqua Minkaf, la danseuse fût-elle aussi belle que tu le prétends.

– Les spectateurs ne trouvent pas que ce soit trop cher payé, d'autant que, à la fin de la soirée, après s'être dépouillée de sa robe et avoir terminé ses danses dans la plus totale nudité, elle choisit l'un des hôtes pour passer en sa compagnie la fin de la nuit, et ce, sans qu'il ait à ajouter un nouveau présent.

– Si je comprends bien, tous payent pour un seul heureux élu !

– Pas tout à fait, car le spectacle offert vaut à lui seul le prix des dons, ce sur quoi tous sont d'accord, et encore, si l'on n'est pas choisi un jour, on a des chances de l'être une prochaine fois.

– Pour appeler les choses par leur nom, cette fille n'est jamais qu'une prostituée.

– On peut voir la chose ainsi. Mais c'est mieux encore car, bien que je n'aie pas encore eu le bonheur d'être élu par Bounefer – c'est le nom de la jeune fille –, tous ceux qui ont partagé sa couche ne tarissent pas d'éloges sur sa douceur, ses talents dans les jeux d'Hathor, sa souplesse, sa sensualité, enfin sur tout un nombre considérable de qualités qui font d'elle plus qu'une simple courtisane.

— Dans ce cas, son nain d'oncle me semble bien avare des charmes de sa nièce pour ne donner ce genre de réception que quelques fois par mois ; il devrait ouvrir chaque soir la porte de sa si hospitalière maison.

— Il agit ainsi par respect de la jeune fille, pour ne pas la fatiguer et, aussi, parce que plus rares sont ces soirées plus elles paraissent précieuses et plus sont divisés pour elle les risques de porter le fruit de telles unions.

Minkaf n'eut pas besoin de contraindre son interlocuteur à accumuler les arguments pour accepter son invitation. Il lui vint à l'esprit que cet Impi était peut-être l'homme providentiel qui allait lui faire rencontrer la femme de son rêve.

CHAPITRE XI

La saison de l'inondation touchait à sa fin et le flot débordant du Nil était déjà largement redescendu vers son niveau habituel ; il faisait donc encore très chaud, ce qui n'empêcha pas Minkaf de revêtir une riche robe tyrienne à franges et à orner ses bras et son cou de précieux bijoux d'or et de lapis-lazuli. Et lorsque Impi vint le chercher dans sa demeure, il prit place dans une chaise portée par quatre robustes serviteurs et il offrit une chaise semblable à son compagnon. Il se fit escorter par une douzaine de serviteurs dont plusieurs portaient des torches, la nuit commençant à tomber, les journées se raccourcissant, tandis que d'autres étaient chargés de présents.

La demeure d'Oukheryt était située sur une hauteur qui dominait les rives du fleuve, à la sortie nord de la ville. Elle était protégée des regards par un haut mur de terre qui enfermait un petit jardin dont les frondaisons des arbres aux essences diverses s'élançaient fort au-dessus de l'enceinte. Devant la porte de bois plein se tenaient deux serviteurs, des Nubiens dont la teinte de la peau était plus proche de celle des dattes mûres que des caroubes, ce qui laissait supposer qu'ils descendaient d'unions entre hommes du haut Nil et femmes de la basse vallée, ou vice versa. Reconnaissant Impi, ils ouvrirent la porte au cortège qui entra dans le jardin, suivit une allée bordée d'acacias et de sycomores, enfin s'arrêta devant la façade d'une maison éclairée par de nombreuses torches. Un nain, sans âge mais au visage sillonné d'épaisses rides, vint vers eux en sautillant.

– Bienvenue, bienvenue, seigneur Impi, bienvenue à tous deux, bienvenue à mes hôtes.

Ainsi s'exprima-t-il en s'inclinant, les bras relevés. Minkaf descendit de la chaise en même temps qu'Impi qui s'adressa au nain :

– Oukheryt, mon ami, je me réjouis de ton invitation. Et voici mon ami, le seigneur Hozat dont je t'ai parlé.

Minkaf salua son hôte, se dit honoré et fit un signe de la main pour que les serviteurs apportent non pas un cadeau, mais plusieurs présents dont il les avait chargés : deux sièges pliants en ébène et en ivoire, une boîte contenant des fioles à parfum en albâtre, un appui-tête en ivoire ciselé, un jeu de serpent, un collier fait de nombreuses perles de turquoises serties dans de l'or fin. Le nain reçut ces riches présents, les yeux brillants, et il s'inclina chaque fois qu'un serviteur lui présentait l'un des objets.

Oukheryt introduisit lui-même ses hôtes dans un jardin clos aménagé derrière la maison, isolé du reste du jardin par trois murs bas s'embranchant sur une aile de la demeure. Des vignes, d'où pendaient des raisins en treilles enlacées à des cordeaux tendus au sommet des murets, formaient un toit de verdure à cet espace dont le sol était couvert de tapis et de nattes. Six hommes, parmi lesquels Minkaf reconnut le chef de la police des étrangers, étaient déjà installés sur des fauteuils légers, chacun devant sa table personnelle. On échangea des salutations renouvelées, puis le chef de la police, souhaita personnellement la bienvenue à Minkaf :

– Seigneur Hozat, lui dit-il, mon cœur se réjouit en te voyant parmi nous.

– Le mien se réjouit pareillement de te retrouver dans cette noble assemblée, lui répondit Minkaf.

Oukheryt désigna à son hôte magnifique un siège couvert de coussins.

– Seigneur, lui dit-il ensuite, tu devrais te dépouiller de ce vêtement qui est aussi beau que pesant, car la chaleur te sera pénible ainsi vêtu.

Minkaf, qui avait pris soin de ceindre un pagne sous la robe, s'en dépouilla volontiers, ce qui lui permit de mieux exhiber les riches bijoux dont il s'était paré. Le service était fait par deux toutes jeunes filles vêtues, si l'on peut dire, d'une ceinture qui ceignait leurs hanches, pourvue sur le côté de disques de cuivre qui se heurtaient lorsqu'elle se mouvaient, en rendant un léger son métallique. Le jardin ainsi couvert était éclairé par de nombreuses lampes à huile suspendues aux treilles, tandis que des fleurs fraîchement coupées, répandaient leurs parfums qui se mêlaient à la senteur de l'huile de lis dont étaient ointes les deux servantes et les trois musiciennes assises sur des coussins au fond du jardin, du côté de la maison. Elles étaient munies l'une d'une petite harpe, l'autre d'une double flûte, la troisième d'un luth à long manche, et elles tiraient de ces instruments une agréable musique afin de réjouir l'âme des hôtes du nain et aiguiser leur patience dans l'attente de l'apparition de Bounefer ; c'est ce qu'expliqua Impi à son compagnon qui scrutait l'assemblée d'un regard anxieux à la recherche de celle pour qui il était venu.

Les petites servantes vinrent devant Minkaf, l'une munie d'une cruche remplie d'eau, l'autre avec un plat et un linge. Elles lui lavèrent les pieds et les mains, l'essuyèrent, puis l'une d'entre elles prit un flacon déposé près de la table et répandit sur sa tête et ses épaules une partie du contenu en lui disant que c'était de la liqueur de Mendès, le plus délicieux des parfums. Et tout en l'oignant elle se tenait tout près de lui, sa jolie poitrine à la hauteur de son visage, ce qui lui fit penser que même Bounefer ne serait pas celle qu'il attendait, il ne regretterait pas sa soirée dans cette hospitalière demeure, ne serait-ce que pour la présence de si charmantes servantes.

Après avoir traité de la même façon Impi, les deux jeunes filles se retirèrent et leur succédèrent de jeunes Nubiens à la peau brillante qui portaient des plats de légumes, de viandes grillées, de canards rôtis, de poissons et de fruits. Dans un premier temps, tout en mangeant chacun de leur côté, les convives échangèrent des paroles banales, se renseignant sur la santé de leurs commensaux, leurs activités, leurs goûts.

— C'est un bien grand malheur que Sa Majesté n'ait qu'un seul fils, déclara soudain l'un des convives. Car on dit que le jeune prince est faible, qu'il ne survivra peut-être pas à son père.

— On rapporte que Sa Majesté ne veut pas prendre d'autre épouse que sa reine, et pourtant elle ne vit plus auprès de lui depuis déjà longtemps, rappela un autre.

— Notre dieu a été profondément affligé de la mort de son Ami, celui qu'il avait placé à la tête du clergé du dieu Ptah. Certainement jamais plus il ne prendra de nouvelle épouse, intervint un tiers.

Il était toujours de bon ton, dans un banquet, de parler de la cour et du roi, pour montrer qu'on s'intéressait à la famille royale.

— Notre tristesse doit être d'autant plus grande que Sa Majesté est un bon roi, qu'il a rendu son temple au dieu de Memphis, et qu'il gouverne d'un cœur droit les hommes de la Terre noire.

— En vérité, intervint le chef de la police, c'est notre vizir, le prince Minkaf, qui depuis déjà trois rois est le maître du pays, c'est lui qui conduit avec une bonne houlette le peuple du soleil.

Cette intervention causa un plaisir extrême à Minkaf, heureux qu'on reconnût ses mérites. Mais il se garda d'entrer dans la conversation, attentif à ce qui pourrait bien se dire sur le comportement de Mykérinos et sur sa cour. Il songea, cependant, qu'en présence du chef de la police, Sa Majesté et son vizir ne pourraient qu'être couverts d'éloges. Cependant le chef de la police, sans doute curieux de mieux connaître ce riche étranger jouissant de si hautes protections, demanda soudain à Minkaf :

— Et toi, seigneur Hozat, que penses-tu de notre roi et de son vizir. Car, si j'en juge à l'édit que tu m'as montré, tu dois bien connaître la cour et notre vizir.

– Ces hautes protections, répondit Minkaf en faisant rapidement intervenir son imagination, je les dois au prince Djedefhor. Je l'ai bien connu au cours de ses voyages vers les pays du Levant. C'est lui qui m'a obtenu l'ordre que tu as pu lire. Aussi je ne me permettrais pas de porter de jugement sur de si hauts personnages moi qui ne suis qu'une petite souris, un misérable étranger qui a reçu l'hospitalité de ce pays.

– Tu veux plutôt dire un riche étranger, et je suis le premier à admirer la manière dont tu parles notre langue, au point qu'on te prendrait pour un Égyptien si tu n'étais vêtu à la mode du Kharou et ne portais la barbe et la moustache.

L'intervention du nain tira Minkaf d'embarras en lui évitant de répondre.

– Mes seigneurs, déclara-t-il, voici celle que vous attendez, celle qui va réjouir votre cœur par ses danses, celle qui va aussi plus encore réjouir le cœur d'un élu d'une nuit, la belle Bounefer.

Les musiciennes, qui avaient arrêté de jouer pendant que les hommes parlaient entre eux, refirent vibrer et sonner leurs instruments et deux d'entre elles unirent leurs chants à leur musique, louant la belle qui faisait son apparition, celle sur le berceau de qui s'étaient penchées les Sept Hathors, celle à qui avaient souri les dieux.

Et, malgré les éloges hyperboliques qu'il avait entendus et qui risquaient de le conduire à une cruelle déception, Minkaf fut ébloui par la vision de la jeune fille qui sortit de la maison et s'avança d'un pas léger et dansant dans la lumière du jardin. Elle était vêtue d'une robe semblable à celle qu'il avait entrevue, en forme de cloche renversée, serrant fortement sa taille et descendant par trois grands rangs de tissu léger jusque sur ses pieds chaussés de fines bottines de peau recouvrant les chevilles, ce qui était une étrangeté pour un Égyptien car on n'allait sur la Terre chérie que pieds nus ou chaussé de sandales ouvertes en tiges tressées de papyrus, ou en cuir chez les gens de la cour. Le haut de la robe, fait d'un tissu brodé de fleurs aux vives couleurs, moulait étroitement le torse, couvrait les épaules et le haut des bras. Mais il était partiellement caché par une sorte de châle qui enveloppait la poitrine et les épaules, voilait le bas du visage. Sa sombre chevelure s'épanchait en longues mèches jusque sur ses reins, serrée contre ses épaules par le châle qui l'emprisonnait partiellement.

Minkaf fut surpris par l'étrangeté de ce vêtement dont il ignorait que c'était celui des femmes qui habitaient une vaste île au milieu de la Grande Verte, l'île du peuple appelé par les Égyptiens les Keftiou, mais ce qui domina en lui c'est la jubilation de la surprise car il savait qu'il avait devant lui la femme qu'il avait entrevue lors de son passage à Athribis, celle qui était revenue le visiter dans son rêve.

Elle vint se placer au centre du jardin clos, face aux spectateurs assis dans le fond, et aussitôt elle se lança dans une danse hiératique, restant sur place, ne remuant que le torse et la tête, parfois se baissant et se redressant, au rythme lent de la musique et des chants. Tout en dansant de la sorte elle froissa lentement le châle afin de révéler peu à peu son visage comme pour mieux mettre en valeur son harmonie. Bien qu'il eût vu un grand nombre de jeunes femmes, Minkaf ressentit un choc en songeant que, en effet, il n'avait jamais vu un visage si gracieux, si parfait dans son dessin, si rayonnant de sensualité.

Impi se pencha vers Minkaf et lui murmura à l'oreille :

– Dis-moi, en vérité, mon ami, si je t'ai trompé en te parlant de cette jeune fille ?

– En vérité, mon ami, répondit-il, tu es resté bien en dessous de la réalité car la beauté de cette femme est indicible, il faut l'avoir vue pour pouvoir l'imaginer.

Maintenant, la danse devenait moins lente et la danseuse jouait avec le châle qu'elle avait dénoué. Elle le faisait glisser autour d'elle, elle le déployait, elle le retira sans le lâcher, révélant sa poitrine dénudée. Car le haut de la robe était largement ouvert sur le devant, laissant libres ses seins admirablement proportionnés, souples et fermes. Le châle à nouveau les voila, se gonflant sous leur forme, puis elle se mut, avançant vers les spectateurs puis reculant en un jeu du désir et de la provocation, voilant et dévoilant sa poitrine.

Deux jeunes Nubiens sortirent de la pénombre dans laquelle ils se fondaient, au fond du jardin. Ils s'arrêtèrent derrière la danseuse qui, maintenant, restait droite, immobile, haletant légèrement. Ils entreprirent de la dépouiller de sa robe avec une lenteur voulue afin d'irriter l'impatience des spectateurs. Elle apparut alors dans une nudité presque totale, ne conservant qu'un étroit pagne triangulaire qui moulait ses fesses et se nouait sous le nombril, laissant nu son ventre et son pubis soigneusement épilé. Minkaf put alors admirer l'harmonie des lignes de son corps, l'élégance de ses jambes élancées. Elle conservait encore les bottines souples, ornées de perles taillées dans des pierres de couleur, et ses bijoux : large collier de lapis-lazulis et de turquoises, armilles d'or autour des cuisses, et des bras, larges bracelets aux poignets.

Les Nubiens s'éloignèrent alors avec la robe et elle s'élança dans une nouvelle danse, plus animée que la précédente, mêlant ses pas, tourbillonnant afin de faire tournoyer ses cheveux, continuant de dérober son corps avec le châle qu'elle n'avait pas lâché, pour mieux ensuite le révéler. Puis il lui arrivait de ne plus mouvoir que son corps en restant sur place et, jetant le châle sur ses épaules, elle se dépouillait soit d'un bracelet, soit d'une armille, jusqu'à ce qu'il ne lui restât plus que le collier. Elle les donnait chaque fois à l'un des deux Nubiens qui s'avançait pour recevoir le bijou de ses mains, jusqu'au moment où l'un des deux jeunes hommes se chargea de lui ôter son collier attaché sur sa nuque. Et Minkaf ne put alors s'empêcher d'évoquer la descente de la déesse sumérienne Inanna, maîtresse d'amour et de beauté, lorsqu'elle se rendit aux enfers, dans le royaume profond et sombre de l'implacable Ereshkigal : à chaque porte elle abandonnait un vêtement, un bijou, pour se retrouver finalement entièrement nue lorsqu'elle parvint dans le monde infernal, ainsi que le lui avait rapporté son frère Djedefhor.

Les deux Nubiens revinrent finalement auprès d'elle pour la soutenir tout en lui ôtant ses bottines avec lesquelles ils s'éloignèrent puis, tout en dansant, elle se dépouilla enfin de son pagne et demeura ainsi dans une totale nudité. La musique et les chants s'intensifièrent comme pour faire monter l'émotion et le désir, tout en couvrant les soupirs, les encouragements et les cris de joie des spectateurs. Minkaf dut reconnaître que, malgré sa jeunesse, puisque Impi lui avait assuré qu'elle avait à peine dix-huit ans, elle était parfaitement maîtresse de ses actes et connaissait ses moyens et sa puissance de séduction.

N'étant plus entravée par ses bijoux ou un quelconque vêtement, sa danse était devenue acrobatique, tout en demeurant toujours aussi gracieuse et élégante dans ses gestes, mêmes lorsqu'ils étaient vifs, quand elle se rejetait en arrière pour former un pont, quand elle faisait la roue, tourbillonnait en sautant en l'air, lançait les jambes vers le ciel en se jetant sur les mains, roulait sur les tapis, enfin révélait son corps dans toutes les postures, sous tous ses aspects, dépassant en hardiesse, en intrépidité, en trouvailles, les élèves de l'école de danse du temple d'Isis où on continuait de former des danseuses sacrées célèbres pour l'audace de leurs acrobatiques saltations.

Minkaf dut alors convenir que son compagnon ne l'avait pas trompé en assurant que même si l'on n'était pas choisi, la beauté, la grâce et la sensualité du spectacle offert par la danseuse compensait largement la valeur des cadeaux donnés pour prix de la soirée.

Enfin, visiblement exténuée par tant d'agitation et une si longue prestation, la jeune fille se laissa tomber sur le sol, assise sur une jambe repliée, l'autre toujours allongée, le torse penché sur un genou, la tête baissée, cachée sous le flot de sa chevelure. Les deux Nubiens vinrent alors près d'elle et versèrent sur ses cheveux et son corps deux petits flacons remplis d'eau parfumée, puis ils la relevèrent et oignirent tout son corps qu'ils frottèrent doucement de leurs mains nues. Ils lui tendirent ensuite une coupe de vin qu'elle vida lentement sous les clameurs des spectateurs. Le silence retomba soudain, d'un seul coup, lorsqu'elle ramassa son châle abandonné sur le sol. On savait que le moment du choix était venu.

Minkaf sentit son cœur battre fortement lorsqu'il la vit s'avancer vers lui. Elle souriait, radieuse, et il put alors voir que, bien que son regard lui ait paru sombre, ce qui venait de ses yeux enfoncés dans ses orbites, elle avait les prunelles de la couleur de la mer. Espoir suivi d'une cruelle déception lorsque, finalement, elle s'arrêta devant Impi puis, se baissant vers lui, elle l'enferma dans le châle, le forçant à se lever, et elle l'entraîna vers la demeure sans qu'il cherchât à échapper à un pareil rapt.

Ce qu'ignorait Minkaf qui se leva de mauvaise humeur en songeant à la nuit qu'avait dû passer son compagnon et qu'il avait espérée pour lui-même, c'est que la rumeur de la présence d'un riche et généreux étranger était parvenue aux oreilles d'Oukhéryt toujours à l'affût de riches clients. Ayant appris que l'un de ses commensaux, Impi, était en relations avec ce nouveau venu, il l'avait sollicité :

– Seigneur Impi, lui avait-il dit, ton serviteur a entendu dire que tu connaissais un étranger récemment arrivé dans notre ville.

– Si tu veux parler de cet homme d'Ougarit qui s'appelle Hozat, il est vrai que je le connais. Il est arrivé ici avec un grand bateau chargé de riches marchandises et tout un équipage d'hommes venus du Kharou. Il s'est installé dans une belle demeure et il mène une grande vie. Je l'ai rencontré dans une taverne car il semble aimer les plaisirs.

– Dans ce cas, pourquoi ne l'amènes-tu pas dans la demeure de ton serviteur ? Sans doute les danses de Bounefer ne pourront que lui plaire.

– Il ne semble pas possible qu'il existe un homme capable de rester insensible à la beauté de ta petite-nièce, avait reconnu Impi.

– Si tu le persuades de venir dans la demeure de ton serviteur, tu n'auras pas à t'en repentir... s'il apporte avec lui de beaux présents, précisa le nain.

– N'aie aucune crainte sur ce point, assura Impi. Mais si je l'amène un soir dans ta demeure, quelle sera ma récompense ?

– Seigneur, quelle question ? Quel est le plus grand plaisir que ton serviteur puisse te faire ?

– Allons, Oukhéryt, tu sais bien ce que chacun espère en venant assister aux danses de Bounefer.

– Dans ce cas, tu seras satisfait.

Et, comme il l'espérait, Impi avait été élu par la jeune femme, ce qui satisfaisait moins Minkaf qui s'était vu dédaigné malgré la richesse des présents qu'il avait apportés. Cependant, sa mauvaise humeur tenait à un autre tourment que cet échec qu'il savait temporaire, car il ne doutait pas avoir les moyens de conquérir la jeune danseuse ou, tout au moins, cet Oukhéryt qui, même s'il était réellement son grand-oncle, se comportait comme le maître de Bounefer, celui qui décidait qui serait enveloppé dans le châle. Il songeait qu'il avait bien retrouvé celle qu'il cherchait, la femme de son rêve, la forme entrevue lors de son passage à Athribis. Il avait bien espéré découvrir une fille qui ne soit pas trop banale, plutôt belle, mais il ne s'attendait aucunement à se trouver devant une beauté si exceptionnelle et, qui plus est, une courtisane qui savait si habilement provoquer le désir. Or, non seulement il désirait faire avec elle une maison de plaisir, mais il sentait qu'il exigerait plus encore d'elle, il en aurait fait volontiers sa compagne, sinon la maîtresse de ses biens. Mais n'avait-il pas agi de la sorte uniquement pour trouver une concubine à son royal neveu, et non pour se donner une épouse ? Et c'est là que le blessait le bât, car il était tiraillé entre ce qu'il croyait être un devoir vis-à-vis de Mykérinos et le désir, voire l'amour, qu'il ressentait pour une femme si exceptionnelle.

Une longue réflexion le persuada qu'il convenait d'abord qu'il entrât en relations avec Oukhéryt, puis qu'il testât lui-même la valeur amoureuse de la jeune femme. Il espérait y trouver une déception, car, combien de fois des femmes qui lui avaient paru belles l'avaient laissé finalement insatisfait alors que d'autres bien moins avenantes l'avaient comblé ! Et même s'il trouvait tout le plaisir espéré dans de premières étreintes, il se savait inconstant, toujours à la recherche d'une nouvelle conquête, raison pour laquelle il n'avait jamais voulu se donner une épouse pour fonder une famille ; aussi devait-il prendre son temps, épuiser tous les plaisirs qu'il pourrait trouver dans le commerce de cette beauté, et, une fois lassé d'elle, il pourrait mettre à exécution son projet.

Maintenant qu'il connaissait le chemin qui conduisait à la demeure de la jeune femme de son rêve et qu'il savait qui elle était, il se sentait rassuré. Il chassa loin de lui toute pensée désagréable puis, après s'être baigné, s'être fait oindre de parfums et habiller, il décida de rendre une visite à Oukhéryt tout en espérant revoir Bounefer. Il s'apprêtait à se mettre en route lorsque se présenta Impi en personne. Ne voulant pas se montrer sous un mauvais jour, Minkaf le reçut en manifestant une grande joie, laquelle n'était pas tout à fait simulée dans la mesure où il était curieux de savoir comment son visiteur avait passé sa nuit et heureux d'entendre parler de celle dont l'image désormais ne cessait de l'occuper.

Il l'invita à venir s'asseoir dans l'ombre de palmiers devant un vase poreux de bière.

— Je te vois des plus heureux de ce qui t'est arrivé, commença Minkaf. Sans doute as-tu passé une bien agréable nuit.

— Agréable est un terme trop simple et plat pour qualifier la nuit qui a été la mienne. Cette fille est la Dorée en personne, je n'ai encore jamais eu tant de plaisir à m'unir à une femme. Mais je ne suis pas venu devant toi pour t'entretenir de ce qui me concerne.

— Ah ! s'étonna Minkaf. Je m'apprêtais à me rendre chez cet Oukhéryt.

– Garde-t'en bien ! s'exclama Impi. Ce serait une malheureuse résolution, bien que notre hôte ait été sensible à la richesse de tes présents. Le meilleur conseil que je puisse te donner c'est de patienter encore quelques jours. Lors de la prochaine soirée organisée par Oukhéryt, tu es invité à y participer. Apporte encore d'aussi magnifiques présents qu'hier, et je te garantis que tu seras choisi par Bounefer. Moi qui te parle, je peux te déclarer que c'est là un grand privilège car il faut souvent patienter des mois, participer de nombreuses fois à ces soirées pour finalement être l'heureux élu.

De son côté, Minkaf songea qu'il était préférable de ne pas montrer trop d'empressement, voire de manifester une certaine indifférence, ce qui ne pouvait manquer, dans le cas présent, d'éveiller une certaine inquiétude chez un hôte qui attendait visiblement beaucoup d'un client tel que lui, aussi magnifique dans ses dons. Par ailleurs, son métier de vizir lui avait enseigné la pratique de diverses vertus à commencer par la patience, la maîtrise de soi et la dissimulation de ses sentiments. Aussi se résigna-t-il finalement à attendre qu'Impi vienne lui faire part d'une nouvelle invitation d'Oukhéryt.

Néanmoins, il brûlait de revoir Bounefer dont il conservait fortement marquée dans sa mémoire la beauté du visage et du corps, renouvelant sans cesse le désir qu'il avait d'elle. Aussi se hasarda-t-il à demander à Impi si, d'aventure, il arrivait que la jeune femme se rendît en ville, soit pour se montrer, soit pour y faire des achats, soit pour porter des offrandes au temple de Kem-ouet.

– Il lui est arrivé de venir sacrifier au temple, à ce qu'on m'a dit, répondit Impi, mais, à ma connaissance, elle ne sort que peu. Et lorsqu'elle va en ville elle est toujours flanquée de deux Nubiens qui veillent à ce que personne ne l'approche. Elle revêt alors une robe semblable à celle dans laquelle elle t'est apparue, mais elle use de son châle pour cacher son visage et sa poitrine.

– Je trouve étrange que son grand-oncle qui semble vivre de sa prostitution, se montre aussi sourcilleux lorsqu'il s'agit de montrer sa nièce en public.

– Pour ma part, je pense qu'il est très habile car il a ainsi créé autour d'elle une aura de mystère tout en excitant la curiosité des gens. De la sorte ceux qui sont conviés à participer aux soirées au cours desquelles elle se donne en spectacle y voient un privilège qu'il sont disposés à payer au plus haut prix. Je suis persuadé que si elle se montrait communément en public vêtue comme les autres femmes de la ville, elle perdrait beaucoup de son mystère et, par la même occasion, de sa clientèle.

– Dans ces conditions, je comprends pourquoi depuis plus d'un mois que je suis installé à Athribis, remarqua Minkaf, je ne l'ai jamais rencontrée.

Et il se dit en lui-même que c'est donc un hasard extraordinaire qui lui avait permis de l'entrevoir lors de son bref passage dans la ville, alors qu'il se rendait à Sebennytos ; un hasard ou plutôt, la volonté d'un dieu, mais il avait bien peu de foi dans l'intervention d'une quelconque divinité dans les affaires humaines, ou alors il y avait trop de dieux mauvais qui triomphaient des bons comme pouvaient le laisser penser toutes les injustices, toutes les misères qui étaient le lot de la majorité des humains alors que quelques pervers parvenaient à s'imposer et à régir le monde.

CHAPITRE XII

Hénoutsen s'était installée, suivant une habitude prise depuis déjà quelque temps, dans son pavillon où elle trouvait ombre et fraîcheur, et où elle aimait à rêver et à recevoir ses intimes. Aussi, si elle fut surprise, elle ne fut pas fâchée de voir surgir sur la rive du petit lac artificiel son fils bien-aimé, Minkaf, qui, au lieu de prendre une barque, vint à la nage jusqu'au minuscule îlot sur lequel était dressé l'édicule et où l'on avait laissé debout plusieurs arbres afin non seulement de retenir la terre mais pour que leurs ramures unies filtrassent les rayons du soleil tout en servant de refuge à de nombreux oiseaux colorés et pépiants.

— Minkaf, mon cher fils, lui dit Hénoutsen, rieuse, en le voyant devant elle, tout ruisselant et se secouant, tu es devant moi comme un petit chien mouillé. Mon plaisir de te voir ici est d'autant plus grand que c'est une agréable surprise car je te croyais décidément installé de nouveau dans ta demeure de Khem.

Pour rentrer à Memphis, Minkaf s'était fait raser et avait ceint le pagne traditionnel.

— Mère, lui dit-il en venant s'asseoir à ses pieds, je n'étais pas à Khem mais à Athribis.

— Que faisais-tu donc à Athribis ? s'étonna-t-elle. Aurais-tu passé là-bas tout le mois de l'Inondation et le début de la saison nouvelle ?

– En grande partie et tu me vois heureux de te retrouver seule car j'ai à t'entretenir de l'aventure étrange de laquelle je sors, bien qu'elle ne soit pas terminée.

– Oh ! s'exclama Hénoutsen, tu m'intrigues. Je t'écoute et tu as tout ton temps pour m'entretenir de tes amours, car je suppose que c'est ce dont il s'agit ; je n'attends personne et nous ne serons pas dérangés... Veux-tu boire ?

– Pas pour l'instant. Mais j'ai tant à dire, que sans doute serai-je assoiffé avant d'en avoir terminé.

Il commença par lui faire part du désir qui l'avait saisi de prendre Mykérinos au mot et du rêve qui était venu le hanter la nuit suivante. Il lui confia alors la raison qui, en suite de ce rêve, l'avait amené à s'installer à Athribis en se faisant passer pour un riche marchand d'Ougarit. Puis il lui rapporta comment il avait retrouvé celle qu'il était allé y chercher et la manière dont elle l'avait ensorcelé par ses danses et surtout sa beauté.

– Je t'éviterai des détails sans grand intérêt, poursuivit-il, ce qu'il faut que tu saches c'est que j'ai bientôt été choisi par elle et que j'ai connu les délices d'Hathor entre ses bras. Au point que je n'ai pu me déprendre d'elle et, grâce à des dons qui pour moi ne sont pas des sacrifices puisque j'ai le bonheur d'appartenir à la famille royale de ce pays dont je suis le vizir, il m'a été facile de persuader cet Oukheryt qu'il était mieux que sa petite-nièce n'ait qu'un seul amant dont la prodigalité dépassait l'ensemble des largesses de tous ses autres prétendants réunis.

– Si je comprends bien, supputa sans risque d'erreur Hénoutsen, tu es amoureux de cette fille.

– Je le suis, et c'est ce qui me tracasse puisque je n'ai cherché à la connaître que pour l'imposer à mon royal neveu.

– Ce sont de curieux scrupules puisque Mykérinos ne la connais pas et ne t'a pas chargé de la mission que tu t'es imposée. D'autant que rien ne te dit qu'il voudra d'elle.

– Tu peux imaginer que je me suis tenu un tel raisonnement de sorte que je l'ai gardée avec moi tout ce temps afin de jouir totalement de sa beauté. Je me suis enfin résolu à lui offrir de devenir la maîtresse de mes biens, décidé à lui révéler enfin ma véritable identité une fois qu'elle aurait accepté ma proposition.

— Il est vrai que tu aurais pu difficilement vivre encore long-temps sur les réserves que tu avais en ta possession immédiate, sans compter le fait qu'il aurait bien fallu que tu retournes un jour à Memphis en sa compagnie.

— Oui... Et sais-tu ce qu'elle m'a répondu ?

— Elle a refusé, sans doute.

— Bien sûr, mais pour une raison que tu ne dois pas soupçon-ner : elle m'a dit qu'il n'en pouvait être ainsi, malgré les senti-ments qu'elle avait pour moi, malgré le fait que je la comblais de biens et de mon amour, car, finit-elle par déclarer, elle est pré-destinée à devenir l'épouse d'un roi, la reine d'un pays qui ne pouvait être que l'Égypte.

La chute, en effet bien inattendue, fit éclater de rire Hénoutsen qui déclara :

— Voilà une belle ambition ! Lui as-tu demandé sur quoi elle fondait une pareille prétention, elle qui n'est que la fille d'un étranger vivant de la prostitution dans une ville si éloignée du Grand Palais ?

— Sur un oracle qui aurait été rendu à sa mère lors de sa nais-sance par un devin ! Et rappelle-toi, ma mère, que c'est un songe au plus profond de la nuit qui me l'a désignée, que sa silhouette a été tirée du fond de ma mémoire alors que j'avais complète-ment oublié la vision que j'avais eu d'elle, vision rare et d'autant plus extraordinaire que je n'aurais jamais dû la rencontrer moi qui ne passais jamais à Athribis et elle qui ne sort que rarement de chez elle.

— Il est vrai, reconnut Hénoutsen, que ce sont là des signes troublants.

— Suffisamment pour que je chasse loin de moi tout désir d'en faire mon épouse et que j'échafaude tout un plan pour l'imposer à Mykórinos, quitte, d'ailleurs, à continuer d'en faire ma maîtresse

129

si mon neveu se lasse d'elle. Après tout, il ne voit aucun inconvénient à ce que mon frère soit l'amant de sa sœur et épouse, pourquoi ne pourrais-je être celui de sa concubine ou même de sa deuxième épouse dans le cas où il en ferait la maîtresse de ses biens ?

— Dis-moi, alors, demanda Hénoutsen sans relever la dernière possibilité, comment comptes-tu l'imposer à Menki ?

— Je te le dirai tout à l'heure, en te montrant l'objet qui emportera la décision, objet que j'ai soigneusement caché dans ma résidence de Memphis.

— Minkaf, tu m'intrigues. Tu as trop parlé. Pour le moins, fais-moi savoir la nature de l'objet en question.

— S'il ne faut que cela pour satisfaire ta curiosité, je te dirai qu'il s'agit de l'une de ses chaussures, ces bottines dont je t'ai parlé, si originales et qui, ai-je appris, sont les sandales qu'utilisent couramment les femmes de l'île des Keftiou. Mais ce n'est pas uniquement pour te parler de cela que je suis venu jusqu'à toi et que j'ai désiré te parler. Il faut que tu saches qu'au fil des jours, au cours de conversations entre elle et moi et aussi avec son grand-oncle, j'ai appris un grand nombre de choses concernant elle-même et surtout sa famille, et c'est de cela que je veux t'entretenir.

— La gravité du ton sur lequel tu me dis cela éveille ma curiosité et sache que j'ouvre grandes mes oreilles pour t'écouter.

Alors Minkaf commença ainsi son récit :

— Sache que le père d'Oukhéryt s'appelait Zebul et qu'il était un riche habitant de cette ville royale du nord du pays de Kharou, appelée Ougarit. Et comme, en suite d'une étrange coïncidence, je m'étais fait passer pour un marchand venu précisément de cette cité, il a marqué rapidement une grande sympathie à mon endroit. S'il vivait encore, ce Zebul serait un vieillard mais il pourrait encore être de ce monde puisque, m'a assuré Oukheryt, il n'aurait pas encore quatre-vingt-dix ans. Pour ma part, je suis persuadé, en te voyant encore si verte, que tu atteindras aisément cet âge et le dépasseras même en restant aussi vive. »

La remarque fit sourire Hénoutsen, sans qu'elle cherchât à intervenir, tandis que Minkaf poursuivait son récit.

« Le père de Zebul était un riche trafiquant du royaume et il voyageait aussi bien sur terre que sur mer pour son commerce. Aussi, tout enfant, Zebul avait-il suivi son père qui l'emmenait dans ses voyages afin de le former et le rendre apte à lui succéder. Louable prévoyance car Zebul avait à peine vingt ans lorsque mourut son père qui lui laissa du bien, une belle maison, une firme commerciale et un grand bateau avec lequel il commença à trafiquer avec les ports des échelles du Levant. À vingt-deux ans, Zebul n'avait pas pris d'épouse, voulant se consacrer entièrement à son commerce, ce qui le conduisait à passer la plus grande partie de sa vie sur la mer. Il convient de noter à son avantage cette volonté de demeurer célibataire à l'encontre de la coutume, car il ne voulait pas prendre femme pour ensuite la laisser à l'abandon dans sa demeure et, en outre, ayant un vif tempérament, la tromper lors de ses escales dans les divers ports où le conduiraient ses navigations.

« Or, alors qu'il remontait la côte de Canaan en rentrant de Gaza, en passant à la hauteur de Joppé où il croisait près du rivage, il eut la surprise de voir au bas d'un haut roc sombre, une jeune femme, je devrais plutôt dire une jeune fille car elle avait à peine une quinzaine d'années à ce qu'il apprit ensuite, attachée par de solides liens à des anneaux fixés dans le roc. Elle était dépouillée de tout vêtement, ce qui excita autant la pitié que le désir de Zebul car elle était, paraît-il, très belle et versait d'abondantes larmes en appelant le secours d'un dieu. Sans se soucier ni de la colère de la divinité à laquelle, paraît-il, était immolée cette vierge, ni celle des gens de la ville de Joppé qui offraient ce sacrifice à un dragon de la mer, selon ce qu'elle lui apprit, il fit approcher le bateau sans pouvoir aborder, plongea, nagea jusqu'à la captive, rompit ses liens et replongea avec elle dans la mer pour la ramener sur son bateau. Contrairement à ce qu'il aurait pu redouter, personne ne chercha à le poursuivre, bien qu'il ait pu voir sur le haut de la falaise, une foule rassemblée. Interrogée par son sauveur, elle lui fit savoir qu'elle était la fille du roi de la ville, qu'une épidémie provoquée par des démons ravageait le pays et, qu'en conséquence d'un oracle, son père avait dû la livrer au dieu de la mer qui en sortait sous la forme d'un dragon et emportait la victime au fond des abîmes. Et si personne n'était intervenu lorsqu'il l'avait enlevée, c'est parce qu'on pensait qu'il était délégué par le dieu de la mer et, dans le cas contraire, s'il n'était qu'un simple humain de passage, c'est sur lui que retomberait la malédiction du dieu. Ainsi croyaient-ils que de toute façon la victime ayant été offerte et enlevée, la maladie s'éloignerait du pays.

« Dans de telles conditions la jeune fille, dont le nom était Namy, ne pouvait plus retourner parmi les siens. Zebul en fit donc son épouse et, un peu plus d'une année après, naissait de cette union ce nain appelé Oukheryt. Sans doute un homme qui n'aurait pas eu la trempe de Zebul, ni, non plus, son scepticisme au regard de l'existence des dieux, aurait-il vu dans la difformité de l'enfant né de ses amours avec une femme si belle et si parfaitement proportionnée, l'indice de la colère d'un dieu. D'autant que pendant les années qui suivirent, Namy parut rester stérile car ce n'est que près de sept ans plus tard qu'elle donna naissance à une fille. Celle-ci, appelée Danety, parut à Zebul comme une revanche car elle était bien faite à la naissance et elle devint une très mignonne enfant. Mais le malheureux Zebul ne put longtemps encore jouir des charmes de sa femme et de l'affection de sa fille.

« Il convient ici que je signale que Zebul avait, dans son commerce, un redoutable rival ; redoutable non par ses capacités de commerce, mais parce qu'il n'avait aucun scrupule aussi bien pour réussir les affaires qu'il entreprenait que pour se débarrasser de rivaux. Or, chaque fois qu'il s'était heurté à lui, Zebul s'était révélé le plus fort. Il se réjouit lorsqu'il apprit que, lors d'une tempête, cet homme, un Cananéen de Simyra appelé Gad, avait perdu son navire. Mais ce même événement fut aussi cause de son malheur. Le naufrage avait eu lieu au large de Sidon où Zebul avait relâché pour acheter de la pourpre. Il avait laissé son bateau au mouillage et lui-même s'était rendu en ville pour ses affaires ; il avait emmené avec lui son fils Oukheryt, alors âgé de onze ans car, malgré sa difformité et son jeune âge, il voulait, comme son père l'avait fait pour lui-même, commencer à lui faire pénétrer les arcanes de son commerce. Il n'eut qu'à se féliciter d'une telle initiative car, profitant de l'absence du maître et d'une partie de l'équipage, ce brigand de Gad s'empara du bateau de Zebul et mit au large, emportant Namy et sa fille Danety.

« Il est facile d'imaginer la colère et le désespoir de Zebul. Comme, selon les témoignages qu'il put recueillir, le bateau volé avait mis le cap vers le sud, Zebul put légitimement penser qu'il faisait route vers l'Égypte. Il se trouva alors devant cette alternative : soit rentrer en hâte à Ougarit, y affréter un nouveau bateau et s'élancer à la recherche de Gad, soit, ayant heureusement réalisé une partie de la marchandise, prendre place sur un navire marchand mettant prochainement à la voile et suivre ainsi le voleur à la trace. C'est le second parti qu'il choisit, dans la crainte que le temps perdu à rentrer à Ougarit, équiper un nouveau bateau en faisant des emprunts et reprendre la mer, ne permette à Gad de disparaître définitivement avec ses captives. Il s'embarqua donc avec son fils sur un bateau qui partait le lendemain, précisément pour Athribis et devait, naturellement, faire escale dans tous les ports de la côte de Canaan. Ainsi Zebul put-il suivre à la trace le ravisseur de sa femme et de son enfant, sans cependant réussir à le rattraper car, comprenant qu'il serait forcément traqué, Gad ne relâchait que très peu de temps dans les ports, quand encore il s'y arrêtait, et en repartait sans s'attarder.

« Ainsi Zebul parvint-il en Égypte sans avoir réussi à rattraper Gad qu'il perdit alors de vue. Il ignorait que, avec l'audace que peut donner la crainte, après avoir fait de larges provisions d'eau, Gad avait directement mis le cap en direction de la Crète, navigation dangereuse comme tu le sais, dans laquelle rares sont ceux qui osent s'y aventurer, les relations entre cette île des Keftiou et l'Égypte se faisant en général par cabotage le long des côtes bordant la Grande Verte, d'après ce que j'ai appris.

« C'est donc en Égypte que Zebul poursuivit ses recherches. Il a parcouru toutes les villes le long du Nil, jusqu'à la frontière de la Nubie. Une fois parvenu à la passe méridionale, Oukheryt n'a pu me dire pourquoi son père, qu'il accompagnait, a décidé de poursuivre sa route encore au-delà de la cataracte. Pouvait-il vraiment croire que Gad avait fui si loin vers le sud ? Ou encore, ayant compris qu'il avait définitivement perdu la trace de son épouse, avait-il été saisi par la passion de l'aventure et de la découverte ? Avait-il voulu voir ce qu'il y avait au-delà de la cataracte, connaître ces régions mystérieuses que nous-mêmes n'osons affronter et sur lesquelles courent tant d'histoires terrifiantes ? Toujours est-il qu'il trouva une grande embarcation, qu'il aurait volée, à ce que croit Oukheryt, et qu'il poursuivit sa route avec son fils et un Égyptien de Nubie qui avait accepté de lui servir de guide. Je dois préciser ici que Zebul parlait déjà notre langue, ayant été emmené tout jeune par son père dans la Terre noire à plusieurs reprises. Jusqu'où est-il parvenu ? Oukheryt, qui était encore un adolescent, n'a pu me le préciser. Ce qu'il sait, c'est que le voyage en Nubie a duré dans l'ensemble plus d'une année. C'est dans ce pays qu'il a arraché à la mort deux jeunes Nubiens, des jumeaux destinés à être sacrifiés. Je ne sais précisément comment les choses se sont passées, toujours est-il qu'il en a fait ses serviteurs car c'étaient de robustes jeunes hommes âgés d'une vingtaine d'années. Zebul se décida alors à retourner en Égypte.

« Son intention était de s'installer quelque temps à Memphis où il espérait avoir un jour des nouvelles de ce Gad, car il savait qu'il faisait du commerce avec les ports de la basse vallée. Il avait d'abord songé à s'installer à Athribis où arrivaient les bateaux étrangers, puis il a préféré rester à Memphis car il se rappelait que ce Gad, lorsqu'il venait à Athribis, allait souvent passer quelques jours à Memphis. Or il pensait qu'il lui serait plus facile de passer inaperçu dans une vaste métropole que dans un petit port fluvial comme Athribis. Ainsi s'installa-t-il à Memphis sous un nom égyptien, avec son fils qu'il fit passer pour un serviteur, et les deux jumeaux. »

Bien qu'elle n'ait manifesté d'aucune façon l'émotion qui l'avait soudain saisie en entendant mentionner l'installation de ce Zebul à Memphis sous un nom égyptien avec un nain et deux serviteurs nubiens, Hénoutsen avait compris de qui il s'agissait ; cependant, Minkaf ne paraissait pas avoir vu qu'elle l'écoutait avec une plus grande attention.

« Pour abréger, reprit Minkaf qui avait fait une pause suffisamment longue pour laisser supposer qu'elle était volontaire afin de donner à réfléchir à sa mère, mais suffisamment courte pour ne pas lui laisser le temps de lui poser une question sur le nom qu'avait pris le marchand d'Ougarit, sache que Zebul s'est finalement définitivement établi à Memphis où il est mort quelques années plus tard, à peine âgé de cinquante-six ans. L'un des Nubiens y est mort aussi et, pour des raisons diverses, Oukheryt a dû quitter la ville en hâte avec le serviteur qui lui restait. Il disposait, parmi les biens de son père, de suffisamment d'or et de bijoux pouvant servir aux échanges, pour vivre sans soucis pendant quelques années. Il a alors voyagé à travers la Basse-Égypte, bien qu'ayant perdu tout espoir de retrouver sa mère et sa jeune sœur. Je dis jeune sœur mais, en réalité, considéré le nombre d'années écoulées, elle n'était plus une enfant, loin de là. Or, c'est encore par un étrange hasard qu'il retrouva sa sœur Danety. Et ceci, grâce, si je puis dire, à sa disgrâce. Il passait à Bouto lorsqu'il fut abordé par une femme accompagnée d'une petite fille d'une dizaine d'années. Elle lui dit qu'elle le suivait depuis déjà un moment car il lui rappelait quelqu'un de sa famille. Il est vrai que les nains ne sont pas des gens qu'on rencontre communément et on comprend qu'elle en ait été frappée. Elle lui demanda si, d'aventure, il n'était pas originaire d'Ougarit et n'était pas le fils d'un certain Zebul. Bien qu'elle eût alors trente-six ans, Oukheryt ne put que reconnaître en elle sa sœur Danety.

« Naturellement, mère, tu dois être curieuse de savoir comment Danety se trouvait-elle là. Je m'en vais te le dire sans plus tarder. Voici ce qu'elle a raconté à son frère. Naturellement, je t'en fais un résumé. Ce brigand de Gad avait emmené chez les Keftiou sa captive qu'il avait mise de force dans sa couche, la menaçant de tuer sa fille si elle ne se soumettait pas. Ainsi Danety avait-elle été élevée chez les Keftiou dont elle avait pris les mœurs et appris le langage. Elle avait atteint sa vingt-cinquième année lorsque mourut sa mère Namy. Mais tout le temps écoulé n'était pas parvenu à éteindre la haine qu'elle portait à ce Gad qui l'avait arrachée à l'affection de son père et qui l'utilisait comme une menace pour soumettre sa mère. C'est la raison pour laquelle Gad lui avait refusé tout mariage avec un Keftiou, afin de la garder auprès de lui, comme otage. Il paraît qu'il avait su parfaitement mener son jeu entre les deux femmes. Il avait d'abord pu dominer la mère en menaçant de tuer l'enfant et ensuite il domina Danety devenue une jeune fille en la menaçant de mettre à mort sa mère dont il commençait à se lasser. Et comme il s'était enrichi et bien intégré dans la société de son nouveau pays où il jouissait d'une grande notoriété, les deux femmes se trouvaient impuissantes face à lui. Ainsi Danety, afin que soit épargnée sa mère, dut-elle partager à son tour la couche de Gad et simuler même un amour non seulement qu'elle ne ressentait pas, mais qui, en réalité, dissimulait une haine profonde. En fait, elle attendait le moment opportun pour assumer sa haine et sa vengeance. Cette occasion se présenta peu après la mort de Namy en la personne d'un trafiquant égyptien de Saïs appelé Irenakhti. C'était un homme à peine plus âgé que Danety qu'il rencontra en venant chez Gad avec qui il était en relations commerciales. Il s'éprit de Danety qui était une fort belle femme et il trouva le moyen de lui déclarer son amour. Danety s'est hâtée d'y répondre et elle est allée jusqu'à se donner à lui pour être certaine qu'il soit prêt à tout pour la garder. Devenus complices, ils ont étranglé Gad dans son sommeil et ils se sont enfuis sur le bateau d'Irenakhti à la faveur de la nuit.

« Ce fut, à mon avis, une heureuse issue pour la jeune femme et une juste fin pour l'homme qui avait fait le malheur de toute une famille. Si, en tant que vizir, j'avais eu à me prononcer dans une telle affaire, j'aurais acquitté les deux assassins qui me seraient apparus comme les instruments d'un dieu justicier. Donc, une fois rentré en Égypte, Irenakhti a épousé Danety qui lui a donné une fille qui a reçu le nom de Sishen. Mais le malheur frappa de nouveau Danety. À la suite de mauvaises affaires, Irenakhti perdit tous ses biens et mourut bientôt, laissant sa femme et sa fille dans la misère. Danety quitta Saïs où son époux s'était établi avec elle, afin que ceux qui l'avaient connue dans l'aisance ne la vissent pas dans la pauvreté. C'est ainsi qu'elle erra de ville en ville jusqu'à Bouto où un heureux hasard lui a fait retrouver son frère aîné. Car c'est en voyant un nain qu'elle songea à lui, bien que l'ayant peu connu. Il est vrai qu'elle ne pensait guère retrouver son frère perdu, dans cet homme ainsi rencontré, mais c'est pour évoquer un souvenir enfoui au fond de son cœur qu'elle l'interpella et un dieu secourable a voulu que ce fût celui qu'elle n'espérait plus jamais revoir.

« Il restait encore un peu d'or à Oukheryt pour vivre avec sa sœur et sa nièce, bien que, entre-temps, son serviteur Nubien se fût uni à une Égyptienne dont il avait eu deux fils, ce qui faisait déjà plusieurs personnes à nourrir. Sishen, éduquée moitié à l'égyptienne moitié à la manière des Keftiou, avait dix-sept ans lorsque est morte sa mère. C'est elle-même qui prit la décision de se prostituer, en voyant d'une part la manière misérable dont vivaient son oncle et ses serviteurs, et d'autre part l'aisance que certaines courtisanes de Bouto, où ils s'étaient établis, avaient atteint grâce au commerce de leurs corps. C'est ainsi qu'est née deux ans plus tard Bounefer d'un père inconnu. La malheureuse Sishen est morte à l'âge de vingt-cinq ans en accouchant d'un enfant mort-né. Bounefer avait alors atteint sa seizième année et sa beauté était si éclatante que tout le monde se retournait sur elle dans la rue et que nombreux étaient les hommes qui cherchaient à l'aborder. C'est alors qu'Oukheryt a décidé de quitter la ville et de venir s'installer à Athribis où ils étaient inconnus. Et afin que sa petite-nièce ne soit pas importunée dans la rue, il la garda dans leur demeure et lui fit revêtir les robes apportées en Égypte par sa grand-mère, vêtements qui avaient l'avantage de cacher son corps et même son visage.

« Je dois encore préciser que c'est de mère en fille que s'est transmis l'art de ces danses qui m'ont tant charmé. C'est aussi de sa propre volonté, en voyant l'aisance qu'avait procurée à sa mère le commerce de sa beauté, que Bounefer a décidé de marcher sur ses traces, encouragée, il est vrai, dans ce dessein par Oukheryt qui y trouvait trop d'avantages pour s'y opposer. Quant à ces serviteurs nubiens qui fourmillent dans la demeure, ce sont les descendants du jumeau survivant, lequel vit toujours, quoique bien vieux, mais encore vert. J'ai pu le voir dans la demeure où il dirige les serviteurs et les servantes dont il est l'ancêtre. »

Ayant ainsi parlé, Minkaf plongea un chalumeau dans une cruche poreuse de bière et aspira plusieurs gorgées, sous le regard curieux de sa mère.

– Ce serviteur nubien, ce jumeau, dit-elle enfin, il doit être bien vieux, et aussi ce nain ?

– Oukheryt doit avoir ton âge, moins peut-être même, et le Nubien doit être ton aîné de peu d'années, précisa Minkaf. Mais maintenant, veux-tu que je te dise quels noms ces hommes ont pris dans notre pays ?

– Est-ce nécessaire, Minkaf ? Cet Oukheryt, ne l'a-t-on pas appelé Bès, et son père Sabi ? Et le serviteur nubien, ne s'appelle-t-il pas Tjazi ?

Minkaf hocha la tête avant de reprendre.

– Ma mère, il est une chose que m'a apprise le nain. Mais il n'a pas prononcé de nom. Il m'a dit qu'une grande dame, l'épouse du roi, avait été la concubine de ce Sabi et que c'est même parce qu'il était tombé amoureux d'elle en la voyant qu'il était resté définitivement à Memphis, alors que son projet était de n'y faire qu'un séjour de quelques années. Il a aussi prétendu qu'elle avait eu de lui un fils qu'elle avait fait passer pour un enfant royal.

– Et certainement, enchaîna Hénoutsen, tu as compris que cette grande dame c'était moi, et que cet enfant, c'était toi ?

Il hocha la tête, sans ouvrir la bouche.

– Il t'a dit une vérité que j'ai trouvé inutile de te faire connaître. Oui, Minkaf, en vérité tu es le fils de Sabi, et, en conséquence, le frère de Bès, dont j'ignorais qu'il était, lui aussi, le fils de Sabi, de sorte que cette Bounefer est aussi ta petite-nièce. Sache que Khoufou m'ayant délaissée pour cette étrangère, la mère de Didoufri, j'ai aimé Sabi, j'ai pris du plaisir entre ses bras et je n'en ai aucun regret. Et toi, pour cette raison, tu es mon fils préféré, plus que Khafrê, sans que, cependant, je n'aie jamais fait de différence entre vous. C'est pourquoi tu es différent de tes frères.

– Ainsi dans mes veines ne coule pas la moindre goutte de sang divin ?

Le ton dépité sur lequel il posa cette question fit rire Hénoutsen qui répliqua :

– Que t'importe, mon fils, puisque, tu le sais bien, ce n'est qu'une illusion, et Khéops n'avait pas plus de sang divin que tu n'en as et que je n'en ai. Nous sommes tous des humains et, même existeraient-ils, les dieux ne s'unissent pas aux humains. Pour ce qui te concerne, l'essentiel est qu'on t'attribue ce sang divin, et, de ce seul fait, il est en toi. Car tout n'est qu'invention humaine, que conventions, que mensonges flatteurs. Et je suis de plus en plus persuadée que même les dieux sont nés de notre imagination et ceux qui prétendent parler en leur nom ne sont que des insensés ou des imposteurs. Même Hori qui a tant recherché des certitudes, qui a reçu des initiations, qui a été placé à la tête du clergé de Rê et devrait parler au nom du dieu, ne croit plus en lui, il ne fait plus que simuler une croyance qui n'est plus dans son cœur. Non, vraiment, Minkaf, sois fier d'être le fils de cet homme dont je ne connaissais pas l'histoire, une histoire bien tragique qu'il avait enfouie au fond de son cœur, et dont ce que tu viens de me rapporter de lui le rend plus cher à mon cœur. Et maintenant, vois combien les événements pourraient sembler être voulus par une puissance supérieure, différente cependant des dieux que nous adorons. Sabi espérait au fond de son cœur que notre fils, c'est-à-dire toi, monte sur le trône d'Horus. Toi-même n'as pas ceint les deux couronnes, mais en vérité, depuis trois règnes, c'est toi qui as réellement gouverné ce pays. Et maintenant, si d'aventure ton stratagème réussissait et si Bounefer donnait un fils à Mykérinos et qu'il lui succédât, un descendant Sabi monterait finalement sur le trône des Deux-Terres.

— Dans ces conditions, demanda Minkaf, je suppose que tu aimerais rencontrer Oukheryt ?

— Certainement, mais pas pour l'instant. Voyons d'abord si tu réussis dans ton entreprise car il convient de garder entre nous le secret de ta rencontre et de ton projet. Une fois que Bounefer sera entrée dans le Grand Palais, tu pourras faire connaître à Bès ton action et tu le conduiras alors devant moi.

CHAPITRE XIII

Sur le moment, la confirmation par sa mère que, en effet, il était le fils de Sabi et non de Khéops avait produit dans le cœur de Minkaf une vive émotion qu'il avait su dissimuler devant Hénoutsen. Il se donna le temps de méditer cette découverte, méditation dont il sortit rasséréné. Il s'était d'abord dit que si sa mère n'avait pas connu Sabi, il ne serait pas né, puisque le roi avait cessé toute relation intime avec celle qui avait été l'une de ses grandes amours. Il s'était ensuite persuadé qu'Hénoutsen avait fait preuve d'une grande sagesse lorsqu'elle lui avait fait remarquer que cette question du sang divin n'était qu'une convention sociale sans aucun fondement réel, car il était, lui aussi, bien persuadé que la vérité était toute relative et que ce qu'on croyait vrai devenait vérité même si c'était une pure invention alors qu'une réalité ignorée de tous était comme inexistante. « Tout le monde dans la Terre noire croit qu'Osiris a régné sur l'Égypte en un temps primordial, qu'il a épousé sa sœur Isis, qu'il a été enfermé dans un coffre par son frère Seth et, par la suite coupé en morceaux. Même si c'est une invention, c'est devenu une vérité pour tant de personnes que même aurait-on la preuve que c'est faux, même celui qui a inventé cette histoire viendrait déclarer qu'il n'a jamais fait là qu'un conte, personne ne le croirait, il risquerait même sa vie en niant la réalité de personnages irréels. En revanche, s'il est bien vrai, comme l'a fait savoir le roi Khéops à

141

son fils Hori et ce que m'a affirmé ce dernier, que l'Égypte n'est qu'un petit territoire dans l'immensité du monde, que ce monde qui est la terre est semblable à une gigantesque boule qui tourne sur elle-même et navigue dans l'Univers autour du soleil, celui qui viendrait déclarer cette vérité aux gens de ce pays passerait pour un fou. Car tout le peuple de la Terre noire, et sans doute les peuples des autres nations, ont la certitude que la terre est plate et immobile et que le soleil traverse le ciel diurne pour passer la nuit dans le monde souterrain où il doit lutter contre des démons et en particulier le serpent Apopi, ce qui n'est jamais qu'un enchaînement de faits symboliques imaginés par les prêtres de Rê et qu'on interprète à la lettre. N'est-ce d'ailleurs pas la raison pour laquelle ces vérités cachées ne sont révélées qu'à ceux qui ont été dignes de subir les diverses initiations aux mystères du monde ? Mais qu'apportent de telles révélations sinon que le domaine des dieux est bien restreint, sinon même que ce domaine n'est que la part de notre ignorance et qu'aucun de ces dieux n'a d'existence réelle sinon dans l'imagination des gens du peuple afin de satisfaire leur naïve soif de connaître les fins dernières de l'homme, c'est-à-dire dire d'eux-mêmes en tant qu'hommes mortels. »

Minkaf raisonna un moment sur ce mode pour se convaincre que, dans son scepticisme, il appartenait à une élite de l'humanité et qu'il tenait cette attitude de ce père qu'il n'avait pas connu et dont lui avait finalement longuement parlé sa mère. Et l'idée que Bounefer, dont il était lui aussi le grand-oncle, pourrait bien donner le jour un enfant destiné à ceindre la double couronne stimula sa volonté d'imposer la jeune fille comme épouse à Mykérinos, d'autant plus qu'il était bien possible qu'il l'ait mise enceinte au cours du mois qu'il avait vécu dans son intimité, de sorte qu'il pourrait bien être le père du prochain fils de son royal neveu, dans la mesure où ce dernier ferait rapidement d'elle sa concubine.

Afin de passer inaperçu, après avoir quitté la résidence royale de Memphis sans négliger d'emporter avec lui dans un sac la bottine dont il avait parlé à Hénoutsen, il se dirigea à pied, en se mêlant à la foule, vers la porte occidentale de la ville et suivit à pied le canal de Khéops qui, du port intérieur de Per-nufer, menait jusqu'au grand bassin sur lequel s'ouvraient le port du Grand Palais et les appontements d'où partaient les escaliers conduisant aux temples d'accueil des pyramides de Khéops et de Khéphren. Évitant le palais royal où il avait sa résidence habituelle, il traversa à la nage le canal pour aborder sur la rive occidentale, puis il reprit sa route vers le nord, à la frontière du désert.

Tout en marchant ainsi dans le soleil encore brûlant bien qu'on avançât dans la période de la germination au cours de laquelle l'astre igné s'éloignait vers le sud dans sa course céleste, il songea aussi aux nouvelles que sa mère lui avait communiquées et dont il n'avait pas eu d'échos durant son séjour à Athribis. La plus importante, depuis la mort de Persenti dont on n'avait pu retrouver le corps, c'est que Khamernebti s'était retrouvée enceinte à la suite de ses amours avec Djedefhor. Comme il ne convenait pas que l'on puisse jaser et mettre en doute la paternité du roi, la jeune femme, après avoir annoncé à son frère Mykérinos qu'elle allait lui donner par oncle interposé un nouvel enfant, était revenue s'installer dans la résidence royale, auprès de son époux. Cette nouvelle lui fut alors désagréable car il songea que si elle accouchait d'un garçon, il serait le second héritier après Shepseskaf et avant le possible fils de Bounefer. Comme il ne souhaitait aucun mal à sa nièce pour qui il avait de l'affection, il espéra que l'enfant serait une fille. Il pensa aussi que rien ne laissait croire que Bounefer pût, de son côté, être enceinte, et il était bien possible que même Mykérinos, dans le cas toujours aléatoire où il en ferait son épouse, ne parvienne pas à la féconder. Il cessa ses spéculations intérieures en approchant d'une demeure isolée faite de pierres et de terre crue, en concluant que, pour l'instant, la seule chose qui devait lui importer était de réussir dans son entreprise.

Devant la maison étaient dressés des poteaux de bois supportant de petites plates-formes sur chacune desquelles était construite une petite niche. Et devant se tenaient droits, accrochés à des barres en bois, des faucons liés à leur niche par un lien attaché à l'une de leurs pattes. Lorsque Minkaf arriva à leur hauteur, un homme sortit de la maison et vint au-devant de lui. C'était un homme d'un âge incertain qui, bien que portant le pagne égyptien, semblait venir d'Asie et arborait, comme les bédouins, une épaisse barbe. Bien que portant le nom égyptien d'Harkaf, il était, en effet, originaire des déserts situés au nord de la Terre divine qui devait prendre plus tard le nom d'Arabie. Il avait introduit dans la vallée du Nil un mode de chasse de son pays qui se pratiquait à l'aide de cet animal sacré des Égyptiens qu'était le faucon, l'oiseau d'Horus. Minkaf, qui avait déjà depuis quelque temps découvert ce genre de chasse aux petits animaux du désert, s'y était parfois adonné, et il s'était ainsi lié avec Harkaf.

Après avoir échangé, selon les prescriptions de la courtoisie, des salutations et des questions sur leurs santés mutuelles, Minkaf suivit son hôte qui voulut lui présenter ses nouveaux faucons. Il l'écouta avec attention avant de lui demander :

— Harkaf, dis-moi en vérité : est-ce que l'un de tes pensionnaires ailés serait capable, si tu lui confiais un objet léger, de l'apporter à une personne que tu lui désignerais ?

— Ta question me surprend, avoua le fauconnier. Il est vrai qu'ils sont tous dressés pour rapporter la proie qu'ils saisissent soit au vol soit au sol, selon qu'il s'agit d'un autre oiseau ou d'un petit animal à quatre pattes. Ils peuvent, selon mes ordres, m'apporter leur proie directement ou à quelqu'un qu'ils auront pu voir, sentir, qu'ils pourront reconnaître.

— Fort bien. Imagine donc que tu places entre les serres de celui que tu choisiras un objet que je te fournirai : serait-il capable de le déposer auprès de quelqu'un que tu leur désignerais ?

– Je te l'ai dit, c'est possible, mais il faudrait que le faucon connaisse cette personne, qu'il ait travaillé avec elle. Par exemple, si nous allons ensemble en chasse, s'il s'habitue à toi, ce qui ne demande que peu de jours, il pourra rapporter la proie aussi bien à toi qu'à moi.

– Il ne s'agit pas d'une proie qu'il sera allé chasser. Par exemple, vois...

Il retira du sac la bottine qu'il montra à l'oiseleur :

– Si tu places entre les serres de ton faucon ce soulier, pourra-t-il me l'apporter si je me trouve à quelque distance ?

– On peut le dresser à le faire, admit Harkaf.

– Mais il faut qu'il puisse parcourir une distance suffisante pour que tu ne puisses être aperçu de qui que ce soit au moment où tu lâcheras l'oiseau.

– La distance qu'il peut parcourir reste limitée. Il faut que je puisse me dissimuler en un lieu qui ne soit cependant pas trop éloigné, répliqua Harkaf sans poser de question, quoique intrigué par la démarche du vizir.

– Elle sera limitée. Tu vois où se situe la pyramide du roi Khéops ?

– Oui.

– Tu vois aussi où il arrive que Sa Majesté, le roi mon neveu, tient sa cour, lors de certaines fêtes ? Entre le temple des millions d'années de mon frère le dieu Khéphren et celui de mon père justifié ?

– Je vois, seigneur.

– Si tu te trouves derrière la pyramide Lumineuse avec ton oiseau, peut-il déployer ses ailes jusqu'au trône du roi et y déposer cette chaussure ?

– Il le pourra si toi-même, seigneur, te trouves près de Sa Majesté et après que nous lui aurons appris à aller de moi à toi avec l'objet en question.

– Je me trouverai auprès du roi.

– La chose pourra se faire.

145

— Dans ce cas, je m'installe ici, dans ta demeure, et nous commençons tout de suite le dressage car le roi va tenir sa cour d'ici à peine six jours.

— Nous avons alors le temps. Je vais te présenter un faucon en qui semble s'être incarné Horus en personne. Il fera ce que tu désires, à ta plus grande satisfaction.

— Et toi, tu seras aussi satisfait de la générosité du vizir... Mais à condition que tes lèvres restent scellées et que jamais personne, tu m'entends, personne dans les Deux-Terres, ne puisse savoir que tu as été mon complice dans une affaire que j'organise pour le bien du royaume et de Sa Majesté.

— Tu sais bien, seigneur, que tu peux avoir toute confiance en moi, que tu peux compter sur ma discrétion.

— Harkaf, c'est parce que j'en suis persuadé que je me suis adressé à toi.

Après que se fussent écoulés cinq jours et qu'il eut acquis la certitude que l'oiseau sélectionné était capable de réaliser le vol pour lequel il avait été dressé pendant ce laps de temps, Minkaf se présenta au Grand Palais, devant son neveu.

— Mon bon oncle ! s'exclama Mykérinos en le voyant paraître devant lui, bien grande est ma joie de te revoir soudain. Ma Majesté commençait à s'inquiéter de toi et il était dans mes intentions d'envoyer vers toi un messager pour prendre de tes nouvelles.

— Tu n'avais pas à t'inquiéter ainsi, Menki. Ne t'ai-je pas à plusieurs reprises, fait porter des lettres par mes serviteurs afin que tu saches que j'allais bien et que je prenais le repos dont j'avais besoin ? Maintenant me voici de retour devant toi, car je me suis rappelé que demain Ta Majesté doit tenir sa cour près de la pyramide Lumineuse. Tu dois rendre en personne la justice aux plus humbles des habitants de la Terre noire afin que chacun puisse voir que le roi reste le bon berger du troupeau du dieu.

— Je le sais, bien que ce soit pour moi une tâche déplaisante que d'écouter les plaintes et les sollicitations de tous ces gens.

146

Ils émeuvent ma pitié mais suscitent aussi souvent ma colère, quand encore ils ne m'ennuient pas.

– Aussi tu peux voir ce qu'est l'un des devoirs les plus contraignants imposés au vizir. Songe que je siège ainsi plusieurs fois chaque mois, et ceci depuis maintenant tant d'années que je suis incapable de les compter.

Ayant ainsi justifié son retour, Minkaf se chargea personnellement de surveiller les travaux des serviteurs qui, dès la veille, installaient le podium où devaient prendre place le roi et son vizir. Dès le matin suivant, il fut le premier à se rendre sur l'esplanade aménagée auprès des pyramides pour s'assurer qu'Harkaf s'était installé dans l'ombre de la pyramide, caché aux regards de tous.

Lui-même reçut le roi venu en majesté sur son palanquin porté par plusieurs hommes et entouré des porteurs d'éventail et de sandales, précédé par les prêtres du clergé de Ptah et suivi par des chanteuses et des danseuses. Lorsque Mykérinos se fut installé sur son trône, Minkaf, resté debout derrière le siège royal, invita le fonctionnaire préposé aux appels, qui se tenait au bas des marches, à convoquer les plaignants. Il avait veillé à ce que le tissu du dais ne soit pas déployé afin de permettre à l'oiseau de ne pas être gêné, voire effrayé par la toile qui risquait d'être agitée par le vent. Absorbé par une tâche dont, bien que peu plaisante, il s'acquittait avec le plus grand sérieux, Mykérinos ne prêta pas attention au soleil qui, déjà haut dans le ciel, commençait à darder ses rayons sur l'assemblée. De son côté, bien que paraissant porter le plus vif intérêt aux discours des plaignants et même donnant parfois une opinion, un conseil ou un assentiment, Minkaf attendait le vol de l'oiseau non sans une certaine anxiété. Il lui arrivait de jeter souvent des coups d'œil en direction de la pyramide et s'étonnait de ne toujours rien voir poindre dans le ciel. Il n'avait pas pris garde que l'oiseau devait voler en direction du levant et Harkaf ne lui avait pas dit qu'il fallait attendre que le soleil soit suffisamment haut pour lâcher l'animal afin qu'il ne soit pas ébloui.

Et voici qu'enfin le faucon surgit de derrière la pyramide ; il s'éleva haut dans le ciel puis plongea vers l'estrade royale. Tout le peuple assemblé put alors le voir fondre vers le trône et, soit qu'il n'ait pas suffisamment agrippé la bottine dans ses serres, soit qu'il ait mal compris l'ordre de vol, le faucon lâcha son précieux fardeau qui, en suite d'un heureux hasard, tomba juste sur les genoux de Mykérinos, tandis que l'oiseau, au lieu de venir se poser auprès de Minkaf, reprenait son vol pour disparaître à nouveau derrière la pyramide de Khéops.

Devant cette soudaine apparition tout le peuple s'était prosterné, croyant voir une théophanie du dieu Horus. Mykérinos avait, de son côté, pris dans ses mains la bottine qu'il examina avec étonnement tandis que Minkaf interprétait à sa manière l'événement :

— Mon neveu, c'est Horus en personne qui s'est élancé dans le ciel pour faire part à Ta Majesté de sa volonté.

— Qu'entends-tu par là, Minkaf ?

— N'as-tu pas déclaré devant ma royale mère que tu ne prendrais d'épouse que si elle te tombait du ciel ?

— Je l'ai bien dit, mais ce que j'ai entre les mains, c'est une chaussure, ce n'est pas une femme.

— C'est visiblement la chaussure d'une femme et peut-être d'une étrangère si j'en juge à sa forme. Il est évident que le dieu ne pouvait emporter une femme pour la déposer sur tes genoux, il s'est contenté d'y laisser choir une chaussure de la femme qu'il a élue pour devenir ta seconde épouse comme l'a été ta grand-mère Hénoutsen auprès du dieu Khéops, grâce à quoi tu es maintenant bien vivant sur le trône d'Horus.

— Minkaf, que me suggères-tu donc ?

— Laisse-moi le soin de prendre cette affaire en main, c'est le travail du vizir. Je vais envoyer à travers tous les nomes du royaume des messagers chargés de trouver à qui appartient cette bottine. Il suffira que sa propriétaire montre la seconde bottine qui doit être identique à celle-là. Ainsi découvrirons-nous la femme qui a été désignée par le dieu pour partager ta couche.

— Et si c'est un laideron, ou une vieille grincheuse ? parut s'inquiéter Mykérinos qui paraissait convaincu que son oncle était bien l'interprète d'une volonté divine.

— Ta Majesté ne doit pas avoir de crainte sur ce point. Sois persuadé que le dieu qui te protège aura choisi pour toi la plus belle femme de ton royaume.

— Il faudra bien qu'elle soit telle pour que je puisse l'aimer, déclara Mykérinos afin de prendre les devants et ne pas accepter qu'on lui imposât la première venue sous prétexte qu'un faucon lui avait volé une chaussure et l'avait laissé tomber sur ses genoux.

Il est vrai que bien que ce phénomène le déconcertât, il pouvait difficilement admettre y voir une intervention divine. Il accorda néanmoins à son oncle tout loisir de faire rechercher la belle ainsi élue.

— Je crains, cependant, lui dit-il, que bien du temps ne s'écoule avant que tu ne réussisses à retrouver la propriétaire de cette sandale parmi toutes les maisons du royaume.

— Détrompe-toi, Menki, lui opposa Minkaf. Vois, ce faucon ne peut venir de très loin. Ainsi peut-on éliminer tous les nomes du sud, d'autant qu'on l'a vu venir du nord. Les recherches doivent se cantonner dans les villes de la Basse-Égypte voisines de Memphis. En outre cette bottine ne peut appartenir qu'à une étrangère ou, en tout cas, à une femme en relation avec des gens venus de l'île des Keftiou car, à ma connaissance il n'y a que là-bas qu'on utilise de pareilles bottines. Tu vois donc que ces éléments permettent de restreindre les recherches à un petit nombre de villes. Je commencerai donc par celles où résident les étrangers, et en particulier par Athribis qui est celle où ils sont les plus nombreux et au sud de laquelle rares sont ceux qui ont droit de s'aventurer.

— En vérité, Minkaf, ton raisonnement est ingénieux et je crois que tu trouveras, certainement plus rapidement que je n'ai tout d'abord pu le supposer, cette femme qui, maintenant j'en suis certain, doit être particulièrement belle.

149

Lorsqu'il eut quitté le roi sur ces mots, Minkaf se demanda si d'aventure il n'avait pas finalement flairé la supercherie, mais que, après tout, il était disposé à jouer un jeu qui ne pouvait que l'amuser et le distraire, même s'il pouvait ne pas avoir de suite.

Or, c'est bien le raisonnement que s'était tenu Mykérinos. Car il ne pouvait croire qu'un faucon, oiseau de proie à la recherche d'êtres vivants à saisir au cours de ses chasses, ait pu confondre une bottine avec une gerboise ou tout autre petit animal courant sur ses quatre pattes, et ensuite venir la lâcher sur le trône du roi, comme pour le prendre au mot d'une boutade qu'il avait lancée à sa grand-mère pour lui signifier qu'il ne prendrait jamais d'épouse, outre sa sœur, ne serait-ce que parce qu'il ne goûtait guère l'amour des femmes. Cette pensée le réjouit tout en le rassérénant car, ne pouvant croire en l'intervention d'un dieu, il n'aurait aucun scrupule à déjouer les desseins de son oncle – il se doutait que c'était une supercherie montée par Minkaf avec sans doute l'aide d'Hénoutsen – en refusant de mettre dans sa couche une personne d'un sexe dont il goûtait la compagnie mais non les caresses. Et ceci d'autant plus que Khamernebti était revenue auprès de lui pour donner le change avant de mettre au monde l'enfant que lui avait fait Djedefhor ; grâce à quoi il ne se faisait plus de soucis pour ce qui concernait sa succession, d'autant que Shepseskaf commençait à croître en force et même en sagesse.

CHAPITRE XIV

Lorsqu'il s'en retourna à Athribis, Minkaf s'y présenta avec tout le faste de sa fonction. Il prit place dans la cange royale qu'il fit escorter par trois bateaux portant sa suite et de nombreux soldats. Le nomarque, ayant été avisé de l'arrivée du vizir, fit aménager pour lui des logements dans sa propre résidence et vint le recevoir sur les quais du port en compagnie de tous les hauts personnages parmi lesquels se trouvaient le chef de la police des étrangers et le capitaine du port. Ce dernier, après avoir été présenté à Minkaf, saisit l'occasion pour lui dire :

— Seigneur, tu dois être satisfait si ton serviteur te dis que nous avons reçu avec tous les honneurs l'étranger du Kharou qui est venu séjourner ici avec un décret signé de ta main.

— J'ai eu vent de la manière dont tu l'as reçu et crois que je ne l'oublierai pas lorsqu'il s'agira de ta carrière, lui répondit-il.

Et, s'adressant au chef de la police qui se tenait près du capitaine pour partager les éloges, il reprit, oubliant que, lorsqu'il leur était apparu sous l'aspect d'un négociant étranger il avait assuré connaître à peine le vizir et avoir eu son seing grâce à l'intervention de Djedefhor :

— Cet Hozat qui est pour moi comme un frère, m'a fait savoir qu'il avait rencontré une fort belle femme qui exécute de belles danses dans la demeure d'un nain. Je crois me rappeler que son nom est...

– Bounefer, seigneur, intervint le chef de la police.

– C'est bien cela. Il me plairait qu'on la conduisît devant moi...

– Tout de suite, s'il plaît à ta seigneurie.

– Ne mettons pas tant de hâte. Attends que se termine cette journée. Qu'elle soit conduite devant moi lorsque tombera la nuit.

– Il en sera fait selon ta volonté, seigneur.

Comme, sous la direction du nomarque, le cortège prenait le chemin du palais du gouverneur, Minkaf déclara qu'il voulait résider dans la demeure où avait séjourné son ami Hozat.

Cette exigence surprit le nomarque qui objecta :

– Seigneur, bien qu'agréable et joliment située, cette demeure est assez petite et indigne de notre vizir, fils du dieu Khéops et oncle favori de Sa Majesté. Au demeurant tu ne pourras y loger que peu de serviteurs alors que tu es suivi de toute une cour.

– Tu logeras ma cour dans ton palais et c'est là que je tiendrai mes audiences, mais pour ce qui est du logis, je tiens à cette maison. Telle est ma volonté.

– C'est que, seigneur, il y a encore là des serviteurs du seigneur Hozat, car, s'il a quitté notre ville depuis quelques jours, il y a laissé sa domesticité.

– Je le sais, mais sache que je connais bien tous ces serviteurs qui seront aussi les miens.

– Est-ce là qu'il faudra conduire auprès de toi cette jeune femme ?

– C'est là que je l'attendrai.

Ce n'est pas sans une certaine surprise quelque peu colorée d'inquiétude qu'Oukheryt reçut les envoyés du nomarque qui lui annoncèrent qu'ils venaient chercher sa nièce, Bounefer.

– Pourquoi le seigneur nomarque désire-t-il que ma nièce vienne devant lui ? demanda Oukheryt.

– Mon seigneur agit à la demande expresse de notre seigneur le vizir, l'oncle de Sa Majesté.

– Pourquoi le vizir veut-il voir Bounefer ?

— Sache que nous ne sommes que les serviteurs du prince de la province et que le vizir ne nous a pas confié ses desseins. Mais n'aie aucune crainte pour ta nièce. Que peut-elle craindre ? Même s'il désire faire une maison de plaisir avec elle, n'en fait-elle pas une profession ? Et tout le monde sait que ce seigneur est particulièrement généreux.

— Bounefer ne s'est jamais exhibée dans une autre demeure que celle-ci, rétorqua Oukheryt.

— Il faudra bien qu'elle fasse une exception car la volonté du vizir est dans ce pays toute-puissante et nul ne peut s'y soustraire. Hâte-toi donc de faire revêtir à ta nièce une belle robe et conduis-la devant nous.

Le nain s'inclina et se hâta en clopinant de rentrer dans sa demeure où il alla à la recherche de Bounefer. Il la trouva dans le jardin où elle se baignait, secondée par les deux adolescentes chargées de servir les hôtes de la maison.

— Mon enfant chérie, dit Oukheryt, tu me vois très contrarié. Il y a devant la porte des envoyés du gouverneur de la province qui viennent te chercher pour te conduire devant le vizir. Il s'agit sans doute du prince Minkaf, le frère du roi défunt et l'oncle du maître des Deux-Terres. J'ai des craintes pour toi...

— Quelles craintes pourrais-tu avoir ? lui demanda-t-elle en sortant du bain. Tu as dit que c'est l'oncle du roi qui voudrait me voir ?

— Oui, à ce qu'ont rapporté ces serviteurs. Il est vrai que j'ai entendu dire qu'il est arrivé ici à la fin de la matinée : sans doute lui a-t-on parlé de toi, peut-être le chef de la police qui fréquente chez nous. Je lui ai répondu que tu ne t'exhibais jamais ailleurs qu'ici, mais il a déclaré, du ton péremptoire des gens qui ont la force et la loi pour eux, que je devais faire une exception. Il est vrai que c'est le second personnage du royaume, sinon le premier car on dit qu'il a plus de pouvoirs et de prestige que le roi lui-même. Car c'est lui qui dirige toute l'administration, tous les scribes de ce pays depuis déjà trois règnes.

– Dans ce cas, mon bon oncle, il nous faut obtempérer. Et, pour ma part, je ne vois pas en quoi cette invitation pourrait t'alarmer, tout au contraire. Mon ambition étant de devenir l'épouse du roi, qui plus que son oncle peut m'ouvrir les portes de la Grande Maison ?

Et, se tournant vers les deux petites servantes, elle les incita à se hâter de lui faire revêtir sa plus belle robe, de lui coiffer en hâte son ample chevelure, de lui apporter quelques-uns de ses plus beaux bijoux.

Lorsqu'elle sortit de la maison, le chef de la troupe l'invita à prendre place dans une chaise.

– Il me plairait d'accompagner ma nièce, dit alors Oukheryt.

– Nous n'avons reçu aucune instruction en ce sens. Le seigneur prince de cette province nous a ordonnés de venir chercher ta nièce pour la conduire devant le vizir, mais il n'a pas été question de toi. Tu ne peux en aucune manière nous accompagner. Ce n'est pas un nain que sans doute veut voir le vizir mais une jolie fille.

Sur ces mots quelque peu méprisants et un ordre de leur chef, la troupe s'ébranla sous le regard furieux et consterné d'Oukheryt.

La jeune femme, qui se laissa ainsi transporter au pas rapide des porteurs, fut cependant surprise en voyant que, au lieu de se diriger vers la résidence du nomarque, la troupe prit le chemin de la maison d'Hozat qu'elle connaissait maintenant très bien. Cependant elle ne fit pas part de sa surprise et ne posa pas de question lorsque le chef de l'escorte l'invita à descendre de la chaise et lui dit :

– Nous devons nous arrêter ici, devant la porte du jardin. Va, le prince Minkaf t'attend, ne le déçois pas.

Bounefer s'avança sans crainte dans le jardin. La façade de la maison était illuminée par des flambeaux et décorée de couronnes de fleurs et de feuillages. Deux serviteurs vinrent au-devant d'elle et l'invitèrent à les suivre. À la surprise de se trouver dans la demeure d'Hozat s'ajouta celle de découvrir que les serviteurs qu'elle voyait étaient ceux de son amoureux. Ils la saluèrent comme ils le faisaient naguère lorsqu'elle venait rejoindre son amant et ils la conduisirent jusque sur la terrasse bordée de buissons de fleurs et de petits arbres où Hozat la recevait souvent et où ils passaient la nuit partageant la même large couche. Dans ce décor, Bounefer ne se sentit pas dépaysée, mais elle s'en étonna. Comme naguère, la terrasse était éclairée par de nombreuses lampes, dans des cassolettes de métal brûlaient des parfums dont la fumée tenait éloignés les moustiques et les insectes ailés, sur les tables étaient disposés des plats de fruits et de nourriture, des cruches de vins de crus divers et des gobelets taillés dans de l'albâtre.

Lorsque, dans cet ensemble familier, elle vit Minkaf assis non pas dans un fauteuil comme c'était le cas pour les hommes dans les riches demeures pourvues de ce genre de meubles, mais sur le lit, les jambes repliées sous lui, dans une pause qu'il prenait naturellement et qui était celle que préférait son vrai père, elle fut saisie d'un grand trouble, car Hozat prenait place dans la même posture, sur le lit. Et, bien qu'il soit dépouillé de la toison qui enrobait le bas de son visage, Bounefer ne put douter qu'elle avait son amant soi-disant phénicien devant elle.

— Hozat, lui dit-elle sans marquer la moindre hésitation, pourquoi as-tu fait raser ta barbe et pourquoi as-tu envoyé des gens pour me faire croire que le vizir de ce royaume voulait me voir ? Je serais plus volontiers venue si j'avais su que c'était toi qui demandais ma présence.

— Bounefer, lui dit-il avec un doux sourire, viens t'asseoir auprès de moi. Ce soir, je ne te demanderai pas de danser pour moi.

— Et pourquoi donc ? Vraiment, Hozat, tu m'intrigues.

— Je n'en ai pas terminé. Tout d'abord, sache que ce serait un jeu bien dangereux de me faire passer pour le vizir de ce royaume si je ne l'étais pas. Tu peux imaginer que le prince de la province n'aurait pas envoyé auprès de toi ses gens pour te conduire à moi si j'étais un simple voyageur étranger.

– Hozat, serait-ce possible que tu sois le vizir ?

– C'est plus que possible et sache que mon vrai nom est Minkaf.

– Vraiment ? Dois-je alors me prosterner devant toi ?

Il la prit dans ses bras en riant.

– Ma chère enfant, bientôt c'est devant toi que vont se prosterner les gens de ce pays. Souviens-toi que lorsque je t'ai demandé de m'épouser, de devenir la maîtresse de mes biens, tu as refusé ce qui pouvait paraître une belle affaire pour toi. Or tu as eu raison. Car je me suis arrangé pour que mon neveu, le roi des Deux-Terres, désire te voir. Et si tu sais déployer tous tes charmes, ce pour quoi je t'accorde la plus totale confiance, tu sauras le séduire et tu deviendras sa seconde épouse après sa royale sœur, ma nièce Khamernebti, mais aussi avant elle car il vit séparé d'elle depuis déjà plusieurs années. Pour l'instant elle est revenue dans le Grand Palais parce qu'elle va y mettre au monde un enfant royal, mais elle en repartira dès la naissance attendue et ce sera toi qui régneras en maîtresse dans le palais.

Alors qu'il s'attendait à ce qu'elle batte des mains de joie et, comme les Égyptiennes lorsqu'elles étaient saisies d'une trop vive émotion, qu'elle jette en l'air ses vêtements en criant son plaisir, elle resta calme, immobile.

– Quoi, tu parais ne pas me croire lorsque je te dis ces paroles qui devraient te combler de bonheur.

– Pardonne-moi, Hozat, mais vois : je ne sais pourquoi, tout d'abord tu m'es apparu comme un simple amoureux. Ils sont nombreux et je ne faisais pas de différence entre toi et les autres, malgré ton extrême générosité. Mais, pendant ces quelques décades où je n'ai plus connu que toi, pendant lesquelles j'ai partagé ta couche, je me suis éprise de toi. Il est vrai que je t'ai repoussé lorsque tu m'as proposé de faire de moi la maîtresse de tes biens car j'étais remplie d'une étrange ambition, mais pendant les jours où tu as été absent, j'ai réfléchi, et surtout j'ai senti : oui, j'ai senti que ta présence me manquait, que, dans ta compagnie, je me sentais heureuse, en sécurité. Non, Hozat, c'est toi que je veux épouser.

Cette confession bien inattendue, remplit Minkaf de plaisir mais aussi de gêne car il tenait fermement à la donner à son neveu.

— Bounefer, tu connais mieux que moi l'histoire de ta famille et tu as aussi bien que moi, entendu Oukheryt parler de son père Zebul qui s'est fait appeler Sabi en Égypte.

— Hozat, l'interrompit-elle, ou plutôt je dois t'appeler Minkaf puisque, décidément, tu es bien le vizir, le fils d'Hénoutsen. Je sais donc que c'est toi ce fils de Sabi dont a parlé mon grand-oncle, de sorte que tu vas m'opposer que tu es, toi aussi, mon grand-oncle.

Il hocha la tête sans ouvrir la bouche.

— Que nous importe ? demanda-t-elle.

— Ce qui importe c'est que je suis trop vieux pour toi, que je pourrais presque être ton grand-père alors que l'époux que je te destine est jeune et, qui plus est, le roi le plus puissant de la terre. Et comme, en effet, je suis ton oncle, je veux que tu m'obéisses car je veux ton bonheur.

— Mon bonheur c'est de t'aimer.

— Si ce n'est que cela, je saurai te satisfaire. Tu épouseras Mykérinos, tu deviendras la reine de ce pays, et comme moi-même je loge dans le Grand Palais et que tu y auras tes appartements personnels, nous pourrons nous retrouver parfois, lorsque le désir nous en viendra. Mon vœu le plus cher et le plus secret, c'est que tu donnes au roi un enfant, un garçon qui peut-être montera un jour sur le double trône d'Égypte : ainsi se réalisera le souhait de ton arrière-grand-père Sabi, que l'un de ses descendants règne sur le peuple de la Terre noire.

— Alors, se rendit-elle, je voudrais que cet enfant prédestiné soit engendré par toi.

— Pourquoi pas ? Mais il convient que ton futur époux, notre souverain, soit persuadé qu'il est le vrai père, comme le dieu Khéops était tout aussi convaincu que j'étais l'un de ses fils.

Minkaf demeura encore plusieurs jours à Athribis en compagnie de Bounefer, pour ne pas la ramener trop rapidement à Mykérinos qui aurait pu s'étonner qu'il ait trouvé si rapidement la propriétaire de la bottine, se disait-il afin de se justifier, mais, en réalité, pour jouir encore pleinement et sans soucis de la beauté de la jeune femme et, espérait-il, lui faire l'enfant qui pourrait passer pour celui de Mykérinos, ce qui restait une affaire de famille.

Enfin tout le monde embarqua sur les bateaux du vizir, mais Oukheryt prit place avec les serviteurs nubiens dans l'un d'entre eux qui alla le débarquer par le canal privé dans la résidence royale de Memphis où Hénoutsen l'attendait. Maintenant qu'elle savait qu'en réalité il était le fils de Sabi et qu'il avait encore auprès de lui Tjazi, vieux mais toujours bien vivant, elle voulut les honorer en souvenir de son amant. Avec les deux autres bateaux, Minkaf vint mouiller devant le palais royal. Il avait fait revêtir à Bounefer l'une de ses amples robes et lui avait demandé de voiler son visage et sa poitrine à l'aide du châle. À sa demande elle avait chaussé la bottine qui formait la paire avec celle qu'avait abandonné le faucon et que Mykérinos avait conservée par-devers lui, tandis qu'elle avait laissé nu l'autre pied. Minkaf avait envoyé à son royal neveu un messager pour l'aviser de sa prochaine arrivée et lui demander de le recevoir dans le jardin intérieur de Khéops sur lequel s'ouvraient ses appartements.

Mykérinos, diverti par le mystère et l'apparat dont son oncle entourait cette présentation, prit plaisir à jouer le jeu auquel il était ainsi convié. Il s'était retiré dans son jardin, comme le lui avait demandé Minkaf, où il était resté seul, assis dans son fauteuil confortable, sans serviteur. Il ne sut tout d'abord pourquoi, lorsque Minkaf entra dans le jardin en tenant par le bras la jeune femme dans sa longue robe bouffante à larges pans, le torse enveloppé dans le grand châle dont elle tenait un pan sur son visage, ne laissant paraître que ses yeux, il ressenti un choc dans sa poitrine et il eut l'impression qu'il allait avoir une grande surprise.

– Menki, lui dit Minkaf en s'arrêtant devant lui, je présente à Ta Majesté la personne à qui appartient la chaussure qui t'est tombée du ciel. Et, afin que tu puisses être convaincu qu'il n'y a pas d'erreur possible, elle va t'offrir son pied pour que tu l'enfermes dans cette bottine dont tu pourras bien voir qu'elle est le double de celle qui chausse son autre pied.

Sur ces mots, il fit avancer Bounefer tout près de Mykérinos qui, se levant, s'agenouilla devant la jeune femme, prit dans sa main son pied nu et l'introduisit dans la bottine qui était bien le pendant de celle qui chaussait son autre pied.

– Tu peux être assuré, mon bon oncle, dit Mykérinos sans pour autant se redresser et entreprenant de caresser la peau lisse du mollet de la jeune femme, que Ma Majesté était certaine que les deux chaussures seraient parfaitement identiques.

Cette remarque laissait entendre que le roi n'était pas dupe de la ruse de son oncle, mais qu'il était prêt à s'y associer dans la mesure où le marché lui conviendrait. Suivant les instructions de Minkaf, Bounefer restait immobile, muette, laissant agir le roi selon son bon plaisir. Il avait un visage agréable, souriant, arrondi, qui révélait un bon naturel et ne manquait pas de charme. Et comme il ne portait que le court pagne plissé croisé sur le devant, elle put constater qu'il présentait un corps magnifique, vigoureux, musclé, bien proportionné, tout ce qu'il fallait pour séduire la plus difficile des femmes.

Lorsque Mykérinos se fut décidé à reprendre place sur son siège, Minkaf se décida à baisser lui-même le voile du visage. Bien que son neveu n'ait pas prononcé un mot, Minkaf vit qu'il avait été ébloui, étonné, sans vouloir manifester des sentiments qui le surprenaient et en faisait déjà le captif de la jeune femme. Toujours dans le plus grand silence, Minkaf tira lentement sur le tissu qui glissa le long du torse pour dévoiler bientôt les deux beaux seins que laissait nus la coupe de la robe. Mykérinos restait toujours muet, mais il commençait à laisser percer l'émotion qui montait en lui. Minkaf jeta le châle sur ses propres épaules

159

puis, sans toujours prononcer une parole, il commença à dépouiller Bounefer de sa robe. Il se réjouit en voyant que son neveu commençait à haleter doucement et que ses yeux brillaient de plus en plus vivement. La jeune femme le laissait toujours agir, sans faire le moindre geste. Elle tenait le regard tourné vers le roi, comme en un défi. Le tissu glissa le long de son torse, de ses hanches, de ses jambes, découvrant son éclatante nudité avec une lenteur voulue et une minutie qui exaltait chaque courbe du corps ainsi révélé. Le lourd tissu s'affaissa enfin sur les pieds de la jeune femme qui resta uniquement chaussée des bottines par lesquelles Minkaf avait prétendu manifester la volonté d'un dieu. Il se décida alors à déclarer non sans une certaine emphase :

— Menki, voici la femme que les dieux ont réservé à Ta Majesté. Sans doute n'est-elle pas directement tombée du ciel, mais en elle tout est céleste, elle a été modelée dans la perfection par le potier divin, par Khnoum maître des cataractes, le dieu qui a présidé à la naissance de mon père Khoufou, le dieu qui est maintenant parmi les étoiles.

Mykérinos n'eut pas la moindre hésitation dans la voix lorsqu'il répondit aussitôt, d'une voix assurée :

— Mon oncle, je la reçois de tes mains, elle me vient d'un dieu. Je la prends, elle sera après ma sœur, la maîtresse de mes biens, la reine des Deux-Terres.

Cinq mois après cette cérémonie nuptiale Khamernebti mettait au monde dans le Grand Palais une fille qui reçut le nom de Khentkaous et, un peu plus de trois mois plus tard, Bounefer enfantait à son tour un garçon, Henti, dont personne, excepté sa mère et Minkaf, ne doutait de l'origine royale.

CHAPITRE XV

Hénoutsen avait abandonné depuis longtemps tous les pouvoirs qu'elle s'était arrogés sous le règne de son fils Khéphren, mais elle n'en continuait pas moins d'apparaître, avec Djedefhor, comme la référence morale de toute la famille royale. Bien qu'âgée de plus de soixante-quinze ans, elle conservait toujours une minceur, une sveltesse qui lui conféraient un air de jeunesse exceptionnel, d'autant que son visage, toujours gracieux, n'était qu'insensiblement vieilli par les rides. Mais lorsqu'elle regardait autour d'elle, elle ne pouvait que se désoler de la disparition de tous les hommes et femmes de sa génération qui lui étaient familiers : Néférou, son premier prétendant, le frère de Khéops, était mort dans son domaine l'année précédente, aussitôt suivi par sa femme, Méreptah ; Néferkaou, sa belle-sœur, avait quitté le monde des vivants depuis déjà plusieurs années, précédant aussi de peu dans la tombe son mari, Ibdâdi. Née sous le règne d'Houni, Hénoutsen restait la seule à avoir connu le roi Snéfrou, père de Khéops ; ainsi avait-elle vu se succéder six règnes et avait-elle largement participé à trois d'entre eux, même si cela avait pu être par opposition au prince régnant, comme cela avait été le cas pour Didoufri.

Peut-être était-ce pour ne pas se laisser abattre par la nostalgie que provoquait en elle l'évocation des jours enfuis, ou encore pour mieux jouir de la présence de ceux qu'elle aimait et qui per-

161

pétuaient l'existence de la famille royale, toujours est-il qu'elle avait voulu que tous ceux qu'elle aimait plus particulièrement vinssent s'établir dans les diverses résidences construites au cours du temps dans la grande enceinte du palais royal de Memphis. Ainsi Djedefhor avait-il abandonné sa demeure d'Héliopolis après avoir confié à Raouser le soin de la direction du clergé de Rê et d'Atoum. Il était revenu s'installer dans sa résidence de Memphis d'autant plus volontiers que sa demeure d'Héliopolis était encore hantée par la présence de Persenti. Par ailleurs, il se trouvait plus proche de Khamernebti qui, de son côté, était depuis déjà longtemps revenue s'installer dans la résidence aménagée à son intention dans le palais memphite. Elle avait pris avec elle la petite Khentkaous, laissant auprès de son royal frère et époux leur fils Shepseskaf. À cinq ans, Khentkaous se révélait une enfant vive et si intelligente que Djedefhor avait décidé de se charger personnellement de son éducation : « Voilà mon nouveau but dans l'existence, avait-il dit à Khamernebti : je vais moi-même enseigner notre fille dans toutes les sciences à commencer par l'initiation à l'écriture sacrée. Comme elle est destinée à devenir l'épouse de son frère Shepseskaf et qu'il ne semble pas que ce dernier soit apte au gouvernement des hommes, il pourra s'appuyer sur elle pour administrer le royaume. »

Outre Djedefhor qui était son interlocuteur préféré, Hénoutsen avait encore réuni autour d'elle dans la résidence Khentetenka, qui restait sa belle-fille à la suite de son mariage avec son fils aîné Khoufoukaf, et qui lui était devenue une compagne très chère ; la sœur de Djedefhor, Méresankh, avec la fille qu'elle avait eue de Khéphren, Nébemaket ; et, enfin, Hétep-hérès II avec Méret, la fille qu'elle avait eue de son premier mariage avec Kawab. Par ailleurs, elle avait voulu que Bès s'installât dans l'ancienne demeure de Sabi qui avait été restaurée et agrandie, et à laquelle elle avait fait adjoindre des parcelles de terrain pour étendre l'ancien petit jardin intérieur. Il lui arrivait souvent de s'y rendre, non pas dans sa chaise, mais à pied, afin de revivre de cette manière des épisodes de sa jeunesse qui, avec le recul, lui semblaient des moments de grand bonheur. Elle y rencontrait souvent Bounefer qui venait y retrouver son grand-oncle. Le seul qui pouvait lui manquer était son fils Minkaf. Ce dernier avait décidément abandonné sa fonction de vizir pour s'établir dans son domaine de Khem. Ainsi avait-il voulu rompre toute relation avec Bounefer afin de ne pas vivre dans une perpétuelle tentation comme cela avait été le cas dans un premier temps lorsque, après que Mykérinos eut épousé la jeune femme, il avait continué de résider dans le Grand Palais en exerçant la fonction de vizir dans laquelle son neveu tenait absolument à le garder.

— Menki, s'était-il finalement décidé à lui dire, alors que le roi refusait de le laisser partir, assurant que personne ne pourrait le remplacer efficacement, je te l'ai déjà dit quand tu m'as rappelé pour reprendre une fonction que j'avais abandonnée sous le règne de ton père, je ne suis pas immortel et il faudra bien que tu apprennes à te passer de moi. Mais il est encore une autre bonne raison qui m'oblige à m'éloigner : tu reconnais, toi qui prétendais ne pas te plaire avec les femmes, que tu es tombé amoureux de Bounefer, et non sans raison ; moi-même, comme tu le sais, j'ai succombé aux charmes de ta reine dès qu'elle est apparue à mes regards, et c'est évidemment à cause de sa beauté et des qualités que tu as maintenant eu tout loisir d'apprécier. Or, dans ce palais où j'ai ma vieille résidence, je dois en permanence combattre contre moi-même, contre les désirs que suscitent en mon cœur la vue de ta reine. Elle est derrière toi lorsque tu es sur ton trône, comme Isis auprès d'Osiris, elle est auprès de toi lorsque tu te retires dans le jardin pour prendre tes repas...

— Dans ces cas, tu ne peux succomber à tes tentations, l'interrompit Mykérinos.

— En effet, et c'est encore là une autre cause de tourment. Lorsque je serai loin de toi et d'elle, dans mon domaine, je serai libéré de ce joug et je pourrai retourner à mes anciennes amours. Et lorsqu'il m'arrivera de retourner à Memphis, tu me pardonne

163

ras si j'évite le palais, ce sera pour venir rendre visite à ma mère et à Hori.

Mykérinos, qui, en effet, s'était épris de la jeune femme, accueillit ainsi favorablement la demande de retraite de son oncle, car, s'il lui avait guère importé que sa sœur, qu'il aimait en tant que telle mais pour qui il ne se sentait aucune inclination amoureuse, ait utilisé l'intermédiaire de leur oncle pour lui donner un autre enfant, il ne se sentait guère d'humeur à accepter que sa seconde épouse puisse suivre le même chemin en compagnie de leur autre oncle. Il est vrai que Bounefer semblait suffisamment éprise de son royal époux pour ne pas chercher ailleurs un autre bonheur, mais il continuait à se méfier des femmes contre lesquelles il avait nourri des préjugés dont il ne s'était pas débarrassé. Au demeurant, lui-même ne songeant pas à prendre une autre épouse, contrairement à ce qu'avaient fait son père et son grand-père, il n'aurait pu admettre que celle qu'il aimait pût rêver à un quelconque amant. Il est vrai que, après maintenant près de six ans de mariage, Bounefer semblait toujours aussi amoureuse de lui. Comme l'avait constaté Minkaf, elle l'accompagnait partout, prétendait assister à ses conseils, debout derrière lui, et, surtout, elle s'intéressait à la construction de sa pyramide. Elle se rendait chaque jour sur le chantier, parfois seule, afin de surveiller l'avance des travaux, ce dont elle lui rendait compte lorsqu'il ne l'accompagnait pas, ce qui arrivait de plus en plus souvent car, contrairement à Khéops et à Khéphren qui avaient concentré toute leur énergie sur ces gigantesques travaux et avaient abandonné les soins du gouvernement entre les mains de leur vizir, il se désintéressait de plus en plus de sa propre pyramide, trouvant de moins en moins de temps à consacrer à ce monument d'éternité ; il considérait que le gouvernement de son royaume était son premier devoir, il devait s'y consacrer entièrement, comme un bon berger se donnait totalement à son troupeau. Et là encore, l'attitude de Bounefer lui était un sujet d'admiration, car la jeune femme prenait tant à cœur la construction de ce monument qu'elle ne cessait de l'en entretenir, qu'elle discutait des plans avec l'architecte, s'inquiétait en voyant combien lentement avançaient les travaux.

— Depuis maintenant une douzaine d'années que tu règnes sur cc pays, les travaux de ton temple des millions d'années avec sa chaussée et sa pyramide sont si peu avancés qu'il faudrait que tu régnasses dix fois plus de temps que ton père si tu avais eu l'ambition de mener à bien la construction d'une pyramide comme celle qu'il s'est fait bâtir, lui avait-elle fait remarquer.

— Tu le sais, mon cher cœur, lui avait-il rétorqué, d'abord c'est moi qui ai dû terminer la construction de la pyramide de mon père, et, par ailleurs, je n'ai voulu qu'un petit monument pour, précisément, rendre mon peuple à ses travaux et ne plus l'épuiser en des entreprises qui, pour aussi gigantesques qu'elles puissent paraître, sont loin de pouvoir rivaliser avec la plus petite des montagnes.

— Tu risques alors d'aller rejoindre ton Ka avant que la chambre sépulcrale ne soit prête à te recevoir.

— Qu'importe ! Vois, mon grand-père et ensuite mon père, après s'être fait bâtir des sépultures aussi monumentales, se sont fait ensevelir dans une tombe souterraine dont moi-même j'ignore la bonne voie d'accès.

— Il serait temps, pourtant, que ta grand-mère et ton oncle Djedefhor se décident à te révéler le secret de ce labyrinthe dont tu m'as parlé, sans quoi il risque d'être perdu à jamais. Et comme je suis plus jeune que toi, certainement Ta Majesté accordera à son épouse bien-aimée de l'accompagner dans cette île souterraine dont tu m'as si bien parlé que je n'ai plus qu'un désir, y aborder pour venir sacrifier sur la tombe de ton royal père.

C'est à la suite d'une telle discussion que Mykérinos, qui avait laissé en sommeil cette question, se décida à adjurer sa grand-mère de lui révéler le chemin de la Douat. Ayant estimé que le moment était enfin venu, Hénoutsen accepta de descendre dans les galeries souterraines du sphinx en compagnie de

Djedefhor, Minkaf, Mykérinos et Bounefer dont le roi avait exigé la présence.

La porte du temple du sphinx d'où l'on pouvait pénétrer dans le labyrinthe était gardée en permanence car, sur décision de Khéphren sous le règne de qui avait été achevé l'ensemble monumental, son accès était interdit à toute autre personne que celles désignées par Hénoutsen en personne. La reine n'avait pas jugé utile de modifier un décret qui lui conférait tout pouvoir sur le monde souterrain, auquel avait été donné par Khéops lui-même le nom de Douat qui était celui du monde des morts et aussi des dieux dans le ciel. Dans la salle du sanctuaire par laquelle on pénétrait dans les souterrains, étaient tenues prêtes en permanence des torches et des lampes destinées à éclairer les galeries, ainsi que tout le matériel nécessaire à l'entretien du culte des deux rois défunts : huile, mèches pour les lampes, objets de culte, offrandes consistant en parfums, en encens, et en fleurs fraîchement cueillies. Les actes de ce culte étant accomplis par des prêtres funéraires, ils étaient guidés lors de chaque nouvelle lune jusqu'au temple souterrain par Hénoutsen ou Djedefhor, et parfois par tous les deux, après avoir eu les yeux bandés. Ils n'avaient le droit d'ôter leur bandeau que sur l'ordre de leur guide, lorsqu'ils étaient parvenus hors du labyrinthe, sur le ponton auquel étaient amarrées deux embarcations sur lesquelles s'effectuait la traversée jusqu'à l'île de l'Embrasement.

Hénoutsen allait en tête et Djedefhor fermait la marche. Mais, tandis qu'avec les prêtres chacun restait muet, allant main dans la main à petits pas, ce jour-là Hénoutsen commenta chacun de ses gestes, montrant les points de repère, figures perdues parmi d'autres figures qui ornaient les parois des galeries, et indiquant le bon couloir à emprunter, mais encore désignant les marques sensibles au toucher afin de suppléer la vue dans le cas improbable mais possible où les torches viendraient à s'éteindre.

Lorsqu'ils se retrouvèrent à l'issue du labyrinthe, près des barques amarrées dans le lac souterrain, Mykérinos poussa un grand soupir :

— Il faudra que nous refassions ensemble ce parcours encore plusieurs fois avant que je puisse le mémoriser tant il m'a paru compliqué.

Il prit le bras de Bounefer qui, de son côté, frissonna en exprimant son angoisse :

— Vraiment, je n'oserai jamais m'aventurer seule en un tel lieu. J'ai l'impression d'être entrée dans le monde souterrain des morts, dans le royaume d'Osiris.

— C'est précisément dans ce royaume que nous venons de pénétrer, lui répondit Hénoutsen.

— Peut-être, constata Mykérinos, mais pourtant nous sommes bien vivants.

— Il semblerait, répliqua Djedefhor, mais en vérité, qui sont les vrais vivants ? Les mortels qui vivent sous le soleil ou les défunts qui contemplent la lumière éternelle ?

— Mon oncle, s'étonna le roi, voilà une étrange parole dans la bouche d'un homme qui a voulu abandonner sa fonction de grand voyant de Rê parce qu'il m'a déclaré ne pas croire dans l'existence des dieux.

— Ne pas croire en l'existence des dieux ne signifie pas ne croire qu'au néant. Car, à mes yeux, cette lumière éternelle dont je viens de parler n'a aucun rapport avec les divinités adorées par la plupart des humains. Cette lumière, de nature divine, est bien différente de celle du soleil, même si elle peut en paraître un reflet. Car le soleil n'est pas éternel et c'est un corps tangible, qu'on ne peut atteindre parce qu'il est trop éloigné de la terre, mais qui appartient à l'Univers visible. Tandis que cette lumière dont je parle est celle de l'âme, celle qu'on nomme dans notre langage humain les « kaou » des dieux ; elle ne peut être connue intuitivement que par certains hommes qui ont fait de la méditation le but de leur vie. Et sache que, malgré tous les efforts que j'ai faits pour parvenir à cette connaissance intérieure, je n'ai pas réussi à l'atteindre. C'est pourquoi elle demeure pour moi quelque chose de mystérieux mais en laquelle je crois, quelque chose qui est sans aucune relation avec nos croyances élémentaires, notre morale, nos conceptions des choses. Et cette lumière éternelle, contrairement à celle du soleil, ne brûle pas, elle n'est pas dangereuse, tout au contraire : elle est douce et belle, de la couleur de l'or qui en est son symbole.

Ils avaient pris place dans l'une des embarcations dont Djedefhor se fit le nocher ; il maniait la perche avec tant d'habileté que la barque glissait rapidement sur les eaux noires en un léger bruissement. L'île surgissait du sombre miroir, les lumières des lampes qui y brûlaient en permanence créant une aura dorée en forme de croissant de lune qui se détachait sur l'obscurité de l'immense caverne et se reflétait sur les eaux lisses du lac souterrain. Chacun restait silencieux, le regard fixé sur l'îlot qui se rapprochait lentement.

Minkaf fut le premier à sauter sur les degrés de l'envolée d'escalier qui conduisait à l'esplanade du temple. Il lia le cordage de la barque à un pieu tandis que les autres le suivaient.

— Les lampes qui éclairent l'allée et la façade du temple, demanda Mykérinos, restent-elles ainsi allumées en permanence ?

— Nous nous ingénions à maintenir vives ces lumières, lui fit savoir Djedefhor. Car telle a été la volonté de ton père. Tout le métal employé ici, aussi bien celui des pieds de ces lampes que les lampes elles-mêmes, les décorations des portes en bois que la vaisselle déposée en offrande, tout est en or, le métal immortel, la chair des dieux. C'est l'une des raisons pour laquelle nos rois ont voulu que le chemin de l'île restât secret afin de ne pas tenter les voleurs.

— Il suffirait pourtant, remarqua Minkaf, de creuser le sol suffisamment profondément pour percer la voûte de cette grotte.

— Encore faudrait-il creuser au bon endroit, répliqua Djedefhor. En outre, le puits devrait être si profond qu'il faudrait plusieurs jours de travail, de sorte que tout voleur utilisant ce moyen serait vite découvert.

Tout en progressant le long de l'allée bordée de coupelles d'or dans chacune desquelles brûlait une haute flamme, Djedefhor remplissait les réservoirs de chaque lampe et retaillait les mèches. Hénoutsen entraîna les autres jusque dans la grande salle centrale au fond de laquelle se dressait le sarcophage dans lequel reposait la momie de Khéphren. Lorsqu'il se pencha sur la cuve, Mykérinos fut étreint d'une vive émotion en voyant son père dont le masque d'or modelé à ses traits brillait dans la pénombre. Il se hâta de se détourner car il avait même cru lire comme un reproche dans les yeux fixes du masque, le reproche de n'avoir pas voulu savoir qu'il avait été empoisonné, voire de s'être secrètement réjoui d'une mort qui lui avait ouvert la voie du pouvoir.

Hénoutsen avait rallumé les feux dans les bois secs déposés sur un foyer d'où elle retira bientôt des braises ardentes qu'elle déposa dans des cassolettes d'or et où elle jeta des boules d'encens qui répandirent leurs fumées au parfum piquant. Quant à Bounefer elle restait en retrait, immobile, silencieuse, jetant tout alentour des regards effarés. Enfin elle s'avança vers Mykérinos, ouvrit la bouche et dit :

– Menki, mon seigneur aimé, partons. Je me sens mal à l'aise en ce lieu. Pour moi, il respire la mort, ou encore un mystère qui oppresse mon cœur.

– Je te comprends car j'ai la même sensation. Grand-mère, si tu en as terminé avec le rite, je t'en prie, ramène-nous à la lumière du jour.

– Menki, se chargea de lui répondre Djedefhor, si tu avais subi les initiations nécessaires, si tu avais déjà franchi plusieurs portes du savoir mystérieux, tu ne parlerais pas ainsi et tu ne serais pas assailli en ce lieu par de pénibles impressions. Tout au contraire, tu ressentirais tout ce que ces ténèbres renferment de lumières secrètes et de beauté cachée, car l'obscurité qui nous entoure forme comme un mur qui refoule nos pensées à l'intérieur de nous-mêmes et nous obligent à les y découvrir. C'est pourquoi on médite déjà d'une manière plus féconde dans la nuit

169

ou les yeux fermés, car le regard intérieur porte plus loin que la vue dans le jour.

— Hori, il me semblait que l'enseignement que j'ai reçu de ta bouche pendant tant d'années devait suffire à former mon cœur et qu'il me dispensait de ces initiations qu'ont subies mon grand-père Khéops et toi-même, mais dont s'est bien passé mon père. Je discerne mal ce que les portes initiatiques que tu as franchies t'ont apporté de plus, en supplément d'âme et de sagesse, que ce que nous avons pu découvrir dans ton enseignement. Aurais-tu conservé par-devers toi d'autres savoirs secrets que tu aurais omis de nous transmettre ?

— Certainement, Menki, et si je ne vous les ai pas transmis, c'est parce qu'ils requièrent une préparation et ne peuvent être dispensés comme les doctrines officielles qui sont enseignées dans les maisons de vie. Quant à savoir si ces connaissances secrètes m'ont apporté un supplément de sagesse, je ne pourrais le dire...

— En tout cas, mon oncle vénéré, cela n'apparaît pas dans ton comportement ni dans tes discours car tu mènes la même vie que les autres humains, comme nous tu es sensible aux sentiments et même aux passions, tu aimes les plaisirs à commencer par ceux de l'amour. En quoi cette sagesse primordiale a-t-elle changé ton mode de vie ? Et même aurais-tu fait comme ce Djedi et serais-tu allé vivre dans une caverne du désert de Kerâha, qu'est-ce que cela t'aurait apporté de plus ? Car il ne me semble pas que ce Djedi ait acquis une quelconque immoralité et ait connu une vie plus agréable ou plus digne que la tienne ou celle de mon père ou même de Minkaf qui se plaît tant à faire des maisons de bière.

Hénoutsen, qui avait terminé d'accomplir les offices qu'elle s'était imposés, revenait vers eux, tout en ayant écouté leur conversation, et c'est elle qui intervint à son tour.

— Menki, mon enfant, je ne te désapprouverai pas car il n'est que trop vrai que toute sagesse est relative, elle n'est jamais que la capacité qui nous est donnée de vivre la vie qui est pour nous la meilleure ou, en tout cas, celle qui convient le mieux à notre nature et à nos convictions, à nos désirs et à notre tempérament. Djedefhor et Minkaf, chacun de leur côté, ont atteint une véritable sagesse dans la mesure où ils vivent avec modération la vie qui leur convient, ceci en dépit de nécessités dont ils ne sont pas les maîtres. Pour le reste, nous nous hâtons tous vers un terme final qui est la mort, auquel nul d'entre nous, fût-il roi tout-puissant et considéré comme un dieu par son peuple, ne peut échapper. Tout ensuite n'est que silence, un silence aussi épais que celui qui règne dans cette île lorsque s'est éloignée toute présence humaine.

CHAPITRE XVI

Jusqu'à l'âge de vingt-deux ans, Sékhemkarê était resté dans l'ombre, évitant de faire parler de lui. Il avait d'abord vécu auprès de sa mère, la reine Hedjekenou, puis il avait étudié dans la maison de vie du temple de Ptah où l'avait finalement fait entrer son demi-frère Mykérinos lorsqu'il était monté sur le trône d'Horus. Le jeune garçon avait alors dix ans et il était resté pendant douze ans dans le temple à étudier. Ainsi avait-il été élevé avec d'autres enfants de petite origine qui se préparaient à devenir scribes, c'est-à-dire des fonctionnaires au service de l'administration du royaume. Comme tous les jeunes gens qui étudiaient ainsi, il avait aussi fréquenté les tavernes et fait souvent des maisons de bière, malgré les recommandations des maîtres de sagesse qui conseillaient d'éviter les tavernes dont on sortait ivre au risque de rouler dans la poussière, et où l'on rencontrait des femmes de mœurs légères qui, pour ce qui concernait en tout cas les étudiants plutôt pauvres, les plumaient jusqu'à leur dernier pagne. Mais Mykérinos se sentait bien mal placé pour lui reprocher d'agir comme l'avait fait son propre père avec son oncle et comme continuait parfois de le faire Minkaf.

Pour ce qui concernait sa mère, elle était allée s'installer dans la belle maison de son propre père, que lui avaient donnée Hénoutsen et Khéphren, lors du mariage de ce dernier avec la jeune fille Senkaou, l'ancien cabaretier favorisé par les dieux, vivait paisible-

172

ment dans cette demeure au bord du Nil, avec ses serviteurs entretenus avec les revenus des domaines que lui avait concédés le roi, son beau-fils. Il avait pris une concubine afin de faire avec elle des maisons de plaisir dans leur demeure, et il menait ainsi une vie agréable, plus encore qu'il n'avait jamais osé l'espérer. Il avait reçu avec joie sa royale fille qui honorait sa maison, mais qui, après la mort de son époux, n'était plus rien dans un royaume où elle n'avait plus aucun pouvoir, dans la mesure où elle avait pu en exercer un par l'intermédiaire de Khéphren qui accédait parfois à ses demandes lorsque, par exemple, il s'agissait de favoriser un personnage d'obscure origine qui était venu devant elle solliciter son appui.

Il est vrai qu'Hedjekenou aurait pu continuer d'occuper son *Opet* dans le Grand Palais d'où Mykérinos ne l'avait pas chassée, ne serait-ce que par respect des volontés de son père. Mais elle s'ennuyait dans ce palais où on ne lui accordait que peu de regards et moins encore de crédit. Le fait de vivre auprès d'un roi et d'être considérée par les Amis de Sa Majesté comme l'épouse favorite du roi, avait éveillé en elle une ambition nouvelle car, fille d'un obscur cabaretier, ses anciennes aspirations se bornaient à trouver un époux qui puisse l'aimer, lui donner de beaux garçons et l'entretenir dans une condition médiocre mais point trop aléatoire. Or, en se voyant soudain projetée au sommet de la pyramide sociale, dans le palais du roi dont elle partageait la couche et à qui elle avait donné un fils, elle avait rehaussé le niveau de ses prétentions et, ayant pris l'habitude d'être traitée en reine, elle se refusait à perdre ce privilège. C'est pourquoi elle se tourna vers son fils en songeant au destin d'Hénoutsen qui, après la mort de son royal époux, avait exercé sur le pays un total pouvoir dont elle s'était défait par la suite sans perdre le prestige dont elle était auréolée. Pourquoi n'aurait-elle pas un destin identique, surtout depuis que son ancienne rivale, Persenti, avait quitté la scène du monde ?

Aussi, n'avait-elle cessé de répéter à son fils, lorsqu'il venait lui rendre visite, qu'il ne devait pas oublier qu'il était fils de

173

Khéphren, que par son père coulait en lui le sang royal, qu'il devait relever le défi de sa naissance.

— Vois, poursuivait-elle, on ne peut rien contre le fait que le roi soit le fils aîné de mon époux et né de la fille royale de Khéops, mais tu subis une véritable injustice en ne recevant pas une fonction digne de ta naissance. Si tu demeures toujours dans l'obscurité, si tu vis dans l'ombre du temple de Ptah, tu ne seras pas plus que l'un des prêtres secondaires du dieu. Or, bien que dieu, ton frère Mykérinos n'en est pas moins mortel et il est ton aîné de plus de seize ans. En toute justice, il devra quitter ce monde avant toi : c'est alors toi, mon fils, qui pourras monter sur le trône d'Horus.

— Tu oublies, ma mère, lui avait rappelé Sékhemkarê, que le roi a un fils.

— Shepseskaf n'est qu'un pauvre enfant, malingre et aussi stupide qu'un âne.

— Il n'en est pas moins le prince héritier.

— Il mourra avant son père... il faut qu'il en soit ainsi. Mon fils, c'est une coutume raisonnable dans la famille royale que l'oncle ou le frère de Sa Majesté soit son vizir. Voici maintenant plusieurs années que Minkaf s'est retiré dans son domaine et le roi a été réduit à prendre des vizirs parmi les grands du royaume. Il faut, maintenant que tu as bien été éduqué dans le temple de Ptah, que tu fasses valoir tes droits, que tu revendiques la fonction de vizir. Tu l'as vu avec Minkaf, c'était lui le véritable maître de l'Égypte.

— Vais-je aller devant mon frère et lui demander de faire de moi son vizir ?

— Réfléchis un peu, mon fils : ne m'as-tu pas dit que tu étais dans les meilleurs termes avec les prêtres de Ptah et, en particulier, avec le vieil oncle et le père de l'ancien ami de Mykérinos ?

— Je crois qu'ils voient l'intérêt que je présente pour eux, maintenant qu'est mort Kabaptah.

— Voilà qui est parfait. Fais entendre à ces prêtres que si tu devenais vizir, tu les favoriserais en toute chose, en particulier face aux prêtres d'Héliopolis. Et ensuite, prie-les d'intervenir auprès du roi pour qu'il fasse de toi son vizir. Qu'ils lui rappellent que la coutume exige que ce poste important doit être tenu par un membre de la famille royale. Enfin, qu'ils trouvent les arguments qui conviennent pour persuader le roi. Ensuite, qui plus qu'un vizir est le mieux placé pour succéder à un roi qui meurt sans héritier ? Surtout si ce vizir est fils de roi, frère du roi défunt.

— Ma fille, intervenait parfois Senkaou, quelles folles idées mets-tu dans la tête de ton fils ? Si Sa Majesté n'a pas jugé utile de faire de lui son vizir, il me semble mauvais de vouloir s'imposer. Nous vivons depuis tant d'années dans l'aisance, sans soucis, que je serais bien chagrin si par ton imprudence et celle de mon petit-fils, je me voyais contraint par le roi à reprendre ma vie de cabaretier.

— Mon père, lui répondait-elle, ne crains rien, tu n'es pas impliqué dans nos affaires. D'ailleurs, ce n'est pas agir mal que de rappeler à un roi ses devoirs envers ses parents.

C'est ainsi qu'Hedjekenou avait fini par persuader Sékhemkarê de briguer ce ministère. Le jeune homme était prudent, patient, dissimulé. Il entreprit d'abord de mettre de son côté le haut clergé de Ptah. Il lui fut aisé de rallier à sa cause Hérou et son oncle Khouenptah, qui demeuraient les plus hautes autorités du clergé de Memphis. C'est finalement Khouenptah, fort du prestige que son âge lui conférait auprès de Mykérinos, qui intervint auprès de ce dernier pour qu'il fasse de son frère son vizir :

— Il a été élevé dans le temple, comme l'a été Kabaptah, dit-il au roi, c'est un garçon plein de sagesse, ton serviteur est persuadé qu'il fera un excellent vizir. Car j'ai bien vu qu'aucun des grands que Ta Majesté a choisis pour l'investir de cette charge n'a pu te satisfaire.

— Il est vrai que mon oncle Minkaf s'est montré un si parfait vizir que je juge trop le travail de mes ministres à travers les mesures auxquelles il m'a habitué, reconnut Mykérinos.

– C'est peut-être par là que pèche Ta Majesté. Seul le roi des Deux-Terres est un dieu dans ce monde. Il doit se montrer indulgent à l'égard de ses serviteurs. Je pense que Sékhemkarê est maintenant en âge de servir son frère et seigneur. Il fera un bon vizir, car en ses veines coule le sang du grand roi Khéphren. Ta Majesté pourra mettre en lui toute sa confiance et tu seras soulagé de la nécessité de devoir toujours surveiller ces grands qui ne songent qu'à s'enrichir au détriment du peuple de la Terre noire et de Ta Majesté.

Mykérinos se laissa finalement persuader d'élever son demi-frère à la fonction qu'avait si longtemps remplie Minkaf, de sorte que le jeune homme, une fois initié à sa prestigieuse tâche, revint s'installer dans le Grand Palais où étaient établis les bureaux de l'administration du royaume.

À l'inverse de Minkaf qui avait su unir ses activités diurnes de vizir à une vie de plaisirs nocturnes, Sékhemkarê s'adonna sans compter à sa nouvelle tâche, avec une application méthodique et une sorte d'acharnement qui conquit bientôt aussi bien les scribes de son administration qui admiraient la conscience avec laquelle il travaillait et son désintéressement, car il ne cherchait visiblement pas à s'enrichir personnellement, que Mykérinos qui put consacrer de longs moments à ses loisirs. Car, de plus en plus, le roi se détournait de ses tâches royales pour vivre selon son bon plaisir.

CHAPITRE XVII

Malgré ce qu'avait pu prétendre Hedjekenou à propos de Shepseskaf – qu'il était malingre et stupide comme un âne –, le jeune prince était beau et bien fait, quoique petit et un peu maigre. Mais il était d'une santé précaire, souffrait souvent du ventre, se plaignait de maux de tête, et il s'était montré si réfractaire aux études, que son père n'avait pas cherché à lui imposer l'éducation princière qui passait par la formation de scribe. Aussi ne savait-il pas déchiffrer l'écriture sacrée, mais il avait suffisamment de mémoire pour avoir pu retenir les légendes divines et accumuler d'autres connaissances par voie orale, ce qui lui permettait de donner le change. Il est vrai qu'il était replié sur lui-même, parlait peu, errait dans les galeries du palais, sombre et taciturne, ce qui pouvait sembler justifier l'appréciation négative d'Hedjekenou.

Il ne voyait que peu sa mère, installée d'abord à Héliopolis et ensuite dans le palais de Memphis, et elle même se désintéressait de lui, surtout depuis qu'elle avait mis au monde sa fille Khentkaous qui recevait tous ses soins et recueillait toute son affection. Il était encore enfant lorsque Bounefer était entrée dans le Grand Palais comme seconde épouse de son père. Il aurait pu espérer trouver en elle une mère, mais elle avait été aussitôt après son arrivée enceinte d'Henti, lequel avait reçu tous ses soins maternels. Au demeurant, Shepseskaf se défendit de voir

177

dans Bounefer une mère possible, ne serait-ce que parce qu'elle n'était son aînée qu'à peine d'une douzaine d'années, différence qui se marquait d'autant moins que la jeune femme restait fraîche, avec un air de jeunesse qui la faisait paraître moins que son âge.

Or, si dans les premiers temps, Shepseskaf manifesta à l'égard de sa belle-mère une certaine hostilité, comme s'il lui reprochait d'avoir pris la place de sa propre mère auprès de son père, son inimitié, devant l'amabilité de la jeune femme, les égards qu'elle lui montrait, l'intérêt qu'elle lui portait, et, plus que tout, sa beauté à laquelle il devint des plus sensibles lorsqu'il connut les troubles de la puberté, se transforma lentement en un amour qu'il tenait secret, aussi bien par timidité que par crainte de son père. Aussi cherchait-il toutes les occasions pour se retrouver en sa compagnie, loin de son père autant que possible. Ce qui n'arrivait que rarement car le roi semblait avoir du mal à vivre loin de la vue de son épouse. Cependant, si Mykérinos se désin-téressait de la construction de sa pyramide, Bounefer s'était donné pour mission de veiller à ce que l'architecte et les ouvriers poursuivissent avec ardeur un travail qui, de l'avis de tous, traî-nait en longueur. Aussi se rendait-elle souvent sur le chantier, elle surveillait les travaux, demandait des comptes à l'architecte, lequel prit bientôt l'habitude de faire son rapport non plus au roi mais à son épouse, au point qu'on aurait pu croire que c'était son propre monument funéraire qu'on construisait, et non celui du roi. Et ce sentiment prit encore plus de corps lorsque le roi lui-même déclara qu'il faisait de son épouse la maîtresse du chantier des pyramides. Forte de ce décret, Bounefer commença par déci-der d'étendre la surface de base de la pyramide qui, déclara-t-elle, serait trop disproportionnée par sa petite taille face à celles de Khéphren et de Khéops. Il était beau et généreux de vouloir ménager la peine des sujets de Sa Majesté, assura-t-elle, mais pas au détriment de sa gloire. Ensuite, elle décida de se faire construire une petite pyramide voisine de celle de son époux et une autre pour Khamernebti, comme l'avait fait Khéops pour ses épouses. Les architectes et les maîtres d'œuvre, ne devant plus obéir qu'à la jeune reine, accréditèrent la rumeur qui persista pendant plus de vingt-cinq siècles, selon laquelle la pyramide de Mykérinos avait été construite par sa seconde épouse, une ancienne prostituée, d'où lui resta le nom de « pyramide de la courtisane ».

Shepseskaf songea à mettre à profit ces moments où sa belle-mère se trouvait seule, pour la retrouver sur le chantier. Comme il guettait chacun de ses déplacements, il savait quand elle s'embarquait avec ses servantes sur le bateau qui la conduisait jusqu'au temple d'accueil de la pyramide d'où elle montait avec une chaise jusqu'à la pyramide, pour l'y devancer par le chemin de terre. La première fois qu'elle le vit sur le chantier alors qu'elle y parvenait, elle s'en étonna.

— Je fais par amour de mon père, lui déclara-t-il, ce que mon grand-père le dieu Khéphren a fait pour lui-même. Puisque le roi ne s'occupe pas de la progression des travaux de son monument funéraire, j'y supplée dans la mesure de mes capacités. Il me plaît ainsi d'assister à la croissance de la pyramide, mais elle est si lente que je crains que mon divin père n'en voie jamais le terme. C'est moi qui devrait la terminer, comme lui-même a présidé à l'achèvement de celle de son propre père.

— Shepsi, lui répondit Bounefer, ton zèle est digne d'éloges, mais tu peux voir aussi que moi-même je partage tes préoccupations et que je surveille la progression des travaux avec le consentement de Sa Majesté qui m'a délégué ses pouvoirs sur ce point.

— Ainsi nous serons donc deux à nous occuper de la construction de la pyramide du dieu. À moins que ma présence à tes côtés ne te déplaise...

— Shepsi, pourquoi ajouter cette réserve ? En quoi ta présence pourrait-elle me gêner ? Tout au contraire et notre action sera plus efficace si nous unissons nos prestiges, celui du fils de Sa Majesté, et celui de la seconde épouse royale.

179

– Dans ce cas, nous pourrons nous rencontrer sur ce chantier pour la plus grande gloire de mon père.

Bounefer était trop féminine et elle connaissait déjà trop la vie et les hommes pour ne pas avoir saisi la nature des sentiments que lui portait le jeune prince. Mais il lui parut sage de ne pas sembler comprendre et d'agir d'une manière naturelle, comme s'il ne pouvait venir à son esprit que l'adolescent puisse être amoureux d'elle. D'autant plus qu'elle s'était rendu compte que son royal époux, malgré un comportement enjoué et une attitude qui pouvait sembler marquer des conceptions désinvoltes de la fidélité conjugale, devenait de plus en plus jaloux. Ainsi restait-elle sur une réserve qui tenait le jeune homme à distance.

Or, l'attitude de Mykérinos se modifia soudainement à la suite d'un incident provoqué par Sékhemkarê. Il faisait sa cour à ses parents et en particulier à sa grand-mère Hénoutsen et à son oncle Minkaf, auprès desquels il se rendait souvent aussi bien pour prendre des conseils que pour rendre compte des affaires du royaume. C'est ainsi qu'un jour il avait rendu une visite à Minkaf auprès de qui il émit quelques plaintes :

– Vois, mon cher oncle, lui confia-t-il : j'ai, moi aussi, eu connaissance de la prophétie de ce Djedi qui a déclaré à mon père que notre dynastie était destinée à bientôt disparaître. Aussi, mon âme s'attriste. Moi-même, marchant dans ton sillage, je n'ai pas pris d'épouse et je n'ai pas d'enfant. Il en va de même pour mon frère Nékaourê, si encore il est en vie car voilà maintenant dans les treize ans qu'il est parti sur la mer sans limites et il n'est toujours pas revenu parmi nous. Lorsque je vois le jeune Shepsi, mon neveu, mon cœur se lamente car il ne semble pas destiné à connaître une longue existence. Heureusement que la reine Bounefer a donné un fils au roi, sans quoi on pourrait craindre pour l'avenir de notre lignée. J'ai appris que ce Djedi avait rejoint son Ka, de sorte qu'il n'est plus possible de l'interroger sur ce futur. Ah ! que n'existe-t-il un devin, le maître d'un oracle qui pourrait nous rassurer, nous dire que la lignée de notre aïeul Snéfrou va encore se perpétuer pendant des siècles et des siècles ! Car, si par malheur mon frère venait à mourir, que deviendrions-nous ?

— Sékhemkarê, s'étonna Minkaf, je trouve que tu te fais bien du soucis pour des faits bien incertains. Mykérinos n'a pas encore quarante ans, il a certainement bien des années à vivre. Le jeune Shepsi sera bientôt en âge de pouvoir lui succéder si d'aventure il lui arrivait malheur dans quelques années. En tout cas, je suis moi-même encore bien vivant et aussi mon frère Djedefhor, et, avec ma mère vénérée, nous restons les garants de la légitimité du souverain. Et, après tout, si par malheur ni Shepsi ni le fils de Bounefer ne survivaient à leur père, toi-même tu es encore jeune et tu pourrais ceindre la double couronne. Il serait alors temps de prendre une ou même plusieurs épouses pour assurer l'avenir de la descendance de Khéphren.

— Ah ! mon bon oncle, je me vois mal, moi le fils d'une cabaretière, assis sur le trône d'Horus...

— Ce n'est jamais là que la moitié de ton sang. Tu es aussi le fils de Khéphren, lui fit remarquer Minkaf qui ajouta : après tout, nous descendons tous de paysans ou de cabaretiers. Seulement certains de nos ancêtres ont su s'arroger tous les pouvoirs tandis que les autres, moins malins, sont restés les pieds enfoncés dans la glèbe.

Cette constatation sembla laisser Sékhemkarê rêveur. Il resta silencieux en hochant la tête, satisfait au fond de son cœur d'avoir entendu son oncle le citer comme héritier possible du trône d'Horus.

— Si tu crois dans les oracles et si tu es curieux de connaître l'avenir, reprit Minkaf, il existe dans la ville de Bouto une femme qui rend des oracles. Il semblerait qu'elle soit inspirée par un dieu, à moins qu'elle ait lancé une parole en l'air pour satisfaire des parents fiers de leur enfant...

— Je ne comprends pas ce que tu veux me signifier, mon oncle, reconnût Sékhemkarê.

— Apprends donc qu'une femme de Bouto a déclaré à la mère de Bounefer que sa fille était destinée à devenir l'épouse d'un roi, alors qu'elle était la fille d'une courtisane et qu'elle-même a marché sur les traces de sa mère. Et, pour aussi impossible que puisse se réaliser un semblable destin, elle est pourtant auprès du roi ton frère qui la tient visiblement en haute estime.

Cette révélation parut à Sékhemkarê comme une illumination.

– Mon oncle, lui dit-il, sais-tu où je pourrais rencontrer cette femme de Bouto ? Il me plairait de voir si elle serait capable de nous dévoiler l'avenir de notre famille. Peut-être ses paroles contrediront celles de ce Djedi...

– Je ne pense pas que Bounefer le sache, mais je ne serais pas étonné qu'Oukheryt puisse te fournir le renseignement.

Deux jours plus tard une petite nef quittait de nuit le port de Memphis et s'engageait dans la branche occidentale du Nil qui, par un canal de bifurcation, menait à Bouto. Elle était montée par seulement cinq hommes dont le chef s'appelait Chaf. Petit-fils d'un aubergiste ami de Senkaou, le père d'Hedjekenou, c'était un ami d'enfance de Sékhemkarê. Garçon robuste et dévoué, ayant fait des études de scribe, le jeune vizir l'avait pris auprès de lui, sans lui donner de poste officiel afin qu'il pût rester dans l'ombre. Mais il lui avait dit :

– Chaf, ce sont les hommes qui savent dissimuler, qui ne cherchent pas l'éclat de la renommée, qui vivent cachés et restent dans l'ombre, qui ont pour eux tous les avantages pour réussir là où d'autres sont voués à l'échec. Si tu me sers fidèlement, si tu sais garder le silence et si, pendant un temps tu te contentes de vivre dans mon ombre, je peux t'assurer que viendra un jour où le vizir des Deux-Terres s'appellera Chaf.

– Sékhemkarê, mon seigneur, mon ami, quels horizons m'ouvres-tu par ces paroles ? Comment le fils et petit-fils d'un cabaretier pourrait-il devenir le vizir ?

– Il suffira que le roi te nomme à ce poste, répondit simplement Sékhemkarê.

– Comment un roi des Deux-Terres, fils d'Horus, lui-même Horus d'or, pourrait-il distinguer un serviteur aussi obscur que moi ?

— Tout bonnement si celui qui est assis sur le trône d'Horus s'appelle Sékhemkarê.

Le jeune vizir savait qu'il pouvait mettre toute sa confiance dans ce serviteur et il l'avait envoyé à Bouto avec un message oral à transmettre à la devineresse, un message accompagné de nombreux et riches présents.

Lorsque Sékhemkarê venait devant son royal frère pour lui rendre compte des affaires du royaume, il arrivait que Mykérinos se plaignît de l'opacité du futur, de son incapacité, quoique roi et dieu, de ne pas être capable de savoir quel était le destin qui l'attendait.

— Vois, lui disait-il, je suis sans doute encore jeune, mais mon âme s'effraie en voyant combien promptes sont les années à s'écouler, combien le temps passe vite, rapide comme le vol des hirondelles.

C'était l'occasion qu'attendait Sékhemkarê pour lui répondre :

— Mon frère vénéré, pourquoi n'envoies-tu pas consulter un oracle ? Ne sais-tu pas qu'il existe à Bouto une femme qui rend des oracles avec tant de vérité qu'on ne peut douter qu'elle soit inspirée par un dieu ? Ignorerais-tu qu'il a été prédit par cette femme à la mère de Bounefer, que sa fille deviendrait l'épouse d'un roi, alors qu'elle est d'obscure origine ? Or, cette prophétie ne s'est-elle pas accomplie contre toute attente ?

— Mon bon Sékhemkarê, Ma Majesté ignorait cette prédiction et même l'existence de cet oracle. Comme se fait-il que ma reine ne m'en ait jamais encore parlé ? Si vraiment elle a entendu cette prédiction, j'enverrai un messager consulter cette devineresse.

Mykérinos vint auprès de Bounefer et il apprit de sa propre bouche l'existence de cet oracle. Il rédigea alors de sa main une lettre par laquelle il posait la question de son avenir et il délégua un serviteur sûr vers Bouto.

Lorsque lui vint la réponse de l'oracle, Mykérinos tomba dans la plus totale consternation car il lui était répondu qu'il n'avait plus que quatre ans à vivre.

– Comment le dieu peut-il être aussi injuste ! s'écria-t-il, ne pouvant douter de la clairvoyance de la devineresse. Moi qui ai rendu mon peuple à ses tâches naturelles, qui l'ai délivré des travaux sous lesquels l'écrasaient mon père et mon grand-père, moi qui ai rendu à Ptah son temple, son culte et ses biens, moi qui ai toujours voulu être juste, pourquoi les dieux m'accordent-ils une vie si brève ?

– Mon frère, suggéra Sékhemkarê qui se trouvait auprès de lui et à qui s'adressait le roi, s'il faut croire en la sagesse des paroles de notre oncle Djedefhor, cela ne tient-il pas au fait que nous nous attachons à une vie qui est comme la mort alors que ce que nous croyons être la mort n'est jamais que le passage à une vie véritable ? Dans ce cas, alors que tu reproches aux dieux de vouloir t'enlever à cette fausse vie sur la terre, ne devrais-tu pas les remercier de te délivrer du fardeau de cette existence ?

– Je ne sais ce qu'il en est vraiment à propos des dieux et de l'au-delà, mais ce fardeau de la vie me paraît bien léger, surtout maintenant que j'ai appris que je vais en être trop vite délivré. J'étais disposé à le supporter encore longtemps car je sais ce qu'il en est de cette vie et, comme je l'ai entendu dire par mon père, le métier de roi est bien agréable, au point que je voudrais encore longtemps le pratiquer. Car pour ce qui est de ce qui nous advient lorsqu'on est assis dans la Douat auprès des dieux, j'ignore quelles en sont les joies.

De ce jour, Mykérinos changea complètement de comportement.

– Dans le cours d'un jour que vit tout humain, déclara-t-il, un bon tiers est consacré au sommeil, près d'une moitié est dévouée à ses activités, travaux des champs pour le paysan, sacrifices aux dieux, gouvernement du royaume pour moi. Le peu qui reste est affecté aux joies de l'existence : prendre de la nourriture, boire, faire des maisons de plaisir. Ma Majesté ne peut plus perdre de temps en des activités qui ne soient pas délicieuses, je veux, dans les quelques années qui me sont encore accordées, faire autant de maisons de bière et de plaisir que j'aurais pu en faire s'il m'avait été donné de vivre encore autant que j'ai déjà vécu.

Après avoir ainsi tracé son futur programme, il fit réaménager les parties retirées du palais, fit ouvrir des salles sur des jardins, et envoya à travers le royaume des hommes de confiance dont la tâche était de recruter pour son harem les plus belles filles et les plus beaux garçons de la vallée du Nil. Il s'entoura de musiciennes, de danseuses, et voulut que, dès la venue de la nuit, fussent allumées de si nombreuses lampes qu'on pût continuer de vivre la nuit, afin de doubler le temps qui lui restait. Mais comme le sommeil parvenait toujours à triompher, il s'écroulait ivre au milieu de jeunes femmes couronnées de fleurs, après avoir épuisé ses forces en de multiples assauts amoureux. Parmi les nombreuses femmes qui étaient conduites devant lui, il sélectionnait celles qui lui paraissaient les plus belles et il les faisait poser nues devant les plus habiles sculpteurs du royaume afin que leurs statues ornent toutes les salles et les cours du palais, qu'il avait destinées à devenir les séjours de ses plaisirs.

CHAPITRE XVIII

Le nouveau mode de vie inauguré par Mykérinos avait consterné sa famille qui résidait dans le palais de Memphis. Hénoutsen, qui lui avait rendu plusieurs visites dans l'espoir de le raisonner, de le détourner d'une telle vie indigne d'un roi, sans parvenir à le persuader, avait dit à Djedefhor :

— La crainte de la mort a rendu fou mon petit-fils ! Aucune de mes paroles n'a réussi à le détourner de cette vie de stupre qui seule, prétend-il, peut répondre à l'injustice des dieux. Il est si certain de la vérité de cet oracle, il est si sûr de mourir bientôt, qu'il prétend que seule l'ivresse, seul l'épuisement dans un abus de plaisirs qui le conduisent jusqu'au dégoût, peuvent lui faire oublier sa condition humaine. Et lorsque je lui ai fait remarquer que son attitude est indigne d'un roi, qu'il lui revient de gouverner avec justice ses sujets jusqu'au bout de sa vie, de veiller à la construction de sa pyramide, il m'a répondu que Sékhemkarê gouverne mieux que lui le pays et que Bounefer a si bien pris en main la direction du chantier de sa pyramide qu'il n'a plus aucun souci à se faire sur ce point. Il déclare qu'il a, jusqu'à ce jour, trop vécu pour le bien de son peuple, et même pour dispenser le bien, qu'il est temps pour lui de penser à son propre bien, un bien qui réside dans les plaisirs du corps. Et lorsque je lui ai rétorqué qu'il aurait sans doute à se justifier devant le tribunal de son père Osiris, il m'a répondu que ce serait plutôt Osiris qui aurait à se justifier d'avoir agi aussi indignement envers son descendant, de n'avoir en aucune manière reconnu ses mérites.

Cette soudaine démission du roi avait, par la même occasion, libéré Bounefer. Dans un premier temps, elle avait été surprise qu'il se détournât si soudainement d'elle alors qu'il semblait lui vouer une passion jalouse. Mais elle dut se résoudre à reconnaître la vérité : il lui reprochait de lui avoir confirmé l'existence de cet oracle qui l'avait d'une certaine manière forcé à s'éprendre de la jeune femme et à l'épouser, un oracle qui était ainsi à l'origine du bonheur de sa seconde épouse, mais de son propre malheur comme si le fait de lui révéler son avenir impliquait la responsabilité de l'oracle dans cette fin prochaine. Et, qui plus est, le fait qu'il ne s'était pas trompé pour ce qui concernait l'avenir de Bounefer, prouvait à ses yeux que c'était Maât en personne qui l'avait inspiré et que, en conséquence, il ne pouvait faire une erreur à propos de ce qu'il avait révélé sur sa propre destinée.

Ainsi, en quelque sorte abandonnée par son mari qui avait été si présent auprès d'elle dans un passé encore récent, elle consacrait la plus grande partie de ses journées à se tenir sous un dais dressé à son intention auprès de la pyramide dont elle surveillait la progression, l'architecte et les chefs de chantier venant prendre les ordres auprès d'elle. Néanmoins, l'attitude de Mykérinos l'avait blessée profondément et il lui arrivait souvent de laisser paraître sa tristesse. Elle songeait alors à Minkaf, puis elle s'en faisait le reproche en s'opposant l'argument que, comme il le lui avait dit, il était tellement plus âgé qu'elle qu'il pourrait être plus que son père. En conséquence viendrait forcément le jour où, épouse encore jeune d'un vieillard, elle serait bientôt veuve et devrait longtemps encore vivre dans cet état de veuvage. Au demeurant Minkaf, qui avait retrouvé à Khem son ancienne vie de plaisir et d'indolence, n'aurait que difficilement pu revenir s'installer dans le Grand Palais pour consoler la jeune femme du désintérêt de son époux.

– Vraiment, Bounefer, lui dit un jour Shepseskaf qui était venu la rejoindre dans l'ombre du dais à proximité de la pyra-

187

mide destinée à recevoir la momie de Mykérinos, depuis que mon père s'est détourné de toi, je te vois bien triste et désemparée. Je le comprends car il me semble que tu avais pour lui des sentiments très vifs, mais je trouve que tu ne devrais pas en être ainsi attristée. Il a découvert, certainement grâce à toi, les plaisirs de l'amour des femmes, car il n'a jamais aimé ma mère que comme la sœur qu'elle était pour lui, et l'obligation qui lui a été faite de s'unir à elle pour donner un héritier au trône d'Horus lui a rendu insupportable toute présence féminine.

— Je n'ignore pas que ton père a aimé comme s'il avait été une femme un ami d'enfance dont il a fait le premier prêtre de Ptah. Il m'a souvent parlé de lui, il m'a confié le chagrin que sa mort lui a causé, mais aussi il m'a, en effet, remerciée pour lui avoir rendu l'amour des femmes. Mais il m'a entourée de tant de soins que maintenant je me retrouve bien seule, comme l'ont été finalement les épouses secondaires et même les sœurs épouses des rois qui se sont succédé sur le trône d'Horus.

— En vérité, je trouve mon père indigne de toi et de ton amour. Il a tout abandonné de ce qui faisait sa dignité royale, il ne vit plus qu'au milieu de ces femmes et de ces jeunes hommes qui sont autour de lui comme des mouches sur une figue mûre. Et pendant ce temps moi, le prince héritier, je me vois impuissant, aussi bien pour te consoler car tu n'en restes pas moins la reine et l'épouse de mon père, que pour contrer mon oncle Sékhemkarê qui prend de plus en plus de puissance ; visiblement il lorgne le trône des Deux-Terres. Je le vois bien lorsqu'il vient tenir ses séances dans la salle du trône : il s'assied sur un coussin au pied du fauteuil du roi, ou encore il se tient debout auprès de lui, mais son regard glisse constamment vers ce trône maintenant toujours vide derrière lequel tu te tenais naguère, comme Isis auprès d'Osiris. Visiblement il espère bien s'y asseoir un jour ou l'autre.

— Shepsi, lui répondit-elle, je crains que tu n'aies raison, mais nous saurons l'empêcher d'usurper ce trône qui te revient. Ni Djedefhor et Minkaf, ni la reine Hénoutsen ne le laisseront te dépouiller de ton héritage. Mais, vois : il m'arrive de m'attrister en songeant à ton père, mais sache que ta présence me rend un rayon de joie car je te retrouve en lui.

Il était vrai, en effet, que le jeune homme, maintenant âgé de dix-sept ans, ressemblait à son père, mais il était plus frêle, plus fin aussi, avec des traits plus gracieux, presque féminins. Ces paroles réjouirent visiblement le jeune homme dont le visage s'illumina d'un sourire aussi ravi que si Hathor elle-même lui avait fait une pareille déclaration. Déclaration qui lui donna l'audace de poursuivre son lent travail de séduction.

— Mon cœur est triste aussi, reprit-il, quand je songe que si l'oracle ne s'est pas trompé, il ne reste à mon père que bien peu de temps à vivre. Alors, que deviendras-tu, toi qui as répandu dans tout le Grand Palais la lumière de ta beauté ?

Elle le regarda intensément avant de lui répondre :

— Il ne me restera plus qu'à retourner auprès des miens, dans la demeure que la reine Hénoutsen a donnée à mon grand-oncle, soupira-t-elle.

— Quoi, Bounefer, me mépriserais-tu tellement que tu ne voudrais pas continuer de résider dans le palais royal, le jour où ton serviteur aura ceint la double couronne ?

— Shepsi ! s'exclama-t-elle en prenant un air étonné, que veux-tu dire par là ? Comment peux-tu imaginer que je puisse te mépriser, toi auprès de qui je vis depuis maintenant si longtemps, moi qui ai appris à te connaître et à t'aimer ?

— Bounefer, quels mots viens-tu de prononcer ? As-tu bien déclaré que tu m'aimais ?

— Je l'ai dit, Shepsi. Je t'aime comme...

Il se hâta de poser deux doigts sur ses lèvres.

— Ne dis pas que tu m'aimes comme une mère. Tu n'as jamais été une mère pour moi et je ne t'ai jamais considérée comme telle. J'ai d'ailleurs une mère, mais elle ne m'aime pas beaucoup. Tous ses soins, tout son amour, vont à la petite Khentkaous, ma sœur, celle qu'on m'imposera comme Grande Épouse royale.

189

– Ces mariages avec vos sœurs dans votre famille royale, n'ont jamais empêché les rois de prendre une épouse secondaire. N'est-ce pas ce que je suis pour Mykérinos ?

– Si l'oracle n'a pas menti, si mon père doit rejoindre son Ka dans quelques années, dans peu d'années, tu seras libre, tu pourras devenir l'épouse du nouveau roi des Deux-Terres.

– Si le nouveau roi veut de moi, et encore, faudrait-il que moi-même je puisse l'aimer.

– Ne m'as-tu pas dit que tu m'aimais comme Hathor est aimée d'Horus ?

– Shepsi ! je n'ai rien dit de cela, et je ne l'oserais, car je suis toujours l'épouse du roi, ton père.

– Sans doute, mais tu seras déliée de cet engagement lorsque le roi sera devenu dieu dans le firmament.

– Shepsi, si tu m'aimes encore à ce moment-là, il ne me déplaira pas de devenir ton épouse. Mais tant que Menki vivra, je lui resterai fidèle, même si lui-même se montre aussi totalement volage.

– Bounefer, j'admire tes sentiments et ta droiture. Je dirai même que j'aurais été ravi mais au fond de moi-même j'aurais éprouvé je ne sais quel malaise et quelle inquiétude si tu m'avais fait une réponse différente, si tu m'avais laissé entendre qu'il était peut-être ridicule d'attendre la mort de mon père pour faire ensemble une belle fête.

– Dans ce cas, lui dit-elle alors, puisque nous connaissons les sentiments qui nous animent l'un vis-à-vis de l'autre, je te prierai d'éviter de te retrouver trop souvent en ma compagnie afin de ne pas susciter les médisances et plus encore les calomnies. Il est bon que nous gardions mutuellement nos distances afin de tenir éloignée de nous toute tentation qui risquerait de nous être fatale. Je sens aussi bien que toi que ton oncle Sékhemkarê vise le trône des Deux-Terres : or, tu restes le seul qui pourrait lui faire obstacle puisque tu es l'héritier légitime. Si vraiment l'oracle n'a pas failli et si ton père doit aller rejoindre ses ancêtres dans les prochaines années à venir, il nous faut nous armer de patience car si d'aventure nous nous abandonnions à notre amour et que Sékhemkarê en ait vent, il aurait tôt fait de te perdre par ce moyen.

Shepseskaf était trop persuadé de la réalité que Bounefer lui opposait pour s'insurger contre une suggestion qui, si elle n'était pas marquée au sceau de la passion, l'était à celui de la prudence. C'est ainsi que, de ce jour, il se tint à distance de la jeune femme et évita de paraître en public auprès d'elle. Et, afin de ne pas se laisser entraîner par un trop violent désir, il prit la décision de quitter la Grande Maison pour aller habiter la résidence royale de Memphis, auprès de sa mère et de sa jeune sœur.

CHAPITRE XIX

L'installation de Shepseskaf dans le palais de Memphis eut des conséquences inattendues. Il se trouva confronté à sa jeune sœur Khentkaous alors âgée d'une douzaine d'années. Élevée comme un garçon par sa mère Khamernebti et par Djedefhor dont elle n'ignorait pas qu'il était son vrai père, elle se comportait comme si elle appartenait à l'autre sexe et, s'identifiant à un garçon, elle imitait les airs bravaches de ces derniers, participant aux jeux des adolescents de son âge avec lesquels elle n'hésitait pas à se colleter. Le résultat fut qu'elle manifesta un regrettable mépris pour son frère aîné dont on lui avait fait savoir qu'elle était destinée à devenir son épouse. Son orgueil lui venait non seulement d'un sentiment de supériorité fondé sur son éducation virile, mais plus encore de sa véritable paternité puisque Djedefhor était le seul membre de la famille qui perpétuait en lui le sang divin par sa mère, fille de Snéfrou et descendante directe de Djeser.

— Il n'est pas question que je devienne la femme de ce frère qui a tout d'une fille. À moins que je ne tienne le rôle de l'homme et qu'il reste enfermé dans l'*Opet* du palais comme s'il était ma femme, avait-elle déclaré, péremptoire.

De son côté Shepseskaf, l'esprit tout plein de la tendresse de Bounefer, eut tôt fait de détester une sœur qui manifestait à son égard de pareils sentiments et se montrait de plus en plus arro-

gante. Djedefhor crut alors bien faire, après consultation de Khamernebti et d'Hénoutsen, d'envoyer l'adolescente poursuivre ses
études de scribe auprès de Raouser à Héliopolis. Ce dernier dirigeait avec diplomatie et discernement le clergé d'Atoum-Rê et
trouvait le temps de former de jeunes scribes. Ainsi Khentkaous
alla-t-elle loger dans la belle résidence que le Grand Voyant de Rê
partageait avec son épouse princière Néferhétépès et leur fils
Ouserkaf. De son côté, Néferhétépès se félicitait d'avoir épousé
Raouser qui, bien que de petite naissance, lui avait donné en
Ouserkaf un enfant intelligent, vif et de belle prestance. Aussi,
quand elle songeait à Nékaourê, sans doute disparu dans la mer du
Sud depuis bien des années, et à l'amour qu'elle avait cru lui porter dans leur enfance, elle n'avait plus aucun regret de ce temps,
ne pouvant oublier la manière dont il l'avait finalement dédaignée,
lui préférant la mer.

Ouserkaf, d'un an l'aîné de Khentkaous, était un robuste adolescent, guère timide et bon disciple de son propre père, car
Raouser avait pris en main son éducation de scribe destiné à
devenir prêtre dans le temple d'Héliopolis. Et comme il était fils
d'une princesse en même temps que le sien, il pouvait espérer
qu'il lui succéderait un jour dans la fonction de Grand Voyant de
Rê. Khentkaous fut reçue dans la demeure de Raouser comme si
elle avait été sa propre fille et elle se trouva aussitôt dans l'intimité de la famille et dans celle d'Ouserkaf lequel, au demeurant,
était son cousin. Partageant la même demeure, étudiant tous deux
en même temps assis sur une natte aux pieds d'Ouserkaf, allant
ensemble nager dans le Nil, partageant les mêmes jeux, les deux
adolescents s'éprirent bientôt mutuellement l'un de l'autre. Ce
que voyant, Raouser et son épouse encouragèrent leurs amours
d'autant plus que la jeune fille était destinée à devenir la reine
d'Égypte en partageant le trône de son frère Shepseskaf. Prudente
cependant, Néferhétépès éduqua la jeune fille, lui laissant entendre que si elle ressentait un quelconque désir pour Ouserkaf, elle
pouvait le satisfaire sans crainte ni scrupules dans la mesure où

elle aurait la prudence d'éviter d'avoir un fruit de telles amours. Raouser ayant été morigéné de la même manière, après moins d'un an de vie commune, Khentkaous et Ouserkaf partagèrent la même couche, avec la complicité des parents du jeune homme mais à l'insu de tous. De son côté Khentkaous était trop avisée pour se vanter de sa relation avec son cousin auprès de qui que ce soit, et plus particulièrement de sa mère Khamernebti et de son frère Shepseskaf qu'elle allait souvent voir à Memphis.

Khentkaous était établie à Héliopolis depuis bientôt deux ans lorsqu'un grand de la cour vint avec une escorte faire savoir à la princesse que son père l'envoyait chercher pour lui faire part de ses décisions. Cette requête du roi contraria vivement la jeune fille qui s'était habituée à la vie qu'elle menait dans la cité du soleil en compagnie de son jeune amant, car elle craignait que Sa Majesté ne la retînt dans son propre palais. Mais elle était aussi curieuse de savoir ce que lui voulait son père putatif.

La cange royale qui avait amené l'envoyé du roi et sur laquelle elle s'embarqua, emprunta le canal qui conduisait à la résidence royale de Memphis où s'embarquèrent à leur tour Shepseskaf avec sa mère, Hénoutsen et Djedefhor, Mykérinos ayant réclamé leur présence.

– Je suppose, fit alors savoir Khamernebti à ses enfants, que votre père a l'intention de vous marier.

Et avant que tous les deux n'aient protesté, elle les rassura :

– Vous savez que c'est la coutume royale et vous ne pourrez pas plus y échapper que moi-même et nos ancêtres. J'ai bien vu que vous n'éprouvez guère d'attirance l'un pour l'autre, mais il faudra vous efforcer de faire bonne figure devant votre père. Une fois accomplis les rites du mariage, vous serez libre d'agir selon votre bon plaisir, bien qu'il vous faille parfois partager la même couche afin de donner un héritier au trône des Deux-Terres. Pour le reste, ce n'est pas moi qui vous blâmerai si vous vivez séparément.

Les deux adolescents ne répliquèrent pas, satisfaits de la liberté qui leur était laissée, chacun prétendant diriger sa propre vie selon ses désirs, sans prononcer cependant les noms pour l'une d'Ouserkaf, pour l'autre de Bounefer.

Mykérinos ne paraissant plus en public depuis plusieurs années, ne vivant plus que dans le cercle étroit de sa résidence royale au fond du Grand Palais, parmi ses compagnons de débauche et ses concubines, nul parmi les grands et les Amis de Sa Majesté n'était capable de dire quel était l'aspect physique du roi depuis cette sorte de folie qui l'avait frappé à la suite de cet oracle qui le condamnait à court terme. Les reines, les deux enfants royaux et Djedefhor furent reçus par Sékhemkarê devenu le tout-puissant vizir du royaume, mais aussi le seul personnage qui voyait couramment Sa Majesté afin de lui rendre compte de son gouvernement. Mais, ce que ne disait pas le vizir, c'est que plus le temps s'écoulait, moins le roi prêtait d'attention à ses rapports, comme si, sentant approcher la fin qui lui était annoncée, il se désintéressait de plus en plus des affaires de l'État.

C'est Sékhemkarê qui conduisit les hôtes royaux devant Mykérinos qui les attendait dans son jardin clos, assis dans un large fauteuil couvert de coussins. Dès le premier abord, chacun fut frappé par les changements survenus dans l'aspect du roi. Alors qu'il avait jadis un visage plutôt arrondi et souriant, un corps musclé, bien proportionné, il avait prodigieusement maigri, son visage était émacié, déjà ridé alors qu'il n'avait pas quarante-trois ans, il avait échangé sa belle musculature contre un corps efflanqué.

— Mon enfant ! ne put s'empêcher de s'écrier Hénoutsen en se hâtant vers lui. Par la vie ! Dans quel état es-tu !

Il se leva pour accueillir sa grand-mère qui le serra fort contre lui. Puis il s'assit comme saisi d'une grande lassitude.

— Quel mal te ronge ainsi ? lui demanda Hénoutsen.

— Quel mal ? C'est le mal du désespoir, grand-mère. En ces quelques années je ne me suis plus consacré qu'au plaisir, faisant de mes journées des jours de fête et de mes nuits d'autres jours de fête afin de vivre le double du temps qui m'était encore imparti par les dieux.

– Menki, intervint à son tour Djedefhor d'un ton sévère, si au lieu de t'abandonner à ce désespoir et, en conséquence, de mener la vie indigne qui est la tienne depuis déjà trop d'années, tu avais continué de vivre comme le roi que tu es, tu aurais conservé ta vigueur et ta jeunesse, tu ne te serais pas usé dans ces tourbillons d'une existence qui t'a fait vieillir en ces quelques années plus qu'en un demi-siècle de vie sans abus. Qu'as-tu fait de l'héritage de ton père, de mon père Khéops, de notre aïeul Snéfrou ?

– Qu'en ai-je fait, mon bon oncle ? Mais je ne l'ai gâté en rien, ce n'est que moi-même que j'ai ainsi traité. Vois : Bounefer s'est chargée de diriger les travaux de ma pyramide, au point qu'elle sera peut-être achevée avant que je ne sois contraint par le destin de m'y établir pour des millions d'années. Elle l'a même fait agrandir ayant trouvé qu'un trop petit monument était indigne d'un roi comme moi et qu'elle paraîtrait ridicule comparée à celles de mes prédécesseurs. Pour le reste, mon frère Sékhemkarê s'est finalement révélé un bon vizir, excellent administrateur des Deux-Terres, juge impartial et juste bien que sévère. Ma Majesté ne peut que se féliciter d'avoir confié les deux missions essentielles dévolues à un roi, à de si éminents serviteurs.

– Tes paroles, rétorqua Djedefhor, pourraient laisser croire que le roi est inutile puisque ses fonctions sacerdotales sont déléguées à des prêtres spécialisés, ses devoirs à l'égard de son peuple sont confiés à un ministre et la construction de sa pyramide, symbole de sa puissance et de son essence divine, est abandonnée à des architectes et, pour ce qui te concerne, à l'une de tes épouses.

– Il y a du vrai dans tes paroles, mon bon oncle. Et pour ce qui est du roi, il est là pour jouir des plaisirs de la vie.

– Un roi qui agit ainsi ne mérite pas de régner. Au reste, il n'est plus qu'un fétiche utilisé par ceux qui détiennent en son nom le vrai pouvoir. Bien heureux quand encore s'il n'est pas renversé et mis à mort par les ministres auxquels il a délégué sa puissance inaliénable.

Sans paraître comprendre les sous-entendus que Djedefhor avait semés dans sa repartie, lesquels visaient à l'évidence Sékhemkarê, Mykérinos répliqua :

– Je ne sais si ce que tu prétends est déjà arrivé, bien que, puisque tu le dis, toi qui es si savant, tu doives pouvoir donner de précieux exemples. Mais, pour ce qui est de Ma Majesté, j'ai trop confiance dans mes parents et ceux que j'aime. Pourrais-tu penser que ma chère Bounefer songerait à me dépouiller de mes couronnes divines ? Ou encore mon cher frère Sékhemkarê qui montre tant de dévouement à me servir et de diligence à gouverner le pays ? D'ailleurs, c'est aussi pour assurer l'avenir du royaume que je vous ai demandé de venir. Je sais que je n'ai plus que peu de temps à vivre car les années qui m'ont été concédées parviennent à leur terme. Aussi Ma Majesté a décidé que dès demain auront lieu les cérémonies du mariage de mon cher fils Shepseskaf et de toi, ma chère enfant. Vraiment, Khentkaous tu es devenue une magnifique jeune fille. Tu feras une belle reine des Deux-Terres. Approche un peu que je te contemple. Je ne t'avais pas vue depuis tant d'années... Tu n'étais qu'une enfant, tu es maintenant une femme splendide. Vraiment, les Sept Hathors sont venues t'accueillir à ta naissance !

Il attira la jeune fille vers lui, la contempla un instant, poussa un soupir, puis déclara :

Je ne regrette pas cette paternité...

Paroles dont quiconque était au courant des relations de Djedefhor avec sa nièce ne pouvait manquer de saisir l'ambiguïté. Puis il se reprit aussitôt après et, relâchant Khentkaous, il déclara d'un ton autoritaire laissant entendre que, malgré l'affabilité des termes, il n'admettait pas de réplique :

– Ma Majesté vous demande de demeurer cette nuit dans le Grand Palais. Demain se dérouleront les cérémonies. À ma demande, Sékhemkarê a tout fait préparer. Maintenant, je vous prie de vous retirer, car je voudrais me reposer... Sauf toi, grand-mère : daigne demeurer encore un instant auprès de ton petit-fils.

Hénoutsen, justement désireuse de lui parler seule à seul, fut satisfaite de n'avoir pas à solliciter un entretien particulier. Lorsque tous les autres membres de la familles furent sortis, elle s'assit sur un siège voisin et ouvrit la bouche :

— Menki, lui dit-elle, je voulais moi aussi te parler car, bien que vivant de plus en plus retirée dans ma résidence, je suis à l'extérieur du Grand Palais et je peux voir des choses que tu ne sembles pas apercevoir, toi qui vis le regard tourné vers ceux qui t'apportent plaisirs et oubli.

— Oubli, grand-mère, tel est le mot. Mais je crois que c'est de ces choses auxquelles tu fais allusion que je voulais t'entretenir. Je sais que tu es la seule qui pourrais me comprendre, et encore, tu continues de jouir de ce prestige merveilleux qui fait que tes paroles résonnent toujours aux oreilles des grands comme celles d'une divinité.

— Je t'écoute, mon enfant, et tu sais que mon plus cher désir est de te rendre un bonheur que tu sembles avoir volontairement éloigné de toi.

— Non, ce n'est pas moi qui l'ai éloigné, c'est lui qui m'a quitté. Il m'a quitté avec le départ de Kabaptah dans le monde d'ailleurs. C'est en le perdant que j'ai compris les sentiments et l'attitude de ce roi d'Ourouk dont nous a si souvent parlé Hori, ce Gilgamesh qui est devenu comme fou après avoir perdu son ami Enkidou, qui est parti à la recherche de la plante d'immortalité puis, ayant finalement dû se persuader que nul ne peut échapper à la mort, a vécu dans les plaisirs en attendant le grand jour du départ vers le pays d'où nul ne revient. Je suis reconnaissant à mon oncle Minkaf de m'avoir trouvé Bounefer et je crois l'avoir vraiment aimée, peut-être parce qu'elle me rappelait Kabaptah par certains côtés. Elle m'a aussi donné du plaisir, elle m'a appris à goûter l'amour des femmes, mais rien de tout cela n'a été suffisant pour apaiser la peine qui rongeait mon cœur. Il est vrai que je refoulais au fond de moi tout ce qui pouvait m'incliner à rompre avec une vie qui perdait de plus en plus de saveur.

— Pourtant, l'interrompit Hénoutsen, d'après ce que j'ai pu voir et entendre, il semble que tu étais devenu jaloux de Bounefer, que tu pouvais difficilement te séparer d'elle. Comment as-tu pu, d'un seul coup, l'éloigner de ta vue, la délaisser comme tu l'as fait ?

— Je ne voulais pas la perdre, je le reconnais, et je commençais à être jaloux. J'ai vu que Shepseskaf portait sur elle des regards qui n'étaient plus ceux d'un beau-fils, et j'ai aussi vu qu'elle ne le décourageait pas dans ses sentiments.

— Serait-ce cette découverte qui a suscité ta jalousie ?

— Tout au contraire. Il est vrai que, dans un premier mouvement, bien que n'ayant que des soupçons, soupçons qui n'ont pas semblé se confirmer car les espions que j'ai placés auprès d'eux ont pu m'assurer qu'ils ne se voyaient que peu, toujours en public et qu'ils se comportaient comme on pouvait l'attendre d'une belle-mère avec le fils de son époux, j'ai senti en mon cœur l'aiguillon de la jalousie. Mais je me suis hâté de l'éloigner et, presque aussitôt après m'est venu cet oracle m'annonçant ma fin prochaine. Sur le moment je me suis plaint, puis, en y repensant, je l'ai reçu comme une délivrance. Il me permettait de m'élancer dans cette vie de plaisirs qu'on me reproche tant, de doubler la durée de mes jours en vivant la nuit aussi bien que le jour, en me laissant seulement vaincre par l'épuisement et le sommeil. Mais j'ai requis des serviteurs pour m'éveiller lorsque je m'endormais, afin de perdre le moins de temps possible dans cet état de demi-mort qu'est le sommeil. Je sais qu'en agissant ainsi j'abrège prodigieusement mes jours, qu'en passant mon temps à boire et à forniquer, je me tue lentement, mais n'est ce pas une façon bien agréable de courir vers la mort, de se suicider ? Je ne pouvais préparer mon départ de ce monde dans des plaisirs effrénés seulement en compagnie de Bounefer. Car pour aussi séduisante et habile dans l'art des caresses qu'elle soit, elle n'aurait su se renouveler et se multiplier pour me conduire à la mort par épuisement. Il aura fallu tous ces garçons et ces filles qui ne cessent de tourbillonner autour de moi, qu'on renouvelle dès que la lassitude de leurs présence s'empare de mon cœur, pour me réduire au point où tu me vois. Et tu comprends que si j'ai choisi cette voie pour épuiser mon corps et mes âmes et les conduire jusqu'au seuil de la demeure d'Osiris, ce n'est pas pour me réformer comme semblerait vouloir me le conseiller Hori, qui n'a pas compris que j'ai délibérément choisi d'agir ainsi pour ne pas faire mentir un oracle qui m'est apparu comme la promesse d'une délivrance prochaine. Je ne sais combien de temps encore mon Ka s'accrochera à mon corps, mais je souhaite que ce soit le moins de temps possible, comme je souhaite qu'il y ait bien une vie dans la Douat pour que j'y retrouve Kaba et encore tous ceux que j'ai aimés dans ma vie déjà trop longue.

Dans son intuition, Hénoutsen avait déjà pressenti les raisons profondes de l'attitude de Mykérinos et elle ne sut, ni ne voulut, soit l'en blâmer, soit l'en détourner, car elle savait pertinemment que tout discours, tout conseil, tout reproche resteraient vains, et même ne pourraient que renforcer la résolution de son petit-fils.

– Menki, tu me sembles trop opiniâtre dans ton entreprise d'autodestruction, trop déterminé à mettre à bref délai un terme à ta vie pour la raison que tu m'as exposée et que je comprends parfaitement, pour que je cherche à te détourner de ta décision et à te persuader de reprendre le cours de ta vie de jadis. Mais je crois devoir te mettre en garde contre Sékhemkarê dont tu as parlé tout à l'heure d'une manière...

– Je t'arrête, grand-mère, car je soupçonne ce que tu vas me dire, l'interrompit-il. Et c'est aussi de lui que je voulais t'entretenir. Ce que tu vois à l'extérieur, moi aussi je le vois à l'intérieur. Je n'ignore pas que mon cher frère qui est longtemps demeuré dans l'ombre, a été saisi par Seth, qu'il est dominé par le démon de l'ambition. Il est visiblement très satisfait de me voir décliner, il ne peut que se louer d'un oracle qui lui a permis de finalement tenir la rame de gouverne de la barque des Deux-Terres. Et il aimerait bien ceindre la double couronne, lui, le fils de la cabaretière...

— Il est aussi le fils de ton père, remarqua Hénoutsen, mais il est vrai qu'il resterait le seul héritier du trône si d'aventure mourait Shepseskaf avant son heure, par exemple peu de temps après ton départ de ce monde.

— Je suis certain qu'il n'attendra même pas ce moment. Il lui sera facile, le jour où j'aurai rejoint mon Ka, de se proclamer héritier légitime en déclarant à toute la cour, à tous les grands qu'il a réussi à se rallier par ses largesses et ses bienfaits, que Shepseskaf est un garçon maladif, inculte, incapable d'assumer son rôle sur le trône d'Horus. Et je ne serais pas surpris qu'il cherchât à éliminer aussi bien Henti, le fils que m'a donné Bounefer, car, après Shepseskaf, il est l'héritier légitime du trône d'Horus.

— Hélas, soupira Hénoutsen. Bien qu'il soit, lui aussi, mon petit-fils par son père, je crains que Sékhemkarê n'hésite pas à utiliser tous les moyens pour ceindre la double couronne. Et c'est bien ces craintes que je voulais formuler devant toi.

— Il est bon que nous partagions les mêmes sentiments à ce propos. C'est pourquoi j'ai voulu d'abord m'adresser à toi, afin de savoir si tu m'aurais approuvé dans le dessein que j'ai formé pour sauver le trône de mon fils.

— Quoi, Menki, aurais-tu déjà envisagé de prendre des dispositions à l'égard de Sékhemkarê ?

— N'en est-il pas grand temps ?

— Te crois-tu si proche du grand départ ?

— N'en doute pas. C'est pourquoi il est temps d'agir, afin de devancer mon cher frère. D'autant qu'il ne se doute de rien : il est si sûr de m'avoir conquis et dominé ! D'ailleurs, tu as pu l'entendre : je ne taris pas d'éloges à son sujet.

— C'est ce qui m'a inquiétée, tout autant que Khamernebti et Hori, d'après ce que j'ai pu comprendre. Vas-tu me dire ce que tu prépares contre lui ? Vas-tu lui retirer sa charge ?

— Tu n'y penses pas ! Il faut une raison pour déposséder un vizir de la fonction qu'on lui a attribuée. Or, il remplit sa tâche avec une conscience, un sens de l'équité dignes d'éloges. Si j'agissais ainsi, il aurait toute la cour de son côté, et aussi bien les nomarques. Moi-même je me suis trop éloigné des affaires du royaume pour pouvoir agir de la sorte sans être perdant.

– Tu peux pourtant le faire simplement arrêter.

– Moins encore. Qui l'arrêterait alors qu'il a entre les mains l'armée et la police ?

– Dans ces conditions, que te reste-t-il à faire ?

– Ne t'en doutes-tu pas ? Et c'est là que j'attends ton accord.

– Songerais-tu à le faire assassiner ?

– Quelle autre solution me reste-t-il ? Lui-même en m'encourageant dans la vie que je mène, ne cherche-t-il pas à m'éliminer, même si c'est lentement, volontairement et même, délicieusement ? Et si Shepseskaf se dresse sur son chemin, je sais qu'il le supprimera sans aucun remords. Tandis que lui-même s'est ingénié à s'attacher les grands du royaume, moi, grâce à mon prestige royal, je me suis attaché un certain nombre de fidèles compagnons de débauche qui, maintenant je le sais, sont prêts à mourir pour moi. Or, je ne leur en demanderai pas tant. J'ai su aussi leur apprendre à détester ce vizir arrogant qui les regarde avec commisération, et dont ils sont persuadés que, moi une fois parti, il aura tous les pouvoirs, y compris celui de les faire mourir pour avoir vu le souverain des Deux-Terres dans sa déchéance et avoir participé à cette déchéance par leurs actions innommables. Aussi sont-ils disposés à me débarrasser de lui, lorsque je leur en donnerai l'ordre.

– Menki, il m'est pénible d'entendre ta confession et plus encore de te donner mon approbation pour une telle entreprise. Bien que je n'aie pas osé imaginer qu'il fût prêt à tout pour se saisir de la double couronne, ce que tu viens de me confier m'interdit de te décourager dans ton entreprise. Je ne pourrais t'en blâmer car je vois bien que tu as été mis par lui dans une situation telle que tu ne peux agir autrement. Mais il faut que personne ne puisse soupçonner ton intervention dans la fin d'un vizir trop entreprenant. Tu dois agir avec une grande prudence et être sûr des hommes qui agiront pour ton compte.

– Je n'ai aucune crainte sur ce point, grand-mère. Au demeurant, Sékhemkarê une fois mort, qui oserait accuser le roi, même si on en arrivait à le soupçonner d'avoir organisé son assassinat ? Et encore, qui aurait la possibilité de se dresser contre lui ? D'autant que celui qui sera bientôt assis sur le trône d'Horus, ce ne sera plus moi mais Shepseskaf.

CHAPITRE XX

L'homme s'avançait sans hâte sur la route de terre battue qui séparait les champs de blé dont les épis dorés balançaient sous la brise du nord qui, dans la lourde chaleur du jour, semblait fraîche. C'était l'époque de la moisson et les paysans avaient envahi la campagne, munis de leurs longues faucilles au tranchant fait de petits silex aigus qui firent songer à l'étranger à des dents de requin. En le voyant passer, les paysans se demandaient qui pouvait bien être cet inconnu vêtu d'une robe aux teintes passées et aux pans déchirés, dont le visage émacié était mangé par une barbe longue mais clairsemée et dont l'abondante chevelure tombait sur les épaules. On aurait pu le prendre pour un de ces bédouins qui sillonnaient les déserts contigus à la vallée et qui, lors des périodes de sécheresse, venaient quémander de la nourriture aux Égyptiens. Mais ils se présentaient en général par petits groupes et ils ne portaient pas de robe, seulement un pagne, ou encore, pour ceux qui hantaient les déserts du couchant, ils allaient nus, leur verge protégée par un étui pénien rigide maintenu par un cordon contre leur ventre.

Il arrivait parfois que l'étranger s'arrêtât à l'orée d'un champ où les paysans s'étaient mis au travail de la moisson. Leur croupe était ceinte d'un étroit pagne triangulaire noué sur le ventre qu'il laissait nu. Ils saisissaient les épis par petites gerbes, sous les têtes chargées de grains, et les taillaient juste au-dessous en des gestes rapides et efficaces. Leurs pas et le balancement du bras qui lançait la faucille, étaient rythmés par les modulations qu'un homme tirait d'une flûte rustique faite d'un long roseau percé de trous vers son extrémité de sorte qu'il devait tenir les bras tendus tout au long de l'instrument, tandis qu'un chanteur, une main contre l'oreille, sa faucille sous le bras, car il faisait partie du groupe de moissonneurs, entonnait des paroles d'encouragement en harmonie avec la mélodie du roseau. Derrière les hommes venaient les femmes, toutes jeunes, parfois même des adolescentes, seulement vêtues d'un étroit pagne, qui ramassaient les gerbes, les liaient et les entassaient à l'écart.

L'étranger resta un moment immobile à écouter le chant des moissonneurs qui se révéla être une lamentation sur la mort d'Osiris, dieu du grain, mis en pièce par son frère Seth, comme étaient coupés les épis par les faucilles. Le chant s'éteignit et les paysans, qui parurent alors découvrir la présence de l'étranger, le saluèrent et l'interpellèrent en lui proposant de venir travailler avec eux, sans pour autant attendre de réponse, car ils n'imaginaient pas qu'il puisse comprendre leur langage. Mais au lieu de s'éloigner, il s'engagea dans le champ, se frayant un chemin parmi les épis qui montaient jusqu'à sa poitrine. Parvenu auprès d'eux, il les salua à la manière des Égyptiens.

– Quelle étrange défroque portes-tu là ? lui demanda l'un des moissonneurs.

– Quoi, enchaîna un autre, dans le pays d'où tu viens les gens sont si difformes qu'ils cachent leurs corps honteux sous de tels oripeaux ?

– C'est la coutume des populations des pays où se lève le soleil car c'est de là-bas que j'arrive, répondit l'inconnu.

– Ici, tu es dans la Terre chérie, dans le pays où brille le soleil.

– Je le sais et mon cœur s'en réjouit.

Ayant ainsi parlé, l'étranger se hâta de se dépouiller de son vêtement. Comme pour contrarier les quolibets des paysans, il présentait un corps vigoureux, bien musclé, poitrine large, taille étroite, jambes longues, tout ce qui répondait à la morphologie des Égyptiens.

— Prêtez-moi une faucille et je participerai à vos travaux, dit-il alors. En contrepartie, je vous demanderai un peu de nourriture.

— Par la vie du dieu ! repartit le flûtiste qui s'était tu à son arrivée, sans ta barbe et ta chevelure, on te prendrait pour quelqu'un de chez nous.

— Je suis de chez vous, assura-t-il en empoignant fermement une faucille que l'un des paysans lui tendait. Je rentre au pays et si je porte cette barbe, c'est parce que tant qu'il est loin de chez lui, quand il traverse les terres barbares des Asiatiques, un Égyptien porte le deuil de son pays, il se laisse pousser barbe et cheveux.

— Alors, suggéra l'un des paysans, tu nous accompagneras ce soir au village : le coiffeur te raseras et tu deviendras un homme convenable, car tu es rentré dans la Terre chérie. Et si tu restes à travailler avec nous jusqu'à la fin de la moisson, tu recevras de la nourriture et nous te donnerons un pagne comme nous en portons nous-mêmes.

— Je ne pourrais rester avec vous jusqu'à la fin de la moisson, repartit le voyageur, car j'ai hâte de rentrer chez moi.

— Où te rends-tu ainsi ?

— Ma demeure est à Memphis et le regret des miens m'a saisi aux entrailles.

— Demeure parmi nous. Ensuite tu seras chez toi dans peu de temps. Encore quelques jours et la moisson sera terminée. Les scribes paraîtront alors pour l'enregistrer et tu pourras repartir avec eux. Ils viennent d'Héliopolis car ces champs appartiennent au temple du Phénix. Là, tu ne seras plus qu'à une demi-journée de marche de la cité royale.

— Si tu es de chez nous, dis-nous ton nom, demanda l'un des moissonneurs, comment t'appelle-t-on ?

— Mon joli nom, celui par lequel on me connaît, est Néky, lui fut-il répondu.

— Néky, commence par boire quelques bonnes gorgées de notre bière, tu auras plus de courage et de force pour travailler.

Néky se tourna vers une jeune fille souriante, venue derrière lui, qui lui tendait une outre humide. Il la prit volontiers et but d'amples gorgées avant de la lui rendre en la remerciant. Puis il se mit au travail, avec les autres paysans. Mais il ne pouvait s'empêcher, tout en travaillant, de tourner les yeux vers la jeune fille qui lui avait donné à boire : elle marchait courbée à peu de distance derrière lui, et il était comme fasciné par la grâce de ses gestes, la beauté parfaite de son jeune corps vigoureux doré par le soleil, ce qui lui conférait un teint de datte mûre, le charme de son visage.

Lorsque le soleil descendit sur l'horizon, il suivit les paysans qui s'en retournaient à leur village. Celui-ci consistait en une agglomération de maisons quadrangulaires en terre, couvertes de toits en terrasse, aux murs blanchis à la chaux, entourant une vaste place centrale ombragée par des palmiers, des saules, des sycomores et des acacias.

— Si tu acceptes mon invitation, dit à Néky le paysan qui lui avait suggéré de passer entre les mains du barbier, tu viendras manger et dormir à la maison.

Il se trouvait que ce paysan était le père de la jeune fille qui lui avait donné à boire et qui avait éveillé dans le cœur du voyageur le désir de beauté. Néky accepta volontiers l'invitation. Mais celui qui s'était proposé pour devenir son hôte, commença par le conduire auprès du coiffeur barbier. Celui-ci tenait ses assises dans l'ombre d'un palmier, sur la place centrale, tout près d'un puits où les villageois venaient tirer l'eau nécessaire à leur ménage. Lorsqu'il y en avait, les clients attendaient leur tour, accroupis au pied de l'arbre, le patient traité se tenant assis sur un gros tronc d'arbre. Le barbier gardait à portée de main ses instruments disposés sur une table bancale et à ses pieds étaient

207

rangés des vases remplis d'eau pour mouiller le poil et laver les têtes.

Ce soir-là, le barbier attendait le chaland car les vieillards qui ne travaillaient pas étaient passés entre ses mains pendant la journée tandis que les travailleurs passaient sous son rasoir de préférence le matin, avant de se rendre aux champs. Cependant, lorsqu'on sut que l'étranger venait se faire raser, tous les hommes du village se rassemblèrent sur la place pour le voir.

— Quelle barbe ! gros travail ! Gros travail ! s'exclama le barbier en tâtant la toison faciale du voyageur.

— C'est pour toi une occasion de montrer tes talents, lui dit l'hôte de Néky. Rends-lui figure humaine car, avec cette barbe et cette moustache, il ressemble à un singe.

— En vérité, surenchérit un autre, il faut que ces barbares d'Asie soient comme des bêtes pour s'enlaidir pareillement en gardant tous ces poils. Quel bonheur d'être égyptien ! Nous autres, nos poils ne poussent que peu, et même que certains n'en ont pas du tout. Il faut que les femmes de ces Asiatiques n'aient jamais vu de véritables hommes pour se plaire avec de tels singes et qu'eux-mêmes soient bien pervertis pour s'enlaidir pareillement et se complaire dans leur hideur.

— On sait qu'ils sont difformes, c'est pourquoi ils portent de grandes robes qui cachent leurs corps plus laids que ceux des babouins, ajouta un autre qui avait emporté le haillon abandonné par le voyageur.

— Ont-ils vraiment le corps couvert de poils ? demanda alors un troisième à Néky.

— Ils sont parfois velus, sur les membres, la poitrine et le ventre, reconnut Néky, mais certains n'ont pas plus de poils que nous autres.

Le barbier ayant entrepris d'élaguer les poils du visage de Néky, un silence tomba, bientôt rompu par la curiosité du voyageur.

– Ami, dit-il en s'adressant au barbier, voilà longtemps que j'ai quitté la Terre noire. Dis-moi, as-tu des nouvelles de la Cité de la Balance [1] ?

– Ne sais-tu pas que notre principal sujet de palabres, ce sont les nouvelles de la ville et de la Grande Maison ? répliqua le barbier, étonné par la question qui lui était ainsi posée.

– Je ne suis pas de la campagne, et puis, il y a si longtemps que je suis parti ! Mais dis-moi alors : est-ce toujours le dieu Mykérinos qui est sur le trône d'Horus ?

– Le dieu a rejoint son Ka depuis déjà une année. C'est son fils qui est maintenant dans le Grand Palais, sous le nom royal de Shepsesykhet. Mais ceux qui détiennent le pouvoir véritable, ce sont sa Grande Épouse, la reine Khentkaous et le vizir Minkaf.

– Quoi, le prince Minkaf est toujours le vizir de ce pays ?

– Dis plutôt qu'il l'est de nouveau. Naguère, sous le règne du dieu Mykérinos, Sékhemkarê était le vizir tout-puissant. C'est lui qui gouvernait les Deux-Terres et il a bien failli s'asseoir sur le trône d'Horus.

– Ce Sékhemkarê, était-ce bien le fils du dieu Khéphren et de la fille du cabaretier ?

– C'était bien lui. Mais il a rejoint son Ka.

– Compagnon, tu parais bien être introduit dans tous les secrets de la cour de Sa Majesté !

– Ignores-tu que les actes des grands et en particulier de la famille royale, leur vie et leurs petites histoires, sont pour nous le sel de la vie, ils nous intéressent plus encore que nos propres affaires et ils nous permettent de rêver, de vivre avec eux, de quitter notre vie champêtre bien monotone.

– Je le comprends, concéda Néky, mais apprends-moi donc ce qui s'est passé dans le Grand Palais. Ainsi le roi Mykérinos est

---

1. Les Égyptiens appelaient ainsi Memphis, ville construite à la pointe du Delta, « la Balance des Deux Terres » ainsi qu'on nommait parfois ce lieu géographique à la charnière de la Basse et de la Haute-Égypte.

monté dans le ciel auprès de son père, il est devenu une étoile au firmament ?

– Eh ! c'est ce que racontent les prêtres, mais ils sont seuls à le croire. Seulement, ils s'imaginent que nous gobons tout ce qu'ils racontent comme si c'était un dieu qui le leur avait appris. Oui, le roi est mort bienheureux car il a été emporté dans l'Amentit pour avoir trop bouffé, trop bu de bon vin, trop taponné des filles et des garçons. Nous voudrions tous mourir comme lui, pour les mêmes raisons. C'est pas vrai, les amis ?

Il reçut naturellement toutes les approbations du public puis, satisfait de ses effets, il poursuivit ainsi :

– Mais le prince Sékhemkarê, il l'a bien possédé. Vois : alors que Sa Majesté faisait dans le fond de son palais maisons de bière sur maisons de plaisir, le petit vizir travaillait pour lui et il lorgnait le trône. Il en était près de ce trône d'Horus, il le touchait même de la main. Tous les Amis de Sa Majesté étaient rangés derrière lui, tous les scribes, les nomarques, tandis que le roi, dans son palais, ne semblait rien voir, rien savoir. Ses pouvoirs se réduisaient chaque jour qui passait comme ces champs que l'on moissonne, et puis, un beau jour, tout est coupé, il ne reste plus que le chaume. Puis, un jour, tout bonnement, on a retrouvé le vizir mort sur son lit. Il ne s'est pas levé, il n'a pas noué son pagne, il n'est pas paru devant les grands, il était mort. On a dit qu'un démon était entré en lui, lui avait ôté le souffle de la vie, mais ce qui lui a coupé le souffle, par Maât, c'est le cordon de celui qui l'a surpris dans son sommeil et l'a étranglé. Car pareillement étranglés, sans souffle de vie, ont été retrouvés les hommes chargés de garder l'entrée de sa chambre. Plus de vizir, plus de prince Sékhemkarê. Tout le monde a beaucoup pleuré à commencer par Sa Majesté qui a crié bien haut qu'il avait perdu son bon frère, son cher petit frère, celui qui avait si bien su gouverner le royaume, et on lui a donné une belle sépulture. Mais tout le monde connaît la vérité sur la mort du prince. On murmure dans le Grand Palais que le roi l'a fait assassiner par crainte de ses ambitions, et ces murmures sont parvenus jusqu'à nous, dans notre petit village. Mais que dire ? Et nous, nous pensons que le roi a eu raison, car il était le roi, le descendant d'Horus.

— Sékhemkarê était aussi descendant d'Horus, rappela Néky.

— Sa mère est née les pieds dans la boue, elle est fille d'un cabaretier. Ce que fait le roi est toujours bon. Il s'est débarrassé de son vizir, nous l'approuvons. Lui-même est mort à son tour peu après ; car tous nous passons par la porte de la mort, même les rois dont on assure qu'ils sont des dieux. Mais avant de rejoindre ses ancêtres, il avait rappelé le seul homme fidèle, le seul homme sûr, capable de tenir la rame de gouverne du pays, le prince Minkaf. C'est toujours à lui qu'on a recours quand on ne sait plus à qui s'adresser, lorsque la barque de l'Égypte est emportée par le courant du fleuve. Et le nouveau roi l'a gardé car il est bien incapable de gouverner les Deux-Terres.

— Ne m'as-tu pas dit, tout à l'heure que c'est la reine Khentkaous qui gouverne avec le vizir ? Qui est cette Khentkaous ? Je ne la connais pas.

— C'est une belle femme, toute jeune, à peine seize ans, mais elle sait ce qu'elle veut. On la dit fille du dieu justifié, Mykérinos et de sa Grande Épouse royale, Khamernebti, mais en vérité, tout le monde sait qu'elle est la fille du prince Djedefhor. Et c'est une bonne chose pour elle, car par son père elle unit en elle le sang du dieu Khéops et celui de la reine Mérititès alors que l'aïeule de Shepseskaf est la reine Hénoutsen, une femme qui n'est pas de race royale.

Bien que grand parleur comme tous les gens de sa profession, le barbier était habile de ses mains, tout autant que de sa langue, et tout aussi rapide. Aussi, alors qu'il terminait de parler de la sorte, il avait fait tomber barbe et moustache, le visage de l'étranger était devenu glabre, sa chevelure avait été coupée courte, lavée et couverte d'une perruque offerte par un paysan tandis que celui qui avait récupéré sa robe vint lui offrir un pagne ouvert. Néky avait ainsi retrouvé face humaine et on applaudit le barbier qui, déclarèrent-ils en riant, d'un singe asiatique avait fait un Égyptien.

L'étranger aurait encore voulu demander d'autres nouvelles de la famille royale, admirant que des gens du peuple, des paysans au fond de leur campagne fussent si bien au courant des affaires de la cour. Mais il retenait sa langue afin de ne pas apprendre de mauvaises nouvelles car, pour l'instant, bien que l'annonce de la mort de Mykérinos ait suscité en lui une certaine émotion qu'il avait su dissimuler, ceux qu'il aimait étaient encore vivants.

— Viens, je te conduis à ma demeure, lui dit le paysan hospitalier qui l'avait invité chez lui.

Il le suivit volontiers, en renouvelant ses remerciements car le paysan venait de donner généreusement un canard au barbier qui avait procédé à la métamorphose du voyageur.

— Je lui devais plusieurs barbes de retard, se justifia-t-il auprès de son hôte qui s'étonnait du haut prix d'une simple coupe de barbe.

Et il reprit :

— Mon hôte, quelle est ta famille ? As-tu une demeure à Memphis ?

— Ma famille est aisée et moi-même j'ai fait des études de scribe dans la maison de vie d'Héliopolis.

— Quel est ton nom de naissance ?

— Nékaourê. Quel est le tien ?

— Izi est mon nom. C'est moi le chef du village, c'est pour cela que j'ai voulu que tu loges dans ma demeure. C'est aussi pourquoi ma fille bien-aimée t'a servi à boire, quand tu es venu travailler parmi nous.

— Quel est son nom ?

— Nous n'avons qu'elle, mon épouse et moi. C'est notre enfant bien-aimée, nous lui avons donné le nom de Nékennebti. Mais elle est si mignonne qu'on aurait dû l'appeler Néfert. Tous les garçons du village aimeraient en faire la maîtresse de leurs biens.

– Je le comprends car il est vrai qu'elle est très gracieuse, reconnut Nékaourê.

Et il eut hâte soudain de la revoir. Ils n'eurent d'ailleurs pas à aller bien loin car la demeure du chef du village était la plus grande, la plus belle, au fond de la place. Alors que, durant les mois chauds qui régnaient pendant la plus grande partie de l'année, les riches restaient dans leurs jardins, dans les villages, on vivait dehors et on dormait sur les terrasses des maisons. Devant la demeure qu'Izi désigna à son hôte comme étant la sienne, se tenait une femme vêtue de la robe moulante traditionnelle, accroupie devant un fourneau de terre sur lequel elle préparait la cuisine.

– Ma femme, Irou, dit Izi en désignant la cuisinière qui leva la tête pour saluer l'hôte de son époux.

Nékennebti sortit à ce moment, portant un canard plumé destiné à être rôti, en l'honneur de l'étranger. Elle adressa un sourire à Nékaourê qui le lui rendit, puis, sur un appel d'Izi, apparurent deux adolescents qui, à la demande du maître, apportèrent des coussins qu'on installa sur des nattes disposées sur la terre battue, devant le seuil de la demeure.

– Ces garçons sont mes neveux, fit savoir Izi à Nékaourê. Ce sont des jumeaux. Ils ont perdu leurs parents il y a déjà quelques années. Leur père était mon frère. Je les ai recueillis, ils sont devenus comme mes fils, mais ils ne sont pas mes fils.

Nékaourê s'assit les jambes repliées sous lui sur un coussin, à côté de son hôte, et son regard s'attacha à Nékennebti, toujours simplement vêtue de son pagne étroit, qui s'était agenouillée devant le feu de bois qui brûlait dans le four et penchait le buste pour souffler sur les braises afin de les ranimer. Il songea qu'en vérité, elle était plus que gracieuse et il s'étonnait de voir que la beauté pouvait aussi se trouver au fond des campagnes. Et il se souvint que, dans son enseignement, Djedefhor leur avait un jour dit qu'on pouvait aussi trouver des perles parmi les filles des champs qui écrasent le grain sur les meules.

213

Et, comme si elle avait perçu sa pensée, Nékennebti se redressa, vint s'agenouiller sur une natte devant une pierre plate servant de meule sur laquelle elle jeta des grains de blés et, tenant fermement un gros galet, elle écrasa les grains pour en tirer la farine, en le faisant rouler sur la meule. Pour ce faire, elle déployait ses bras en avant, tout en penchant le torse, en des mouvements fermes et réguliers.

— Néky, lui disait son hôte qu'il écoutait d'une oreille distraite, as-tu toujours une maison à la grande ville ?

— Je le crois.

— Et aussi une famille ?

— Je pense que ma mère m'y attend... Depuis tant de temps que je suis parti !

— Combien de temps ?

— Je n'ai pas bien compté, mais il doit y avoir quelque chose comme vingt ans.

— Vingt ans ! Par la vie du roi ! Tu es resté vingt ans loin de la Terre noire ?

Nékaourê hocha la tête en soupirant.

— Et tu as pu vivre si longtemps loin du Nil ? Tu n'es pas mort de chagrin ?

— J'ai bien failli mourir de chagrin... murmura-t-il. Mais ce n'est pas vraiment parce que j'étais loin des miens.

— Mon hôte, tu as dû voir bien des choses dans toute ta vie. Sans doute étais-tu tout jeune quand tu as quitté la Terre noire.

— J'avais vingt ans, le cœur plein d'espoir, l'âme pleine du désir d'apprendre, avide de découverte, remplie de passion et d'enthousiasme...

— Et tout ça, tu l'as perdu au loin ?

— Je suis parti sur la Grande Verte, loin vers le sud, et là-bas, par-delà les horizons du monde, je crains d'avoir tout perdu.

— Mais, ne m'as-tu pas déclaré à l'instant que tu avais une maison à Memphis ? Tu as encore quelques biens...

– Peut-être, mais ce sont des choses bien plus précieuses que ces biens matériels que j'ai perdues.

– En vérité, mon hôte, il faudra vraiment que tu nous racontes ce que tu as vu, ce que tu as vécu, ce que tu as perdu.

– Il en sera fait selon tes désirs, car je te dois bien de la gratitude. Mais il me faudra bien du temps : c'est long, vingt ans d'une vie.

– C'est long, mais j'admire que tu paraisses encore bien jeune. Car je suis à peine plus âgé que toi et vois : mon visage est ridé, tanné par le soleil, et mes cheveux commencent à blanchir.

– Pourtant je me sens vieux, comme si j'avais déjà vécu plusieurs vies.

– En vérité, je ne regrette pas de t'avoir reçu comme un hôte car je suis de plus en plus curieux d'entendre les paroles qui vont tomber de tes lèvres. Et je crois que je ne suis pas le seul car je vois que ma femme et ma fille dressent l'oreille tout en travaillant. Et certainement bien des gens de ce village seront contents de t'entendre. Nous aimons tous les belles histoires, surtout quand elles sont tristes. C'est pourquoi nous récoltons non seulement le blé de nos champs, mais aussi toutes les histoires qui nous viennent de la ville, les histoires des grands, celles des rois qui nous font tous rêver. Sois le bienvenu parmi nous, toi, qui dois avoir tant de merveilles à nous conter.

CHAPITRE XXI

Toute la famille royale était réunie dans le Grand Palais : Khentkaous, la jeune reine, était en travail. Déjà, à plusieurs reprises, les douleurs de l'enfantement lui tenaillant les entrailles, elle était venue s'accroupir sur les pierres, mais rien n'était sorti de son ventre gonflé, malgré ses efforts, malgré ceux de l'accoucheuse, malgré la présence de sa mère Khamernebti vêtue comme Hathor, de sa grand-mère, l'épouse de Khéphren, la première Khamernebti portant les parures d'Isis. Hénoutsen était aussi venue pour assister à la naissance de son arrière-petit-fils, car tout le monde priait les dieux de donner un fils, un héritier à Shepseskaf. Mais l'épouse de Khéops, vieillissant, s'était installée dans le jardin où son mari avait rendu son dernier soupir, et elle attendait la naissance en compagnie de Minkaf qui restait, malgré lui, toujours installé dans cette charge de vizir. Car, depuis la mort de Sékhemkarê, Shepseskaf avait à son tour fait appel à lui, et, depuis, le jeune roi n'avait trouvé personne susceptible de remplacer son précieux ministre. Avec eux se trouvait aussi Djedefhor installé dans le Grand Palais depuis déjà quelque temps. Le jeune roi l'avait sollicité pour remplacer Minkaf dans sa charge, mais il avait décliné sa proposition. En revanche, comme Shepseskaf lui avait fait ressortir qu'il était en réalité le père de Khentkaous et qu'il était la seule personne à la cour pour qui la petite reine manifestait respect et obéissance,

216

Djedefhor avait accepté de venir s'établir auprès du couple royal pour être leur conseiller et le modérateur des humeurs de sa fille. Car, même si elle avait accepté de s'unir à son frère pour donner un héritier au trône, Khentkaous n'avait envers lui que des mots durs et lui manifestait un mépris qu'elle consentait à mettre sous le boisseau lorsqu'ils siégeaient côte à côte sur leurs trônes respectifs, devant la cour des grands. Car, alors que selon l'étiquette le roi devait rester seul assis sur le siège doré constituant le trône d'Horus, elle avait exigé d'avoir son siège à côté de lui et elle ne se gênait pas pour ouvrir la bouche devant les Amis du roi et signifier ses décisions, quoiqu'elle consentît à préciser que telle était la volonté de Sa Majesté, sans pour autant s'en référer à Shepseskaf qui approuvait. Le nouveau roi avait pris pour seconde épouse Bounefer, pouvant enfin vivre en pleine lumière l'amour qu'il vouait depuis tant de temps à l'ancienne femme de son père. Et son seul souci était de vivre cet amour avec elle, son seul souhait était que d'autres plus habiles que lui prissent en charge le gouvernement du royaume et qu'il ait pour lui tout loisir de faire avec sa seconde épouse les maisons de bière et de plaisir qu'il désirait. La seule tâche qu'il s'était imposée était de porter à son achèvement, en collaboration avec Bounefer, la construction de la pyramide de Mykérinos ; le roi défunt avait cependant trouvé place dans le caveau funéraire qui y était aménagé et dans lequel avait été déposé le grand sarcophage rectangulaire orné sur ses flancs de motifs en relief imitant les façades des palais, dans l'esprit du temple souterrain où gisait la momie de Khéphren. Pour le reste, Shepseskaf n'était pas fâché que sa sœur ait prétendu prendre en main le gouvernement du royaume, ceci malgré son jeune âge. Il est vrai qu'elle était en toute chose, conseillée et dirigée par Djedefhor et Minkaf, surtout quand il s'agissait de prendre des décisions de quelque importance. Mais, considérée la personnalité dont elle faisait preuve à seize ans, l'énergie avec laquelle elle s'imposait, sa volonté de domination, il paraissait évident que, l'âge et l'expérience aidant, elle ne

217

pourrait que rejeter de plus en plus dans l'ombre son faible époux.

C'est précisément de cette question dont s'entretenaient Hénoutsen et les deux princes.

– Fasse Thouéris, maîtresse des naissances, disait Hénoutsen à Djedefhor, que ta fille donne un garçon à Shepsi, un héritier au trône d'Horus. Sans quoi, ce sera Henti qui viendra à la succession de son frère.

– Hénoutsen, répliqua Djedefhor, même Khentkaous enfanterait-elle une fille, le couple qu'elle forme avec Shepseskaf est encore suffisamment jeune pour espérer qu'ils auront l'occasion d'enfanter un garçon.

– Dans la mesure où notre petite Khenti acceptera de s'unir de nouveau à son frère. Tu connais son caractère et elle a bien déclaré qu'elle abandonnait définitivement son frère à l'épouse qui faisait son bonheur.

– Je me fais fort de la persuader, assura Djedefhor.

– Mon bon frère, lui fit remarquer Minkaf, Henti est devenu un beau garçon de treize ans, vif et vigoureux. Il pourrait faire un aussi digne roi que son frère aîné dans le cas où ce dernier nous quitterait en pleine jeunesse, ce qui me paraît peu probable. Aussi n'a-t-on aucune raison de s'inquiéter.

– Sans doute, mais dans la mesure où, s'il arrivait malheur à son petit époux, Khenti accepterait de descendre du trône sur lequel elle semble bien décidée à demeurer.

– Il suffira de la marier à Henti. Elle est presque de son âge.

– Si encore elle veut de lui. Tu as bien vu qu'elle n'est pas facile à manœuvrer. Elle est comme un bateau dans une tempête !

– Dis que c'est plutôt elle la tempête. Elle est comme le grand vent de Seth qui souffle du désert et balaye tout sur son passage.

La comparaison fit sourire Djedefhor qui, au fond de lui, était fier de sa fille et de son tempérament bouillonnant et rebelle.

– Tout cela, soupira Minkaf, regarde le futur. Pour ma part, je commence à être las d'être ramené sans cesse malgré moi dans le

Grand Palais pour y exercer une fonction dont je croyais m'être débarrassé depuis déjà bien des années pour enfin mener la vie qui convenait à mon âme. Voici maintenant soixante-trois ans que tu m'as mis au monde, ma mère bien-aimée, et je commence à éprouver ce poids des ans. J'admire d'ailleurs que tu demeures encore si verte et vive, et toi aussi, mon bon frère, quoique tu sois mon aîné.

– De six ans, Minkaf. Et je me sens encore suffisamment vert pour conseiller ces enfants qui sont montés si jeunes sur le trône d'Horus. Tu dois encore partager avec moi cette charge, car, malgré tes plaintes, tu n'as rien d'un vieillard et, en outre, tu t'es trop habitué à régler les affaires de ce royaume pour t'en déprendre aussi facilement. Si le métier de roi est un bon métier, celui de vizir, quand il n'y a pas au-dessus de lui un souverain fantasque qui risque à tout moment de lui retirer sa charge, de le blâmer ou de le faire assassiner, n'est pas désagréable non plus. Plus encore que le roi, le vizir est redouté, adulé, car pour les petits et même pour les grands, sa puissance dépasse celle du roi qui n'est pas en contact avec eux. N'est-ce d'ailleurs pas parce que tu partages avec moi ce sentiment que tu as toujours accepté sans plus rechigner de reprendre le bât de cette fonction si enviée de tous ?

– Il est vrai que le bât est léger, reconnut volontiers Minkaf en souriant. Et tout aussi vrai que la fonction de vizir est sans doute plus plaisante que celle de roi, malgré quelques obligations que j'assume par scrupule, mais qu'il est facile de déléguer, comme celle de rendre la justice aux petites gens.

Leur discussion fut interrompue par l'arrivée de Khamernebti, la grand-mère de la parturiente. Elle était souriante de sorte qu'on attendait de sa part une heureuse nouvelle :

– Ma mère chérie, mes frères, un enfant est venu dans notre monde, notre petite Khentkaous a accouché d'une mignonne petite fille. Et Bouneter, sous le masque de Meskhnet lui a donné son nom, Maâtkha. Il est vrai que Bounefer est d'autant plus joyeuse que tant que Khentkaous ne donnera pas de garçon à Shepsi son fils Henti garde des chances de ceindre un jour la double couronne. Pour moi, peu m'importe, car Henti est aussi mon petit-fils.

– Comment va la jeune mère ? S'inquiéta Djedefhor.

– Bien, très bien. Elle recommence déjà à courir et à invectiver son frère à qui elle reproche d'être incapable de lui faire un garçon. Mais vous la connaissez et sa colère me plaît, car elle prouve qu'elle n'a rien perdu de sa verve et de sa vigueur.

– Garçon ou fille, peu importe à mon bonheur, déclara Djedefhor en se levant. Je vais rendre visite à la petite descendante d'une si belle lignée de rois. M'accompagnes-tu, Hénoutsen ?

– Je viendrai plus tard, répondit-elle. Je me sens un peu lasse car même si l'on me trouve encore vive, je commence à ressentir le poids de tant d'années, moi qui ai vu toute cette lignée de rois dont tu parles, bien que je ne me sente pas lasse de vivre ; je ne pense pas l'être tant que j'aurai autour de moi ceux que j'aime depuis si longtemps, toi, mon Hori, toi mon fils et toi ma fille. Mais il est vrai que j'ai perdu cette compagne qui a tant plu à mon cœur, cette courageuse Khentetenka qui a rendu son trône à son frère Khéphren. Cependant, il manque encore à mon bonheur la présence de mon dernier petit-fils, ce trop aventureux Nékaourê que la mer ne nous a toujours pas rendu... depuis tant d'années !

Lorsque Djedefhor se fut retiré accompagné par Khamernebti, Minkaf regarda sa mère, puis il ouvrit la bouche et dit :

– Ma mère, je ne sais pourquoi, mais j'ai le sentiment que Néky reviendra un jour. Il n'est pas possible qu'il ait été englouti dans la Grande Verte. Comme son père Hori, il aura bien tardé à rentrer dans la Terre Chérie, mais il nous reviendra.

– C'est aussi mon sentiment, soupira Hénoutsen. J'ai même je ne sais quelle intuition qui me dit que ce jour ne va pas tarder, comme s'il avait déjà remis les pieds sur la Terre chérie. Vois : Hori avait disparu, on le croyait même mort, et puis un jour, tout soudainement, il a reparu à mes yeux sous l'aspect d'un marchand étranger, et mon cœur a éclaté de joie.

– Ma mère, est-il vrai que, dans le fond de ton cœur, tu as aimé Hori non pas comme le fils de ton époux, mais comme un amant ?

– Minkaf ! Comment peux-tu imaginer...

– Non, ma mère, ne proteste pas, car ce serait un bel amour, qui, j'en suis persuadé, ne s'est jamais accompli dans la chair. Mais tu as toujours montré un tel enthousiasme en parlant de lui, tu t'es toujours comportée envers lui d'une manière si passionnée, qu'on ne peut douter de tes sentiments à son égard. Mais je n'en suis pas jaloux car tu m'as donné aussi tout l'amour que peut procurer une mère à son fils.

Hénoutsen soupira et prit la main de son fils :

– Il est vrai, Minkaf, que j'ai porté à Hori des sentiments plus que maternels, mais sans prétendre les exprimer réellement. N'est-ce pas moi qui ai favorisé ses amours avec Persenti, n'ai-je pas protégé cette enfant contre ton frère Didoufri, et même contre ton frère Khéphren lorsqu'il a prétendu en faire son épouse ?

– Sans doute, mais n'est-ce pas encore là une manifestation d'un amour dévoué à un homme dont tu voulais avant tout le bonheur ? Car tu savais que la vie d'Hori, c'était Persenti et pas toi, bien qu'il ait aussi manifesté à ton égard des sentiments qui dépassaient ceux d'un beau-fils vis-à-vis de l'épouse de son père.

– Il est vrai que s'est tissé entre lui et moi un lien solide et précieux qui continue d'unir nos âmes, bien que nous n'ayons jamais songé à unir pareillement nos corps.

– C'est, il est vrai, un étrange amour qui t'unit à Hori, un amour qui ne vous empêche pas d'aimer ailleurs, d'une manière différente. Car visiblement Hori est devenu amoureux de notre nièce et il jubile en voyant qu'il a engendré une fille de la trempe de Khentkaous. Et maintenant que Mykérinos nous a quittés et qu'il est revenu s'installer dans le Grand Palais à la demande de

Shepseskaf, ce n'est plus un secret pour personne qu'il partage la résidence de Nebty, la mère du roi.

— C'est une bonne chose car Hori n'a jamais eu de longues années de bonheur avec les femmes qui ont traversé son existence. Il est juste qu'il en trouve enfin dans les temps qui précèdent la vieillesse et la mort.

Un silence rêveur s'établit un moment entre eux, puis Hénoutsen le rompit en prenant la main de Minkaf :

— Et toi, mon fils, ne crains-tu pas de te retrouver seul, car jamais une épouse n'est venue éclairer ta demeure.

— C'est pour moi la rançon de ma légèreté, reconnut-il. J'ai voulu toujours conserver ma liberté et goûter à toutes les fleurs qui se penchaient sur le chemin de ma vie, et je reste seul. Même cette Bounefer que j'aurais volontiers établie comme maîtresse de mes biens, je l'ai finalement abandonnée à Mykérinos qui n'a pas su l'aimer comme elle l'aurait voulu. Et voici maintenant qu'elle semble ne plus vivre que pour Shepsi. Mais moi, je ne suis pas encore si fatigué et si fané que je ne puisse encore trouver de jolies fleurs à cueillir dans le jardin de ma vie.

CHAPITRE XXII

En tant que Grand Voyant du dieu, Raouser était l'administrateur des biens du temple de Rê. Toute une armée de scribes le suppléait dans un travail de gestion dont la direction était laissée entre les mains du second prophète du dieu. Cependant, une fois l'an, après que la moisson eut été engrangée, que le blé eut été stocké dans les greniers, Raouser faisait personnellement une tournée d'inspection des domaines du temple afin de vérifier par lui-même que les scribes ne se rendissent pas coupables d'exactions, ce pourquoi il tenait dans chaque village ses propres assises afin d'entendre les doléances des chefs de village et des paysans eux-mêmes. Depuis déjà deux ans il se faisait accompagner dans ses voyages qui duraient plusieurs jours, considérée l'étendue des domaines du temple, par son fils Ouserkaf maintenant âgé de dix-huit ans. Ce dernier avait reçu un premier degré d'initiation pour entrer dans le temple en tant que prêtre-pur [1] car son père espérait qu'il franchirait les portes conduisant à la fonction sacerdotale suprême dans le clergé d'Héliopolis. Aussi, en l'emmenant dans ses tournées, il voulait lui montrer comment un bon administrateur devait dispenser la justice parmi les paysans attachés à ses terres.

---

1. Le *ouâb* (pluriel *ouâbou*), terme qui signifie « pur », était un prêtre du clergé inférieur, chargé de l'entretien du temple et de la statue du dieu, de porter l'effigie de la divinité lors des cérémonies, etc. Nombreux étaient les prêtres-purs pour assumer les diverses tâches qui leur étaient imparties.

– N'oublie jamais, lui disait-il, que c'est par ces paysans, agriculteurs et éleveurs, que vit le pays. Par leur travail ils nourrissent le roi, sa famille, la cour, les scribes de l'administration, les prêtres des dieux, et aussi tous les artisans qui œuvrent pour la plus grande gloire du dieu assis sur le trône d'Horus. Nous devons leur rendre la justice lorsqu'ils souffrent de l'avidité de fonctionnaires pervertis, mais il convient aussi, afin de satisfaire Maât, qu'eux-mêmes soient châtiés lorsqu'ils cherchent à tromper Sa Majesté. Ce qui est rare, non pas parce qu'ils sont honnêtes par nature, mais parce qu'ils n'ont guère de moyens d'être artificieux, contrairement aux scribes qui s'entendent trop souvent entre eux pour d'un côté pressurer le paysan et d'un autre côté voler l'État, ce qui les enrichit scandaleusement.

Or, pour cette tournée, Néferhétépès voulut accompagner son époux :

– Ainsi pourrai-je enfin voir l'étendue des domaines du dieu et ceux qui travaillent pour toi.

– Dis plutôt qui travaillent pour le temple et le roi, rectifia le Grand Voyant.

Un prêtre vint porter à Raouser sa canne tandis qu'un autre le coiffait de sa perruque, puis il prit place sur une chaise tandis que son épouse s'installait dans une autre chaise, elle aussi portée par deux ânes. Quant à Ouserkaf, il suivait à pied, avec le cortège des scribes et des hommes armés chargés de l'escorte.

Dans chaque village le paysan à qui était confié la responsabilité de la communauté recevait le Grand Voyant avec mille marques de respect puis il commençait par le conduire aux greniers. Ils consistaient en bâtiments carrés, divisés en deux par une sorte de ruelle flanquée de part et d'autre de compartiments hauts et étroits, au sommet desquels s'ouvraient des trappes par lesquelles on vidait le grain. On accédait à cette sorte de terrasse par une haute échelle. Une petite fenêtre percée à la base de chaque compartiment, fermée par une planche aux côtés insérés dans une gorge et destinée à être relevée à l'aide d'une corde, permettait de puiser le blé qu'on y avait accumulé en le transportant dans des sacs.

C'est ainsi que Raouser et les siens parvinrent au village dirigé par Izi, lequel était le dernier de l'itinéraire parce que le plus éloigné d'Héliopolis. Ce dernier salua le Grand Voyant le front dans la poussière puis il l'invita à venir inspecter les greniers :

— Tu pourras voir, seigneur, nos greniers sont pleins, ils sont en parfait état, bien entretenus, et protégés des souris et des rats. Avant d'y verser la récolte, nous les avons nettoyés et nous avons chassé toutes les bêtes, tous les insectes.

Raouser se contenta de se promener dans l'allée centrale, faisant parfois soulever une porte pour prendre une poignée de grains qu'il examinait.

— Nous savions que la récolte serait bonne. L'année s'est bien annoncée, déclara-t-il.

Les villageois étaient allés chercher les troupeaux de bovins à longues cornes en forme de lyre qui paissaient dans les herbages, et les chèvres qu'on avait lancées avec les ânes dans les champs moissonnés pour qu'ils broutent les restes de la récolte, après la fenaison. Les troupeaux furent présentés par les bergers puis Izi invita Raouser, son épouse et son fils à venir boire de la bière tenue au frais dans sa demeure, ce qui fut accepté car la chaleur était pesante. La famille d'Izi attendait sur le seuil la venue d'un invité aussi prestigieux que le Grand Voyant de Rê, mais on n'avait pas annoncé qu'il était accompagné de son épouse.

— Je veux vous présenter ma chère fille, Nékennebti et son époux, un homme de la ville qui s'est installé chez nous pour travailler parmi nous.

— Il est bien rare qu'un homme de la ville s'établisse dans un village, s'étonna Raouser.

— C'est un voyageur qui a vécu longtemps à l'étranger. Il est passé par là, nous l'avons invité à participer à nos travaux, il a vu ma fille, il s'est épris d'elle, si fortement qu'il m'a demandé de l'épouser ; il a voulu rester parmi nous, et il est désormais des nôtres.

— Il faut vraiment tomber bien follement amoureux pour accepter de vivre la vie des paysans, quand on est né à la ville, constata Néferhétépès. Ton gendre doit venir d'une famille bien pauvre de la ville. Mais de quelle ville ?

— De la grande cité, de la ville de la Balance des Deux-Terres, assura Izi. Mais ce n'est pas n'importe qui car il a étudié dans la maison de vie du temple de Rê, nous a-t-il assuré, le jour où nous l'avons rencontré. Il est vrai que, par la suite, il n'en a plus parlé et jamais il ne s'est prévalu de cet avantage pour rechigner à la tâche. C'est un homme courageux et travailleur. Je ne regrette pas de lui avoir donné ma fille, bien qu'il n'ait aucun bien. Mais je n'avais pas de fils : il pourra me donner de beaux petits-enfants.

Tout en devisant de la sorte ils parvinrent devant la maison du chef du village où se tenaient Nékennebti, sa mère Irou, ses deux petits cousins et Nékaourê. Car il était vrai qu'il s'était épris de la jeune fille qui s'était donnée à lui. Sans doute ne serait-il pas allé jusqu'à l'épouser si, au début de son séjour, il avait été question encore une fois de la famille royale, ensuite de quoi il avait appris la mort de Persenti. Ainsi avait-il découvert qu'il avait perdu son royal père et sa mère, et il n'avait pas osé demander des nouvelles ni d'Hénoutsen dont il pensait qu'elle était morte, ni de Djedefhor, dont il n'avait pas voulu prononcer le nom. Ainsi avait-il pensé que tous ceux à qui il était réellement attaché avaient quitté le monde des vivants, de sorte qu'il avait résolu de ne pas poursuivre sa route. Il s'était persuadé que ce n'était pas sans raison qu'un dieu l'avait poussé à s'arrêter pour regarder les moissonneurs et que l'un d'entre eux l'avait interpellé. Il ne pouvait voir dans ces circonstances que l'intervention d'une divinité qui lui avait montré la nouvelle voie qu'il devait suivre et lui avait ainsi ouvert la porte d'un bonheur simple dans une existence simple, parmi des gens simples, avec une épouse charmante, aimante et laborieuse. Et lorsqu'on lui avait annoncé la visite imminente du Grand Voyant de Rê, maître des domaines, comme aucun nom n'avait été prononcé, il ne s'attendait évidemment pas à se trouver en présence de personnes de sa connaissance. Car aussitôt il reconnut Raouser et sa cousine Néferhétépès. Mais il dissimula sa surprise et se comporta comme s'il ne les avait jamais vus et comme s'il n'était qu'un simple paysan.

Nékaourê s'inclina profondément devant le couple, à l'instar des autres membres de la famille d'Izi et il se hâta de se détourner en déclarant qu'il allait chercher de la bière maintenue au frais dans la cave, en l'occurrence une fosse profonde aménagée dans l'une des salles de la maison et fermée par une grande pierre. Il n'avait cependant pas manqué de voir une certaine surprise se peindre sur le visage de Néferhétépès qui avait froncé les sourcils en acceptant son salut.

« Sans doute, se dit-il, vingt ans sont passés, mais elle a si peu changé ! Elle n'a fait que s'étoffer et prendre une maturité dans le visage, de sorte que je l'aurais identifiée si je l'avais simplement croisée dans une rue de Memphis. Pareillement Raouser n'a que peu changé. Ainsi est-il devenu un important personnage de ce pays, ce à quoi il fallait s'attendre à la suite de son mariage avec une princesse. Vont-ils me reconnaître sous l'aspect d'un paysan de ce village ? »

Il restait anxieux, se demandant quelle attitude il allait adopter si, soudainement, sa cousine le désignait comme un prince royal, le dernier fils encore vivant du roi Khéphren. Aurait-il le front de nier ? Certainement, mais il se rassura en se disant que Néferhétépès n'oserait pas prendre le risque de se couvrir de ridicule en prenant par erreur un paysan pour son propre cousin. Mais il ignorait ce qu'avait dit de lui Izi à ses hôtes.

Il revint chargé de la cruche tandis que Nékennebti avait apporté de longues pailles pour aspirer la boisson. Izi avait fait porter deux sièges sur lesquels on avait jeté des nattes afin d'y faire asseoir le Grand Voyant et son épouse. Le vase fut déposé devant eux et ils y plongèrent les chalumeaux. Après avoir aspiré quelques gorgées, Néferhétépès se tourna vers Nékaourê qui se tenait debout, en retrait.

— Izi nous a dit que tu étais un voyageur et que tu avais étudié dans le temple du Phénix ?

Il hocha la tête puis se résolut à répondre :

— Il y a bien longtemps de cela, dans ma jeunesse.

— Il paraît que tu rentres d'un long voyage après avoir quitté la Terre noire depuis de longues années ?

— C'est la vérité, avoua-t-il.

— Ah ! intervint Izi, Néky nous a raconté ses aventures pendant des soirées et des soirées ! Si vous aviez le loisir de l'écouter, certainement il vous étonnerait et réjouirait votre cœur.

— Izi, tu éveilles notre curiosité, intervint Raouser. Il est bien dommage que je n'ai pas le temps d'écouter les histoires de ton gendre.

Il avait dit ces paroles sur un ton où perçait une certaine ironie et un scepticisme, comme s'il imaginait que ledit gendre n'était qu'un hâbleur qui s'était vanté pour séduire le père de celle qu'il désirait épouser. « À moins, pensa-t-il, que ce ne soit qu'un vagabond qui a abusé de l'hospitalité de ces braves gens et par son bagout a réussi à entrer dans la demeure de cet Izi qui paraît un peu simple. »

Mais il s'étonna que son épouse insistât.

— Comment et pourquoi t'es-tu engagé dans un voyage qui t'a maintenu aussi longtemps loin de ton pays ? lui demanda-t-elle.

— Pardonne-moi, maîtresse, mais ce serait trop long d'expliquer mes raisons. D'autant que les histoires d'un pauvre homme comme moi ne peuvent intéresser une dame de ta condition.

— Voilà qui est bien dit, déclara Raouser en se levant, décidé à mettre un terme à cette discussion. Il y a encore bien du chemin à parcourir avant de rentrer à Héliopolis. Izi, je te félicite pour la manière dont tu diriges ce village.

— Ton serviteur te remercie pour ta mansuétude, répondit Izi en s'inclinant.

Il accompagna le Grand Voyant vers les chaises restées dans l'ombre des grand palmiers, au fond de la place. Raouser en profita pour le prendre en aparté et lui dire :

— Izi, je renouvelle mes félicitations pour la manière dont tu diriges ce village, mais une chose m'inquiète : c'est ton gendre. Je crains que ce ne soit qu'un imposteur. Il est impossible qu'il ait étudié dans la maison de vie d'Héliopolis car dans ce cas je l'aurais rencontré. D'autre part, s'il en avait été ainsi, il appartiendrait forcément à une famille aisée de scribes ; or, imagines-tu qu'un homme de la ville qui a fait des études de scribe accepte de s'installer dans un village pour y mener la vie dure des paysans ? Non, il a trouvé une bonne occasion de se placer en épousant la fille d'un chef de village. Surveille-le car il ne me semble pas honnête et je doute qu'il ait pu s'amouracher de ta fille au point de s'installer parmi vous pour l'avoir pour épouse.

Cette mise en garde consterna Izi qui n'osa pourtant protester ; tout au contraire, elle sema un doute dans son esprit et il songea à regarder son gendre d'un autre œil. Et il promit au Grand Voyant de tenir compte de son avertissement.

Néferhétépès attendit d'être de retour dans leur demeure, deux jours plus tard, pour se décider à parler à son époux de ce qui lui tenait à cœur depuis la visite chez Izi.

— Que penses-tu de ce voyageur que nous avons rencontré ? lui demanda-t-elle à brûle-pourpoint.

— De qui veux-tu bien parler ? s'étonna-t-il.

— De cet homme que nous avons vu chez cet Izi et qui a épousé sa fille.

— En quoi peut-il t'intéresser ? C'est visiblement un paysan madré qui a su habilement s'imposer à une famille bien placée dans le village, en prétendant rentrer d'un grand voyage et avoir étudié dans la maison de vie du temple de Rê.

— Vraiment, Raouser, tu manques totalement de discernement, lui répondit-elle fermement avec la prééminence que lui conférait son origine royale face à son époux de modeste naissance.

Ce paysan, j'en ai la conviction, n'est autre que mon cousin Nékaourê.

— Que viens-tu imaginer ! s'exclama Raouser. Quoi ! De retour d'un si grand voyage et après une si longue absence, Nékaourê rentrant en Égypte se serait arrêté dans ce village oublié pour y épouser une petite paysanne et vivre comme un paysan alors qu'il sait que sa famille l'attend dans des palais ?

— C'est peut-être simplement parce qu'il a finalement trouvé la vraie sagesse.

— Ainsi, selon toi, la sagesse se trouverait dans la vie rustique des paysans ? De sorte qu'il y aurait dans la Terre noire des millions de sages pour quelques insensés comme nous qui vivons dans le luxe des villes ?

— Ta vision est quelque peu simplifiée, mais, pour ce qui le concerne, je n'en serais pas surprise. D'ailleurs, j'ai un projet qui va nous permettre de découvrir ce qu'il en est vraiment et lequel de nous deux a raison.

— Ce ne peut être que moi et tu t'es bien vite arrêtée à une vague ressemblance et au fait que cet homme prétend rentrer d'un long et lointain voyage pour voir en lui ton cousin. Car je ne peux croire que difficilement à ton histoire de découverte de la sagesse dans la boue des champs et dans de pénibles travaux sous un soleil accablant. Pour le moins, même s'il pensait ainsi, il aurait fait le détour de Memphis ne serait-ce que pour prendre des nouvelles de sa famille et lever l'inquiétude qui pèse sur son sort. Il est mieux d'oublier ces fantaisies si tu ne veux pas te couvrir de ridicule en prenant un imposteur pour un prince.

— Raouser, mes intuitions ne sont pas des fantaisies et il en sera fait selon ma volonté. Je veux dès demain que tu envoies des gens dans ce village pour qu'ils conduisent devant moi ce soi-disant paysan qui, rappelle-toi, porte le même joli nom que mon frère.

— Il y a des milliers de Néky dans le royaume des Deux-Terres.

— Certes, mais il n'y en a qu'un qui ressemble à mon cousin et qui déclare rentrer d'un voyage qui a duré de nombreuses années.

— Si c'était le cas, il t'aurait reconnue et se serait dévoilé.

— Et il ne l'a pas fait. Mais moi, je connais bien Nékaourê, et une telle attitude ne me surprend pas.

— Il est vrai que tu étais amoureuse de lui à cette époque, mais lui a préféré la mer.

— Ce dont tu devrais te féliciter, sans quoi jamais je ne t'aurais épousé et tu serais resté un simple prêtre dans le temple de Rê.

— Je sais bien tout ce que je dois aussi bien à toi qu'à ton oncle Djedefhor, reconnut Raouser qu'un tel argument mettait mal à l'aise car il lui rappelait que ce n'étaient ni ses qualités propres ni ses connaissances qui lui avaient permis de monter si haut dans la pyramide de la société égyptienne, mais l'amour que lui avait porté une fille royale et l'estime de l'héritier direct de Khéops et de Snéfrou. Car il en allait ainsi dans toute société, ce n'était pas le mérite qui était récompensé, mais l'intrigue grâce à la protection des gens en place.

Ainsi se vit-il contraint de capituler et de se soumettre aux exigences de son épouse.

CHAPITRE XXIII

Lorsqu'un scribe à la tête d'une petite troupe d'hommes armés vint devant Izi pour lui déclarer qu'il était envoyé par le seigneur Raouser et qu'il était chargé de conduire un certain Néky à Héliopolis, le père de Nékennebti se troubla et il songea qu'il allait perdre un gendre qui, même s'il était réellement un intrigant, comme le lui avait déclaré sans façon le Grand Voyant, lui était devenu suffisamment cher pour qu'il voulût le garder auprès de lui.

— Il est aux champs, il s'occupe des troupeaux, répondit-il.

— Il te revient d'aller le chercher et de l'amener devant nous, lui ordonna le scribe.

Izi hésita, puis, craignant que le scribe ne se chargeât d'aller avec sa troupe chercher Nékaourê, il se décida à obtempérer en se disant qu'il pourrait inciter son gendre à se cacher, le temps de laisser passer la colère du Grand Voyant. Il pourrait prétendre qu'il ne l'avait pas trouvé, que ledit Néky avait dû s'enfuir. Il s'inquiéta surtout pour sa fille qu'il savait si vivement éprise de son époux qu'elle ne lui pardonnerait jamais de livrer à la justice des prêtres un homme innocent. C'est cette considération plus que toute autre qui l'incita à prendre le parti d'exhorter son gendre à se cacher.

Les troupeaux de bovins paissaient dans les herbages voisins de canaux artificiels et naturels, ces derniers étant constitués par des avancées du Nil parmi les hauts fourrés de roseaux et de papyrus. Les moissons une fois terminées, une partie des paysans était envoyée dans ces marais aux eaux vives pour y garder les bêtes et les protéger contre les attaques de prédateurs, les plus nocifs, dans cette région, étant les crocodiles. Izi retrouva les bouviers alors qu'ils ramenaient le troupeau des rives du fleuve vers l'intérieur des terres où on les parquait pour la nuit afin de les mettre à l'abri de tout danger. Nékaourê allait en tête, lors de la traversée d'un large ruisseau, l'eau lui montant jusqu'à la poitrine ; il avait pris sur ses épaules un veau qui n'aurait pas manqué de se noyer s'il n'avait été ainsi porté.

Lorsqu'il reprit pied sur la terre ferme, hors de la boue de la berge, Nékaourê reposa son fardeau vivant et frotta son corps ruisselant d'eau.

— Néky, lui dit alors Izi, je viens devant toi pour te conseiller de fuir. Cache-toi dans les marais, en un endroit où personne ne pourra te retrouver. Il faut que tu y restes plusieurs jours. Nékennebti te conduira et elle te portera de la nourriture.

Nékaourê ne manqua pas de s'étonner d'un tel discours :

— Izi, mon bon père, que me suggères-tu là ? Et pourquoi devrais-je fuir et me cacher ? Qui donc me veut un tel mal que je doive prendre la fuite ?

— Des hommes envoyés par le Grand Voyant sont arrivés au village tout à l'heure. Ils viennent te chercher car Raouser veut te voir, à ce qu'ils racontent. Or, je ne crois pas que ce soit pour le plaisir de te voir ou de t'entendre. Il faut que tu saches que le Grand Voyant m'a mis, l'autre jour, en garde contre toi. Il prétend que tu n'es qu'un imposteur, un aventurier qui abuse de ma bonté. Il m'a assuré que tu n'es certainement pas de bonne famille et que tu n'as pu étudier dans la maison de vie d'Héliopolis. Et je me doute que, partagé entre cette certitude et l'estime qu'il me porte, à ce qu'il a déclaré, il a voulu, de cette manière, te séparer de moi et t'obliger à confesser la vérité. Je le soupçonne d'être pour cela, prêt à utiliser la bastonnade et même pis encore.

Nékaourê, qui pensait plutôt que Néferhétépès l'avait reconnu et qu'elle était à l'origine de cette intervention, se persuada qu'il était préférable de répondre à cette invitation, de confirmer son identité, de se déterminer à se rendre à Memphis pour voir sa famille, et, ensuite, s'en retourner tranquillement terminer des jours paisibles et laborieux auprès de celle qu'il avait prise pour épouse. Aussi surprit-il son beau-père lorsqu'il lui répondit :

— Izi, je te remercie de me faire confiance et de chercher à me protéger. Mais ne te fais aucun souci pour moi. Je n'ai pas l'intention de me cacher car tout ce que je t'ai dit est la vérité. J'irai donc me justifier devant ce Raouser. Sois certain que je reviendrai en toute liberté et lavé de tout soupçon.

— Pourtant, j'ai bien peur pour toi... soupira Izi. Passe d'abord aux champs pour parler à Nékennebti.

— Je préfère l'éviter. Tu lui diras que j'ai dû suivre les envoyés du Grand Voyant sans pouvoir leur échapper. Mais ne l'alarme pas. Tu peux lui assurer que je serai de retour avant peu de jours.

— La pauvre enfant ! elle va bien pleurer car, on n'en peut douter, elle t'aime plus que tout au monde. Elle me l'a dit, tu es son univers, elle ne vit que par toi et pour toi... Car, pourquoi crois-tu que je t'ai accordé si facilement sa main, sinon parce qu'elle m'avait parlé en de tels termes de l'amour qu'elle te porte que j'aurais été un misérable de lui infliger le chagrin de lui refuser de devenir ton épouse.

Cette remarque troubla vivement Nékaourê qui se promit de revenir, de la garder définitivement comme épouse.

Le scribe du temple, qui attendait le retour d'Izi avec son gendre, assis dans l'ombre, autour d'un vase rempli de bière, se leva en les voyant s'approcher.

— J'ai un moment craint que tu ne l'aies pas trouvé, ou plutôt que tu aies prétendu ne l'avoir pas trouvé, dit le scribe à Izi. Je vous connais, vous autres, paysans madrés ! Pour lui épargner la colère de notre maître, tu aurais bien été capable de lui suggérer de s'enfuir. Mais c'est toi qui aurais dû répondre de son absence.

— Cesse là tes propos menaçants, intervint Nékaourê d'un ton sévère. Je suis là, sois-en satisfait et ne cherche pas à outrager mon père Izi. Et dis-moi ce que me veut ton maître.

— Ce qu'il te veut, je l'ignore. Mais il est mieux pour toi de rabattre tout de suite ton caquet car je ne suis pas sûr que tu garderas ce ton hautain devant le Grand Voyant alors que tu as les pieds pleins de boue.

— Réjouis-toi qu'il y en ait qui aient les pieds pleins de boue et suent sous le soleil en cultivant les champs pour que toi tu vives à l'aise dans l'ombre.

— Par la langue de Maât, je crois bien qu'il va me falloir te donner du bâton pour t'enseigner le respect que tu me dois ! s'exclama le scribe.

— Tu as pour toi la force, mais fais attention à ce que peut vouloir de moi le Grand Voyant. C'est peut-être un bien qui te mériterait alors un blâme.

— Si j'en juge au ton du Grand Voyant, répliqua le scribe, je doute que ce soit pour te féliciter.

Malgré cette repartie, la mise en garde de Nékaourê lui avait donné à réfléchir et il préféra adopter un ton plus conciliant, quitte à se rattraper par la suite, dans le cas où le Grand Voyant se montrerait sévère et aurait convoqué son serviteur pour lui infliger un blâme assorti d'une punition.

Avant qu'ils ne se mettent en route, le scribe dit à Nékaourê :

— Je devrais lier tes poignets mais je n'ai pas reçu d'ordre dans ce sens. Donc je te fais confiance, ne cherche pas à me tromper.

— S'il avait jamais été dans mes intentions de me dérober à l'ordre du Grand Voyant, serais-je venu de mon plein gré vers toi ? Ne crains rien, je te suivrai docilement. Et peut-être, par la suite, seras-tu étonné de l'attitude de ce Raouser à mon égard.

— Étonné ? Tout dépend dans quel sens, car je ne pense pas qu'il te veuille du bien. Maintenant allons, nous avons perdu suffisamment de temps.

Son ascension sur l'échelle sociale avait rempli Raouser d'ambition qu'il se défendait de formuler. Mais la fragilité de la santé de Shepseskaf, le fait que ce n'était pas un garçon mais une fille que Khentkaous avait donnée au roi, avait allumé en son cœur les plus folles espérances. Il voyait bien qu'à leurs âges, ni Minkaf qui ne songeait plus qu'à retrouver sa vie paisible dans ses domaines, ni Djedefhor qui s'était toujours tenu loin du trône et qui, d'ailleurs commençait à se sentir vieillir, comme il l'avait déclaré à plusieurs reprises, ne se porteraient candidats à la succession du jeune roi dans le cas où un démon de la maladie l'emporterait dans la Douat. Il restait, bien sûr, le petit Henti, mais il le comptait pour rien. Ainsi, en cas de malheur, vers qui se tourner pour donner à l'Égypte un souverain capable et prestigieux ? Son mariage avec une princesse de la famille royale, petite-fille de Khéops, le plaçait parmi les meilleurs candidats, sinon le seul car qui pouvait prétendre à une meilleure position que lui, le chef du clergé de Rê, ce qui faisait de lui l'un des hommes les plus influents du royaume. Sans compter cette prédiction qui courait dans la famille que sur le trône d'Horus s'assiérait un jour un prêtre d'Héliopolis.

Aussi, le retour de Nékaourê ne pouvait que le contrarier car, à l'évidence, dans le cas d'un décès de Shepseskaf, c'était lui qui, légitimement, serait désigné pour coiffer la double couronne, toujours dans l'hypothèse où Henti serait mis hors jeu, d'une manière ou d'une autre. Et maintenant, face aux certitudes de Néferhétépès, il était pris de doutes et il se disait que ce paysan pourrait bien être Nékaourê. D'ailleurs, n'est-ce pas parce que, au fond de lui, il avait aussi craint de le reconnaître, qu'il avait adopté cette attitude hostile et dubitative à son égard et qu'il avait mis en garde Izi contre celui en qui il tenait à voir un imposteur ? Au point qu'en donnant ses ordres pour qu'on aille le quérir dans son village, il aurait été tenté de suggérer au chef de la troupe de se débarrasser simplement de l'importun en le jetant dans le Nil pieds et poings liés. Mais il avait aussitôt repoussé une pareille tentation, non seulement parce qu'il lui semblait devoir en avoir honte, mais, plus que par scrupule, il fut retenu par la colère de son épouse ; car elle risquait de ne pas être dupe et si d'aventure elle avait vent d'une telle perfidie de sa part, il savait qu'elle n'hésiterait pas à le citer à comparaître devant le tribunal royal dont les véritables décideurs étaient Minkaf et, surtout, Djedefhor ; or il savait combien était fort l'attachement du prince pour son neveu. Il se résolut alors à adopter une attitude totalement différente de celle qu'il avait prise en un premier temps.

Lorsque, sur son ordre, l'escorte vint lui présenter le paysan qu'il avait envoyé chercher, hors de la présence de Néferhétépès, Raouser, qui l'attendait dans une salle de la résidence qui lui était réservée dans l'enceinte du temple, outre celle, bien plus vaste, qu'il possédait à la périphérie de la ville, renvoya aussitôt le scribe et la garde afin de rester seul face à Nékaourê.

Songeant qu'il était inutile de ruser et de se défendre d'être qui il était en réalité, Nékaourê prit le premier la parole.

— Je me doute, Raouser, lui dit-il, que tu n'as pu que me reconnaître en me voyant parmi ces paysans. Si ce n'est pas tout de suite, tu t'en es bientôt persuadé sans quoi tu n'aurais pas envoyé ces gens pour me conduire ici. À moins que ce ne soit ma cousine Néferti qui t'ait ouvert les yeux.

Ce discours d'introduction convainquit définitivement Raouser qu'il avait bien devant lui le petit-fils de Khéops. Aussi, il ouvrit les bras et vint s'incliner devant lui.

— Tu ne t'es pas trompé, Néky, mais tu dois comprendre que nous nous sommes interrogés, Néferhétépès et moi, sur la raison qui t'a conduit à t'arrêter dans ce village et d'y demeurer alors que toute ta famille vit dans l'angoisse. Il y a là une attitude qui m'échappe.

— Elle t'a pourtant été certainement expliquée par Izi. Oui, après vingt ans d'absence, ayant perdu mes vaisseaux et bien d'autres choses encore, je rentrais à Memphis et mon cœur se réjouissait bien que vivant dans la tristesse depuis longtemps. Et voici que sur mon chemin, j'ai rencontré ces paysans qui travaillaient dans les champs. Ils m'ont invité à venir travailler avec eux, et j'ai répondu à leur proposition, car il est bon d'imposer à notre corps de durs exercices susceptibles de le fortifier et de nous éloigner de la mollesse de la vie des scribes des villes et des temples. C'est ainsi que j'ai connu Nékennebti, et la Dorée l'a illuminée de sa beauté. J'ai alors découvert que, en vérité comme le dit le sage, on peut aussi bien trouver une perle dans la boue que piétinent les paysans. Cette perle, je l'ai trouvée, et elle fait mon bonheur. Car vois : je suis allé chercher la sagesse bien loin, je me suis exilé pour cela pendant des années, alors que cette sagesse se trouvait à portée de ma main, tout près de moi.

— C'est bien, Néky, mais il y a vingt ans, lorsque tu t'es embarqué pour cette grande aventure, ta Nékennebti n'était même pas née et il a fallu que s'écoule tout ce temps et que tu aies l'occasion de passer près de ces champs pour la rencontrer.

— C'est vrai et je me réjouis qu'il en ait été ainsi.

— Mais dis-moi encore : es-tu disposé à abandonner ta famille et tes biens pour cette fille et cette vie ? lui demanda-t-il afin de sonder ses sentiments réels.

— J'y suis disposé. Je suppose que les biens qui m'ont été dévolus par mon père m'ont été conservés ; dans ce cas, je les distribuerai et je retournerai vivre parmi ces gens simples qui n'ont pour tout souci que la montée des eaux pour avoir une bonne récolte.

— Mais songe, seigneur, que tu es le dernier fils vivant du dieu Khéphren, que tu es jeune encore et que ton neveu Shepseskaf qui est maintenant assis sur le trône d'Horus est de faible santé, qu'il risque de mourir un jour prochain. C'est à toi que reviendrait alors la double couronne.

— Je la laisse à qui en voudra car, pour ma part, je ne cherche ni la puissance, ni une fallacieuse adulation. Mais tes paroles m'étonnent car comment se fait-il que tous les membres de notre famille aient ainsi disparu, alors qu'ils vivaient paisiblement sur la

238

Terre noire contrairement à moi qui ai dû si souvent affronter la mort ? Car il paraît que même ma mère, Persenti, nous a quittés.

— Ce n'est que trop vrai. Mais je suis certain que tes oncles Djedefhor et Minkaf, ainsi que ta grand-mère Hénoutsen auront bien de la joie à te revoir.

— Est-il vrai qu'ils vivent toujours sous le soleil de Rê ?

— Ils sont même encore verdissants et ce n'est pas encore demain qu'ils verront la sombre couleur.

— Dans ce cas, je vais rentrer à Memphis pour les rassurer, pour leur dire que je suis rentré dans la Terre chérie. Ensuite, je m'en retournerai à ce village où sont mon trésor et ma vie.

— Je doute que tu puisses vivre en toute tranquillité dans ce village si s'ébruite ta véritable identité.

— Je ne veux pas qu'elle se sache. C'est pourquoi j'ai soigneusement évité de me laisser reconnaître par toi et ma cousine, mais en vain car nous avons trop peu changé malgré le passage du temps.

Désormais rassuré sur les intentions de Nékaourê, Raouser n'hésita plus à se montrer amical et prévenant.

— Il est vrai que Néferhétépès t'a tout de suite reconnu. Tu peux être certain qu'elle a hâte de te voir et de t'entendre car tu dois avoir bien des choses à nous raconter.

La hâte qu'avait Néferhétépès à retrouver son cousin était plus grande encore que ne le supposait Raouser car, lasse de patienter dans leur résidence, elle avait pris place dans sa chaise et s'était fait transporter au temple où elle se doutait que son époux devait attendre son cousin. C'est ainsi qu'elle entra soudainement dans la pièce où devisaient les deux hommes.

— Néky, dit-elle aussitôt, je suis certaine que Raouser est maintenant persuadé que tu es bien mon cousin dont nous espérions tous le retour sans trop oser y croire.

Sur cette entrée en matière directe, elle vint devant lui et se pressa contre sa poitrine en humant son souffle afin de lui manifester sa joie, tandis qu'un flot de souvenirs montait en elle.

— Vraiment, tu n'as que peu changé au cours de ces années. Comme je suis heureuse de t'avoir retrouvé d'une façon aussi inopinée ! Mais me diras-tu pourquoi tu t'es arrêté dans ce village pour y épouser une petite paysanne ? Il est vrai que c'est un vice de cette famille royale que d'épouser des femmes venues de rien, ce qui nous change un peu de ces mariages entre frères et sœurs.

— C'est certainement à cause de cette coutume qui nous oblige à épouser nos sœurs que nous compensons en épousant les femmes qui suscitent notre amour, renchérit Nékaourê. C'est ainsi que sont entrées dans la famille royale, aussi bien Hénoutsen qui, tout au moins appartenait à une famille de grands, mais aussi ma mère Persenti et ta propre mère Noubet. Et toi-même n'as-tu pas aussi préféré t'unir à Raouser ? Je ne déroge pas à la coutume dans ce sens, mais je vais mieux encore la transgresser en abandonnant tous mes privilèges princiers pour partager la vie rustique de la famille de mon épouse. Ainsi ce bon Izi n'aura pas la joie de se voir installé dans une magnifique demeure fournie en vivres et en serviteurs, comme ce fut le cas pour le père d'Hedjekenou, mais je suis persuadé que Raouser, en tant que maître de ce village de par sa fonction, se montrera aussi aimable et obligeant qu'il l'a fait lors de sa récente visite... Et qu'il n'inquiétera plus le beau-père d'un prince royal pour de bizarres soupçons.

— Pardonne-moi, seigneur, mais je ne pouvais imaginer que tu fusses ainsi rentré chez nous sans te faire connaître et t'être installé dans un misérable village, se défendit Raouser. Tu comprendras qu'il ait pu me déplaire qu'un imposteur puisse prétendre se faire passer pour un fils royal.

— Je le comprends, Raouser. Mais le ton qu'a adopté le scribe que tu as envoyé vers moi m'a déplu. Je te prie de le tancer à ce propos afin qu'il rabaisse sa morgue.

— Ce sera fait, seigneur ! Par Maât, tu peux en être assuré !

— Bien, Raouser. Maintenant, je te prie aussi de ne plus m'appeler seigneur car les gens de ton entourage pourraient être étonnés d'entendre que tu appelles ainsi le simple paysan que je veux continuer de paraître aux yeux de ma nouvelle famille.

Raouser opina du chef tandis que Néferhétépès intervenait à son tour :

— Je ne sais, lui fit-elle remarquer, si notre grand-mère Hénoutsen verra d'un bon œil une telle fuite. Je suis persuadée qu'elle t'exhortera à venir t'établir avec ton épouse et sa famille dans ta résidence de Memphis afin de vivre l'existence princière qui doit être la tienne.

— Elle devra se faire une raison. Vois : c'est par amour de mon indépendance et mon désir de vivre ma propre vie et non celle qui m'aurait été imposée dans le palais que j'ai voulu m'élancer ainsi sur la mer, alors que nous autres, Égyptiens, nous n'aimons guère la Grande Verte, ses dangers et ses fureurs. Mes voyages ne m'ont pas permis de trouver ce que j'étais allé chercher, mais ils m'ont enseigné une autre sagesse et ils m'ont aussi fortifié dans ma volonté de vivre comme je l'entends, d'assumer moi-même mon propre bonheur. Et cette sagesse, ce bonheur, je l'ai dit à Raouser, je les ai trouvés dans ce village, parmi ces paysans, auprès de cette jolie Nékennebti qui est une vraie fille d'Hathor.

— Néky, ce n'est pas moi qui chercherai à te détourner de vivre cette existence qui paraît convenir à ton cœur. Après tout, même s'il te prend la fantaisie de vivre parmi les paysans, qui pourrait t'en blâmer alors que c'était l'un des grands plaisirs de notre grand-père, le dieu Khéops, dans sa jeunesse. D'autant que, malgré toi tu resteras toujours un prince royal, ce qui te permettra, dans le cas où tu serais pris de regrets, de réintégrer le palais de Memphis où tu as ta résidence toujours prête à te recevoir.

— Mon épouse chérie, dit alors Raouser, tu parles avec Maât assise sur ta langue. Il serait bon que tu te charges de conduire ton cousin à Memphis car je doute que, s'il se présente dans la résidence royale sous cet aspect avec uniquement sa ceinture de bouvier, les gardes lui permettent d'y pénétrer. Et maintenant il me plairait, Néky, que tu viennes en notre demeure partager notre repas et faire la connaissance d'Ouserkaf, le fils que m'a donné Néferhétépès. C'est un beau garçon, prêtre-pur, destiné, nous l'espérons, à me succéder dans ma charge de Grand Voyant du dieu, lorsque moi-même je serai devenu comme Rê un vieillard baveux incapable d'assumer le culte du dieu.

CHAPITRE XXIV

Du fait de l'accouchement récent de Khentkaous, Ouserkaf résidait seul chez ses parents et continuait d'assumer sa fonction de prêtre-pur.

— Ouserkaf, mon cher fils, lui dit sa mère, salue ton cousin Nékaourê que nous avons la joie de retrouver après une longue absence.

Le jeune homme manifesta un bel enthousiasme en se trouvant devant le prince. Il le salua les bras levés puis il lui dit :

— Nékaourê, j'ai tant entendu parler de toi aussi bien par ma mère et aussi mon père qui ont étudié avec toi auprès de notre grand-oncle, que par Hori lui-même, que j'avais hâte de te rencontrer un jour car je sais que tu as fait ce que moi-même j'aurais rêvé d'accomplir, partir sur la Grande Verte, découvrir le monde. Car bien souvent Hori nous a parlé de ses voyages, de l'immensité de mers et des terres habitées par les hommes. Mais voilà, je ne sais si j'aurais ton courage, car, malgré mes désirs, je ne me sens pas l'audace de me lancer dans une telle aventure.

— Ouserkaf, lui répondit Nékaourê, le courage ne consiste pas nécessairement dans l'affrontement de dangers. Il se trouve aussi dans le cœur de ceux qui restent dans la Terre chérie pour assumer la tâche que leur a impartie le dieu, et faire prospérer le peuple du soleil. Or, c'est ce qu'a fait ton père qui, j'en suis persuadé, conduit avec la plus grande sagesse les serviteurs du dieu

243

Rê, et ce que toi-même es sans doute destiné à faire avec lui et après lui. Vois, moi-même, après avoir vu tant de pays, connu tant de peuples et de gens, je n'aspire plus qu'à vivre paisiblement auprès de personnes que j'aime.

Ces conseils de sagesse ne parurent pas persuader le jeune homme qui soupira puis, ne voulant pas contrarier son père, se contenta de demander :

– Je n'en serais pas moins heureux de t'entendre narrer les aventures que tu as vécues et rapporter les merveilles que tu as dû voir.

Le lendemain matin, avant de s'embarquer pour Memphis en compagnie de Néferhétépès, Nékaourê fit ses recommandations à Raouser à propos d'Izi et de sa fille afin de leur épargner d'inutiles soucis. Aussi n'est-ce pas sans une certaine perplexité bientôt transformée en soulagement, qu'Izi vit revenir le scribe qui avait emmené son beau-fils. Comme ce dernier ne l'accompagnait pas, il fut d'abord inquiet. Mais le scribe le salua avec une politesse qui l'étonna.

– Vois, lui dit-il, le Grand Voyant m'envoie à nouveau vers toi. Il te fait dire de ne pas te faire de tracas pour ton beau-fils. Notre seigneur a reconnu en lui un compagnon d'étude, un homme de bonne origine. Il est bien vrai qu'il est de retour d'une longue absence, ce que veut fêter le Grand Voyant. Prends patience et réjouis-toi, car ton beau-fils reviendra bientôt auprès de toi. Le Grand Voyant te fait dire de rassurer aussi ta fille : dis-lui qu'elle ne se désespère pas, qu'elle a fait un beau mariage avec un mari digne d'elle, et toi, de ton côté, tu as fait un bon choix en lui donnant ta fille pour épouse.

Izi fut si enchanté par cette nouvelle et les paroles du scribe qu'il tint à faire chercher Nékennebti aux champs afin qu'elles lui fussent répétées, car elle avait éprouvé un grand chagrin, la pauvre enfant, en apprenant qu'on avait emmené son cher époux sous bonne escorte et qu'il risquait d'avoir des ennuis avec le Grand Voyant car on prétendait que c'était un aventurier, un homme de rien qui s'était fait passer pour ce qu'il n'était pas. Ce qui, en réalité, n'était pas faux, mais d'une manière bien différente de celle dont l'accusation était reçue.

Lorsqu'il se retrouva sur le bateau qui les conduisait à Memphis, seul en compagnie de Néferhétépès, Nékaourê ouvrit la bouche et il évoqua des souvenirs anciens :

— Te souviens-tu, Néferti, du temps que nous étions ensemble à étudier aux pieds d'Hori ? Tu voulais m'accompagner dans mes voyages et moi, je ne l'ai pas voulu, parce que je savais que ce n'était pas une vie pour une fille, que tu ne pourrais vivre dans l'attente de mon retour, et je ne pouvais non plus t'entraîner dans une aventure si dangereuse, si rude et pénible, que représente un pareil voyage sur des mers inconnues. Et je crois que j'ai eu raison, car tu n'aurais pu y survivre. Et mon cœur est serein en te retrouvant heureuse dans la maison de Raouser, mère d'un beau garçon.

— Néky, serait-il vrai que c'est pour ne pas être obligé de risquer ma vie ou de me contraindre à vivre dans une vaine attente de ton retour, que tu t'es éloigné de moi ?

— Comment ne l'as-tu pas compris ? C'est bien vrai, mais ce fut une bonne chose car je n'aurais pu te donner ce que tu attendais de la vie en ma compagnie.

— Les choses auraient aussi bien pu se passer différemment, mais il est inutile de se confondre en regrets. Il est vrai que je suis satisfaite de mon mariage avec Raouser. C'est un homme savant et bon, bien que parfois rendu présomptueux du fait de la situation qu'il a acquise, grâce à son mariage. Mais nous autres, femmes, nous savons nous amuser de la vanité des hommes...

La chute fit sourire Nékaourê. Et, en regardant sa cousine, il se persuada que les choses avaient été mieux ainsi, qu'il avait, de la sorte, conduit sa vie comme il l'entendait et non comme elle aurait dû se dérouler pour un prince royal, selon la volonté d'un dieu, contre laquelle il était allé, car il était en droit de supposer que c'est pour le punir de sa propre présomption qu'il avait couru bien des dangers et connu des malheurs dans son aventureuse existence.

En reconnaissant Néferhétépès, les gardes, qui se tenaient devant la porte monumentale donnant accès à l'ensemble palatial des résidences royales de Memphis, saluèrent la princesse tandis que l'officier en poste venait s'incliner devant elle :

– Nous venons voir la reine Hénoutsen, lui déclara Néferhétépès. Est-elle au palais ?

– Sans doute la trouveras-tu dans son pavillon sur le petit lac. C'est là qu'elle se plaît le plus, toujours dans la compagnie du prince Djedefhor.

Lorsque Néferhétépès se présenta devant sa grand-mère en compagnie de Nékaourê, elle fut d'abord étonnée que ni la reine ni son oncle ne parussent surpris. Car, en réalité, Raouser, afin, assura-t-il par la suite à son épouse, de ne pas provoquer une trop vive émotion dans le cœur de la reine que l'âge rendait plus fragile, avait dépêché un héraut pour faire savoir à Hénoutsen que sa petite-fille allait lui rendre une visite en compagnie d'une personne absente depuis longtemps et chère à son cœur. Aussi Hénoutsen, qui, avait eu comme l'intuition du retour imminent du voyageur, avait-elle aussitôt pensé qu'il s'agissait de Nékaourê. Elle avait alors convié Djedefhor à venir la retrouver dans son pavillon pour lui faire part de la nouvelle.

– Hori, lui avait-elle alors suggéré, je crois que le temps est venu pour toi de saisir cette occasion pour révéler à Nékaourê qui est son véritable père. Il a perdu sa mère si chère à mon cœur, il croit aussi avoir perdu le père qu'il voyait dans mon fils Khafrê ; il te revient de le détromper, de lui dire qu'il n'est pas le fils du roi, mais le tien et qu'en lui coule directement par toi le sang d'Horus.

– S'il ne s'agit que de cela, c'est sans grande importance car un jeune roi est assis sur le trône des Deux-Terres et il ne revient pas à mon fils de revendiquer ce trône. Car si devait intervenir une telle légitimité, c'est moi qui devrais y être assis, situation que je n'ai jamais enviée.

246

— Il ne s'agit pas de cela, mais comme on ne sait ce que réserve l'avenir, il doit savoir que, plus que tout autre prétendant, c'est lui qui serait le mieux placé pour succéder à Shepseskaf dans le cas où il disparaîtrait avec son jeune frère Henti. Mais, pour l'instant, réjouissons-nous de cette nouvelle et préparons-nous à le recevoir et à entendre le récit de ses aventures.

Dès qu'il se retrouva en présence de sa grand-mère, Nékaourê vint s'agenouiller devant elle et il baisa ses genoux.

— Néky, mon cher enfant... soupira-t-elle. Nous t'attendions, nous savions, Hori et moi, que tu nous reviendrais un jour. Combien grande est ma joie, car je t'ai retrouvé avant de quitter ce monde, avant d'aller rejoindre tous ceux que j'ai perdus !

— Grand-mère, mon cœur se réjouit de te retrouver encore si verte, en si bonne santé, toujours semblable à toi-même ! Et aussi je me réjouis de retrouver mon oncle, mon vénéré Hori, celui qui m'a tout appris, celui qui m'est comme un second père.

Tout en parlant ainsi, Nékaourê vint s'agenouiller devant Djedefhor qui le releva, ouvrit la bouche et dit :

— Mon cher enfant, mon cœur aussi éclate de joie en te retrouvant.

Ma joie serait complète si ma mère chérie était encore parmi nous. Mais j'ai appris qu'elle était partie vers le bel Occident, ainsi que mon royal père. Me voyant orphelin, je retrouve en vous de chers parents.

— Néky, se décida alors à lui révéler Djedefhor, il est temps que tu saches la vérité. Apprends que ta mère, Persenti, a été l'amour de ma jeunesse, celle que je voulais faire la maîtresse de mes biens. Mais un dieu ennemi nous a séparés et m'a entraîné dans ces voyages qui m'ont maintenu si longtemps loin de ma demeure. Entre-temps, mon frère Khafrê est monté sur le trône d'Horus, et il t'a pris auprès de toi comme un fils, après avoir fait de Persenti sa seconde épouse. Mais, en vérité, ta mère t'avait mis au monde bien avant de devenir la femme de mon frère.

– Je n'ignorais pas que ma mère m'avait enfanté bien des années avant d'épouser mon père, puisque j'étais déjà un adolescent lorsque j'ai assisté à leur mariage.

– Ce n'est pas ce que je voulais te faire entendre. Non. Apprends que Khafrê n'a fait que laisser croire que tu étais son fils, mais, en réalité, c'est moi qui suis ton véritable père. Et sache qu'un dieu a réparé l'injustice qui m'avait été faite car après ton départ sur la Grande Verte, peu de jours plus tard, j'ai fait entrer Persenti dans ma demeure pour qu'elle devienne la maîtresse de mes biens, renouant ainsi avec un passé qui nous avait trahis. Et c'est pour moi un grand chagrin de te retrouver alors qu'elle est allée rejoindre son Ka et ne peut continuer de vivre avec toi, à mes côtés.

Cette révélation laissa un instant muets de stupeur, aussi bien Néferhétépès que Nékaourê. Ce dernier se tourna vers Hénoutsen qui lui confirma les paroles de Djedefhor.

– Pourquoi m'a-t-on laissé dans l'ignorance ! s'exclama enfin Nékaourê.

– Simplement parce que n'ayant nulle nouvelle de ton vrai père et ta mère ayant finalement accepté d'épouser mon fils Khafrê qui t'a fait entrer dans sa demeure comme son fils, lui répondit Hénoutsen, il nous a semblé inutile de révéler une vérité qui, à cette époque, t'aurait plutôt nui. Mais maintenant que mon fils a rejoint son Ka ainsi que ta mère, nous te devons une vérité qui ne peut que t'être agréable, car il est beau, quand on se croit orphelin, de retrouver son père véritable, de savoir qu'on a encore un proche qui vous aime. Au demeurant, Hori t'a toujours traité comme l'aurait fait un père que tu retrouves à la place d'un oncle déjà aimé.

Nékaourê vint alors saisir les genoux de Djedefhor et il parla ainsi :

– Il est bien vrai que mon cœur éclate de joie en découvrant que tu es mon père, bien que cette révélation ne changera en rien les sentiments que je te porte, car je t'ai aimé et admiré plus que celui que je croyais être mon père. J'ai été élevé par ma mère et éduqué par toi dès que nous avons été placés sous ta sauvegarde par le roi qui s'est alors désintéressé de nous.

En parlant ainsi il s'était tourné vers Néferhétépès qui repartit judicieusement :

– Avec cette différence que tu croyais que Sa Majesté était ton père, alors que le mien était son frère. Ce qui reste d'assuré, c'est que nous sommes tous les petits-enfants du dieu Khéops, mais tu as sur nous tous une prééminence puisque Hori est de double naissance royale.

– Pour moi, tout cela ne changera rien, puisque mon intention est de m'en retourner auprès de celle que j'aime.

– Qu'entends-tu par ces mots ? s'étonna Djedefhor.

– Quoi ! renchérit Hénoutsen, songerais-tu à nous quitter alors que tu viens de rentrer dans la Terre chérie ? As-tu l'intention de repartir sur la Grande verte ?

– Mon intention n'est pas de quitter la Terre noire. Mais je veux aller vivre avec celle qui est désormais la maîtresse de mes biens et auprès de qui j'ai trouvé joie, verdeur, et sérénité.

– Dans ce cas, nous avons hâte de la connaître. Mais je te vois vêtu de la simple ceinture des paysans, ce qui me rappelle mon royal époux du temps qu'il n'était que prince et qu'il quittait le Grand Palais pour aller partager la vie et les jeux des bouviers et des paysans.

– Le sang du dieu Khoufou coule dans mes veines, et je vois alors de quel illustre modèle je tiens le désir de vivre comme je l'ai décidé.

– Il faudra que tu nous éclaires sur ce que tu entends par ces paroles, lui dit alors Djedefhor. Mais, pour l'instant, je crois qu'il serait bon que tu sois baigné, coiffé et parfumé et ensuite tu nous feras connaître l'essentiel des aventures que tu as connues pendant toutes ces années d'absence. Car ce qui m'apparaît, c'est que tu rentres seul, sans les bateaux qui ont été construits pour ton voyage, ni les hommes qui t'ont accompagné dans ce périple.

— Il est vrai que j'ai suivi tes traces, mais sans doute pas avec autant de bonheur, mon père. Mais, pour ce qui est de ce jour et des jours suivants, je suis prêt à t'obéir et à vous faire savoir tout ce que j'ai vu pendant cette vaine quête de la sagesse et du grand livre de Thot.

CHAPITRE XXV

Nékaourê ouvrit la bouche et entreprit de narrer les incidents de son périple sur la Grande Verte, sur ces mers du Sud dont les vagues baignent des rivages mystérieux qui avaient nourri ses rêves de jeunesse, à la suite des récits de Djedefhor.

– Les premiers jours de navigation, depuis le moment où nous vous avions quittés, toi, mon père Hori et ma mère, furent pour nous faciles et agréables. Le vent soufflait dans notre dos, gonflant chacune de nos voiles, de sorte qu'il était à peine besoin de souquer, nos cales étaient remplies de vin, de bière fraîche, de provisions d'eau, de dattes, de poissons séchés, de viande fumée, de légumes, enfin de tout ce qu'il fallait pour nous nourrir et nous abreuver, et aussi de toutes les marchandises destinées à être échangées. Mérou qui s'est révélé un bon marin et un réel connaisseur des côtes que nous longions du côté de l'Égypte, nous dirigeait, nous faisant aborder dans des lieux protégés et, lorsque l'occasion se présentait, près de puits aménagés par les bédouins ou même des gens de chez nous lors de précédentes expéditions, nous pouvions renouveler nos provisions d'eau et nous laver des embruns salés.

« Lorsque nous apercevions des bateaux qui n'étaient pas de simples barques de pêcheur, appartenant à ces peuples qui végètent sur ces rivages et vivent de coquillages et de poissons, je faisais prendre aux hommes qui n'étaient pas de service à la

251

nage, lances et boucliers afin que les occupants de ces bateaux puissent voir que nous étions bien armés, ceci afin de décourager les pirates dont toi-même, Hori, nous a entretenus, mais aussi dont Mérou me disait de nous méfier. Les forces que nous exhibions, le nombre de nos hommes montant les deux gros bateaux, intimidaient ceux qui auraient pu songer à s'emparer des marchandises dont ils soupçonnaient nos cales pleines.

« Nous ne progressions que lentement car il nous plaisait parfois de débarquer pour un ou deux jours afin d'aller chasser des bêtes du désert aussi bien pour nous distraire que pour renouveler nos provisions de viande. Nous-mêmes, tout en naviguant, nous pêchions en jetant ces filets que nos pêcheurs utilisent sur le Nil, ou, lorsque nous n'avions pu jeter nos filets et nos lignes, souvent à cause de vents tournants qui nous obligeaient à songer plutôt à souquer ferme qu'à pêcher, nous échangions quelques brimborions contre du poisson séché et des crustacés à des riverains.

« D'autre part, la chaleur devenant plus torride à mesure que nous progressions vers le sud, il nous arrivait souvent de mouiller tout près du rivage afin de nous rafraîchir en nous trempant dans la mer, tous ces marins venus du Sumer et même ceux de la Terre noire aimant à nager dans ces belles eaux limpides au fond desquelles s'irisaient les rayons du soleil.

« Toute la côte que nous longions, du côté du soleil couchant, est déserte et plate, peu accidentée, dominée au loin par des montagnes tout aussi dénudées, où règne la pierre. Ce n'est que vers les embouchures des rivières desséchées, sauf quand gronde Seth dans le ciel et que se déversent des torrents de pluie en l'espace d'un repas, que l'on trouvait quelques palmiers, un peu de végétation pouvant à peine nourrir quelques ânes et quelques chèvres. Je crois, Hori, avoir alors localisé le lieu où ton bateau a échoué lors de ton retour dans la Terre chérie. Nous avons retrouvé quelques fragments de bois et de cordages dans la mer, car les restes de l'épave, rejetés sur le rivage, ont été certainement rapidement démembrés comme le corps du dieu, par les nomades qui ont tout utilisé et brûlé les morceaux de bois seulement utilisables pour alimenter les feux sur lesquels ils cuisent leur nourriture. Les populations établies plus au sud de ces rivages vivent dans des cases précaires ou encore, lorsque s'en présente l'occasion, dans des grottes naturelles ou même dans des cavités qu'ils ont aménagées dans les falaises lorsque celles-ci se rapprochent du rivage.

« Nous avons mis plus de deux mois pour parvenir dans la partie méridionale de la mer, là où la terre du côté du couchant, se rapproche de la Terre divine [1], située du côté du soleil levant.

— Je vois de quoi tu parles, intervint alors Djedefhor. Un peu plus au sud, les terres sont très proches, formant une sorte de large goulet au centre duquel se trouve une île totalement dépourvue d'eau. Lorsque soufflent les vents du sud avec violence, on entend un inquiétant grondement, ou encore des sortes de gémissements, qui ont fait appeler cette région la porte des Lamentations. C'est là que commence le pays de Pount qui s'étend sur les deux rives, celle des pays du soleil couchant et celle du pays d'Havilah que nous autres Égyptiens appelons la Terre divine.

— C'est bien de ce lieu qu'il s'agit, assura Nékaourê. Il faut cependant que je signale qu'à quelques jours de navigation au nord de ce détroit, la mer est parsemée de nombreuses îles, en un lieu où la côte forme une baie profonde très bien abritée des vents du sud, mais ouverte aux vents du nord. Ce sont ces derniers qui régnaient durant la saison de notre navigation. Or, nous avons bien failli perdre un bateau tant ils soufflaient en tempête. Cependant, nous avons pu trouver refuge dans une anse au fond de ce golfe.

---

1. Terre divine ou Terre du Dieu (en égyptien : *Ta Noutir*) est le nom que les anciens Égyptiens donnaient à la côte occidentale de l'Arabie ouverte sur la mer Rouge. La raison de cette appellation reste inexpliquée bien qu'on puisse penser qu'il s'agisse soit d'une allusion au dieu solaire Rê qui se lève à l'Orient, où l'on situait sa demeure, soit, peut-être, du souvenir mythique de la venue par ces rivages de populations asiatiques qui auraient apporté à l'Égypte certains aspects de sa culture, de sa langue et de ses croyances religieuses, en l'occurrence le culte solaire d'Atoum-Rê.

Mais, lorsque la violence du vent une fois apaisée, nous avons voulu nous remettre en route, nous avons dû affronter un autre genre de danger. Car dans ces îles habitent des barbares bons marins. Ils n'ont que de petits bateaux, mais en grand nombre, et rapides. Nous nous étions engagés dans ces chapelets d'îles lorsque nous fûmes assaillis par une bonne dizaine de ces gens sur leurs barques, sortis nous ne savions d'où, sans doute de quelques criques invisibles du large. J'aurais voulu que nous les affrontions, que nous les dispersions en naviguant contre leurs frêles embarcations qu'il aurait été facile de faire chavirer. Mais Mérou me détourna d'une attaque qu'il trouvait hasardeuse. Il me dit qu'ils savaient manier très habilement ces embarcations rapides et qu'ils n'auraient aucun mal à nous éviter puis ils se regrouperaient autour de nous pour nous harceler. Ainsi l'ai-je suivi dans sa décision de prendre la fuite, mais en restant côte à côte, suffisamment éloignés pour que nos avirons ne se heurtassent pas, mais suffisamment proches pour que d'un seul coup de rame de gouverne nous puissions nous rapprocher et faire chavirer les barques audacieuses qui auraient cherché à s'engager entre nous.

« Je crois que ce fut une bonne tactique. En nous voyant fuir, ils se sont mis naturellement à notre poursuite. Mais ils devaient se diviser et se disperser car ils n'allaient pas à la même vitesse, et ils prétendaient assaillir nos deux vaisseaux en même temps. Ainsi, avons-nous accablé de nos flèches ceux qui venaient nous assaillir par l'extérieur, à bâbord pour mon bateau, à tribord pour celui d'Amarsi, ce qui nous a permis de les éliminer les uns après les autres car ils ne pouvaient nous prendre dans une sorte d'étau comme ils auraient pu le faire si nous étions restés sur place. Plusieurs de leurs barques qui s'étaient engagées entre nos deux bateaux ont été aussi renversées et même l'une d'entre elles fut écrasée entre nos deux coques car nos rameurs savaient relever rapidement leurs avirons pour ne pas risquer de les briser en cas de heurt. Lorsque nos assaillants virent la plupart de leurs embarcations vidées, brisées ou chavirées, ceux qui restaient encore abandonnèrent la poursuite et se mirent en devoir de recueillir les survivants jetés à la mer.

« C'est le seul véritable combat que nous avons dû livrer durant toute notre navigation le long des côtes de cette mer.

« Une fois passé le détroit, nous avons continué de suivre le rivage du côté du couchant, mais il a tôt fait de se redresser de sorte que, tandis que nous continuions de longer la côte, le soleil ne se levait plus sur notre gauche mais face à nous. Amarsi nous disait que le pays où l'on recueille l'encens était situé sur la rive opposée, celle de la Terre divine, mais Mérou prétendait que ce pays de Pount, là où vivent les Khebestyou, ces barbus à qui nous achetons les défenses d'ivoire, la poudre d'or, les peaux de bêtes et l'encens, se trouvait à l'intérieur des terres que nous longions. "C'est, a-t-il affirmé, en me rendant chez ces barbus que mon bateau a été emporté au loin par une tempête et a fait naufrage au large de l'île du Double."

« J'ai donné raison à Mérou, quitte, ai-je concédé à Amarsi, à ensuite revenir sur nos pas pour aller explorer les côtes du Ta Noutir. Et voici : nous sommes parvenus à l'embouchure d'un fleuve large mais dont les eaux étaient peu profondes. Sur ses rives bordées d'une belle végétation, se dressaient les huttes des indigènes. Elles étaient faites en bois, mais construites sur des planchers posés au-dessus des eaux de la rivière sur des pilotis solidement plantés dans le sol. Je ne sais comment ces gens ont pu creuser des cavités dans une eau déjà profonde pour y fixer les pilotis, mais il en était bien ainsi. Selon Mérou, ils profitent de certaines périodes de sécheresse où le niveau des eaux baisse tandis que la mer semble se retirer, de sorte que la terre bourbeuse du fond de la rivière est libérée des eaux. Ils en profitent pour y fixer en hâte les pieux sur lesquels ils établissent ensuite les planchers de leurs maisons. Pour ma part, j'ai songé que nous pourrions utiliser cet ingénieux système sur les bords du Nil pour dresser nos demeures près du fleuve tout en évitant qu'elles soient submergées lors de la montée des eaux.

« Nous avons pu amarrer directement nos bateaux à ce village sur les eaux et j'ai pu voir que les hommes portent tous une belle barbe, bien taillée. Les femmes, dès qu'elles sont parvenues à l'âge du mariage, se font grossir jusqu'à ce qu'elles puissent exhiber des fesses et des cuisses énormes, ce qui est, à ce que m'a rapporté Mérou qui connaissait leur langue, une preuve de fécondité. Ces gens n'ont pas la peau aussi sombre que ceux que nous avions entrevus sur les rivages situés plus au nord. Ils ont le teint brun-rouge, et ils apprécient particulièrement nos pagnes de lin. C'est ce qu'ils ont demandé avant tout en échange d'ivoire, de poudre d'or et d'un peu d'encens. Mais il est vrai que les meilleurs parfums, et aussi les plus variés et les plus abondants se trouvent sur la Terre divine. Néanmoins, il n'y a là-bas, ni or, ni ivoire.

« Une fois nos bateaux chargés de ces précieuses marchandises et nos provisions de vivres et d'eau renouvelées, nous avons repris notre navigation le long des côtes jusqu'à un cap largement ouvert sur une mer si immense que nos hommes ont pris peur et ont refusé de poursuivre notre route le long de la côte, toujours plus loin vers le sud. Ce qui les inquiétait le plus, c'est que plus nous progressions vers le sud, plus la chaleur semblait augmenter au point de nous paraître insupportable. Nous avons alors décidé de naviguer devant nous, droit vers le nord, en nous dirigeant sur le soleil et surtout sur les étoiles, car nous avions décidé de poursuivre notre navigation de nuit, puisque nous nous engagions en pleine mer et que nous ne risquions donc plus de heurter de récifs côtiers. En osant nous aventurer ainsi sur la Grande Verte, loin de tout horizon terrestre, nous avons fait confiance à Mérou et aussi à Amarsi qui ont assuré qu'en naviguant ainsi, en tenant le cap au nord, nous devions forcément parvenir sur les côtes méridionales du Ta Noutir, précisément là où se fait le commerce de l'encens et de tous les parfums du Pount.

« Après une navigation suffisamment longue pour que nos hommes commencent à s'inquiéter, mais point trop pour que leurs craintes de manquer d'eau ne soient pas confirmées, outre le fait que nous devions dormir sur le pont, souvent assis, ce qui n'était guère confortable, nous avons enfin distingué des montagnes lointaines dont les teintes fauves se dessinaient faiblement dans le ciel que la chaleur rendait laiteux. Il fallut encore un jour de navigation pour atteindre une côte basse et désertique en laquelle Amarsi reconnut les rivages appelés par certains côtes des Aromates car c'est dans l'arrière-pays que l'on trouve toutes les précieuses résines odoriférantes que produit ce pays, encens, myrrhe, laudanum, cannelle et cinnamome. En poursuivant notre route le long de ces plages basses et sablonneuses où nous avons pu nous procurer de l'eau, nous sommes parvenus à un port, ou plutôt à un village voisin de la grève sur laquelle avaient été construits des pontons en bois pour permettre aux bateaux de charge de s'amarrer.

« Les indigènes sont venus vers nous, accueillants, car ils imaginaient bien que nos cales étaient remplies de marchandises qu'ils pourraient échanger contre les produits qu'ils faisaient venir des montagnes de l'intérieur du pays. Plusieurs d'entre nous comprenaient leur langage, de sorte qu'il a été facile de nous entendre sur les produits à échanger : huile, blé, orge et vins pour nous, résines précieuses pour eux. Je ne sais s'ils ont voulu nous impressionner, mais ils ont tenu à nous faire savoir comment ils parvenaient à collecter ces résines. Ils nous ont demandé si, d'aventure, nous avions dans nos cales du styrax. Personnellement, je n'avais jamais entendu parler de cette plante. Mais j'ai su par Mérou que c'est une résine qu'on peut se procurer vers le pays de Kharou. Comme j'ai demandé pour quelle raison ils avaient besoin de ce styrax, voilà ce qui m'a été répondu. Les montagnes de ce pays où pousse l'arbre à encens sont envahies par des serpents ailés qui bourdonnent autour de ces arbres, rendant leur approche non seulement dangereuse mais mortelle. Ces bêtes venimeuses ne redoutent qu'une chose, la fumée formée que produit le styrax jeté sur des braises ardentes. L'odeur et l'âcreté de cette fumée les éloignent suffisamment longtemps pour qu'il soit possible de prélever la résine qui coule des arbres à encens. Je ne sais si ce que prétendent ces gens est exact ou si, comme l'a prétendu Mérou, c'est une invention de leur part pour éloigner les étrangers qui prétendraient aller collecter l'encens sans passer par leur intermédiaire ou encore pour faire monter le prix d'une résine prélevée et transportée au prix de grands dangers. Ils ont aussi prétendu, au sujet de ces étranges serpents volants, qu'ils ne s'accouplent qu'une seule fois car, après l'union, la femelle saisit le mâle à la gorge et ne le lâche pas avant de l'avoir ainsi égorgé. Mais ces femelles féroces et dominatrices ne jouissent pas longtemps de leur triomphe car la semence qu'a injectée le mâle dans leur matrice devient bientôt leur perte. Ils racontent, en effet, que le petit serpent se développe dans le corps de sa mère et finit par le ronger et fait éclater sa panse pour en sortir et venir à la lumière.

— J'ai aussi entendu cette histoire, intervint Djedefhor, mais ce ne peut être qu'une fantaisie imaginée par les gens de ce pays car tous les serpents qu'il m'a été donné d'observer, aussi bien chez nous que lors de nos voyages, naissent dans des œufs et la seule chose qu'ils brisent, c'est la coque de l'œuf dans lequel ils se sont développés.

— Ils font un conte différent mais aussi terrifiant pour ce qui concerne la récolte de la cannelle. Ils prétendent qu'elle croît dans les eaux d'un lac peu profond, sur les rives duquel vivent d'énormes chauves-souris, très agressives. Ce pourquoi ils s'enveloppent entièrement le corps, la tête et le visage dans des peaux épaisses, ne laissant paraître que les yeux qu'ils doivent aussi protéger de leurs mains, pour aller chercher ce précieux épice dont le prix est souvent la perte d'un œil, sinon des deux. Ils font de pareils contes sur la manière de récolter le laudanum, le cinnamome et la myrrhe. En bref, nous avons chargé nos bateaux de ces précieuses résines et de ces aromates avec lesquels on fait de si délicieux parfums et dont les fumées sont, croit-on, si agréables aux dieux de toutes les nations, et nous avons repris notre route le long des côtes désertes du Ta Noutir, en direction du soleil levant. Là, c'est Amarsi qui nous a servi de guide puisqu'il avait parcouru ces rivages en sens inverse lors du voyage qu'il a fait sous ton commandement. Il nous assura qu'en moins d'un mois nous serions parvenus dans le pays que les gens d'Ur appellent Magan où nous pourrions aussi charger du cuivre et les meilleures dattes qui existent au monde.

« Je dois reconnaître ici que si cette navigation avait satisfait une partie de ma curiosité et si j'étais aussi content d'aller sur tes traces, mon père, je n'en oubliais pas pour autant mon premier objectif, trouver cette île du Double qui me semblait bien devoir être la même que celle dans laquelle était conservé le livre de Thot qu'en vain tu avais cherchée. Il m'arrivait souvent d'interroger Mérou à son sujet, lui demandant s'il ne la reconnaissait pas dans chacune des îles que nous croisions. Mais sa réponse était toujours négative. J'ai cru un instant l'avoir retrouvée lorsque nous avons aperçu, au large de la côte dont nous nous étions éloignés, une île dans le lointain. Nous avons aussitôt mis le cap dans sa direction car Mérou avait laissé entendre qu'il pourrait bien s'agir de l'île du Double. C'était une île assez étendue car il nous a fallu cinq jours de navigation pour en faire le tour. Il est vrai que nous abordions souvent pour visiter de plus près le rivage, et vers la chute du jour pour établir notre camp. Mais Mérou ne parvint pas à reconnaître les lieux et, finalement, nous nous sommes aperçus qu'elle était habitée, car nous y avons découvert un village. Les habitants nous ont reçus avec empressement et nous ont proposé d'échanger contre des carapaces de tortue et des perles blanches, des pagnes et des perruques, car ils n'ont pour tout vêtement que de courts pagnes faits de feuilles de palmier, dont le contact est évidemment moins agréable contre la peau que nos vêtements tissés.

« Comme nous avons toujours suivi les côtes, il nous était facile de nous repérer grâce à la position du soleil. Au fur et à mesure que nous doublions des caps, la côte ne cessant de s'incurver, le soleil qui se levait d'abord face à nous, passa bientôt sur notre droite et, lorsque nous l'eûmes derrière nous, nous comprîmes que nous nous étions engagés dans cet immense golfe que les gens du Sumer appellent mer Inférieure. C'est ainsi qu'Amarsi a enfin reconnu les rivages de l'île de Dilmoun. Nous avons alors calculé qu'une année s'était écoulée depuis que nous avions quitté les rives de l'Égypte.

« Tu as raison, Hori, Dilmoun est une île divine. Nous y avons été reçu par les gens du village d'Ekarra où nous a conduits directement Amarsi. À cette époque, Uperi vivait encore, il en était toujours le chef. Il a reconnu Amarsi et nous avons été reçus d'autant plus chaleureusement que nous avons commencé par distribuer de nombreux cadeaux à tous les gens du village. Pour ma part, j'ai été reçu dans une famille accueillante dont la fille est devenue ma concubine pendant tout le temps que j'ai séjourné là-bas. Il est vrai que le temps y passe vite, car on ne le compte pas. L'eau y coule en abondance en de nombreuses sources, les poissons sont si nombreux dans les eaux claires de la mer alentour qu'il suffit de jeter une fois les filets pour ramener de quoi nourrir tout le village pendant plusieurs jours ; pour obtenir les dattes et ces grosses noix remplies d'une délicieuse liqueur il suffit de grimper sur les arbres au haut desquels elles poussent, et chèvres et moutons se multiplient sans qu'on ait besoin de les garder puisqu'il n'y a sur l'île ni voleurs ni carnassiers. Aussi, le seul effort à fournir pour la nourriture est de la prendre et de la faire cuire. Il paraît que les dieux du Sumer, avant la création, vivaient ainsi dans la béatitude, et pourtant, je me suis bientôt senti envahi par l'ennui, par le besoin d'agir. J'ai commencé par me promener dans l'île, puis j'ai consacré du temps à la pêche, je me suis proposé pour m'occuper des animaux, j'ai même suggéré de tondre chèvres et moutons et d'apprendre aux gens de l'île à carder la laine, à filer et à tisser. Ils m'ont regardé avec stupeur et m'ont demandé pourquoi, vivant si agréablement nus, ils allaient se fatiguer à fabriquer des vêtements inutiles. Il est vrai qu'ils n'avaient pas voulu de nos pagnes de lin, seuls les avaient intéressés nos parures en pierres fines et en coquillages, car ils aiment ainsi à orner leur nudité. Ces gens vivent dans une constante paresse et la seule idée de faire un effort suffit à les fatiguer.

— C'est déjà ce que j'avais constaté, intervint Djedefhor. Mais c'est peut-être là la vraie sagesse.

— J'en doute, mon père, car on vit alors dans cet état de sauvagerie dont nous ont sortis Osiris et sa sœur Isis en nous enseignant les mystères de l'agriculture, les arts qui sont la gloire de notre pays, le filage et le tissage, enfin tout ce qui fait que par ces travaux nous vivons dans la beauté de nos propres créations qui font de nous les égaux des dieux. Ainsi est-ce moi qui ai pris la décision de tirer mes compagnons de leur indolence, de cet état d'inactivité qui est comme le sommeil ou même la mort. Mais ce n'est pas sans peine que je suis parvenu à les contraindre à charger les bateaux de dattes, d'eau et d'aliments divers pour reprendre notre route.

— Mais dis moi, Néky, s'enquit Djedefhor, avant que tu ne quittes cette île avec tes compagnons, es-tu allé te baigner dans la source de Gilgamesh ?

— Il n'est pas un marin de passage dans l'île qui n'aille s'y tremper, ne serait-ce que dans l'espoir d'y rencontrer la déesse Meskilak venue sur la terre sous la forme d'une belle jeune fille. Mais je n'y ai jamais rencontré personne, sauf, parfois, des gens du village que je connaissais bien. Je suis allé aussi jusqu'à l'extrémité de l'île où il n'y avait plus que les ruines de l'auberge abandonnée de cette Sidouri dont certains à Ekarra disent encore qu'en réalité ce n'était pas une simple femme venue avec son père du pays de Meloukhkha mais une déesse qui a pris forme humaine.

— Après tant d'années on parlait encore d'elle à Ekarra ? s'étonna Djedefhor qui ne pouvait s'empêcher de souvent évoquer cette femme mystérieuse qu'il avait tant aimée – il en était

261

de plus en plus persuadé – peut-être parce qu'elle l'avait ensor-celé, ou peut-être parce que, comme certains habitants de l'île le supposaient, elle n'était pas humaine, c'était l'incarnation de Meskilak, la déesse de la beauté et de l'amour de Dilmoun.

– Personne de ceux qui l'ont connue ne l'ont oubliée, pas plus qu'on ne t'a oublié, Hori, car, lorsque nous sommes arrivés et que les gens du pays ont appris que nous venions d'Égypte, les premières paroles qu'ils ont prononcées après les mots de bienvenue, concernaient ton séjour parmi eux. Uperi a ensuite reconnu Amarsi et je lui ai dit que tu étais mon oncle, ce qui l'a mis en joie et il m'a regardé d'un œil favorable.

« Nous avons enfin repris la mer après un séjour suffisamment long pour ne pas laisser trop de regrets, et suffisamment court pour ne pas avoir eu le temps de distribuer en cadeaux toute la marchandise que nous avions dans nos bateaux. De plus en plus nombreux sont, paraît-il, les bateaux d'Ur qui croisent sur cette mer et se rendent à Dilmoun pour y commercer et y rencontrer les navigateurs de Meloukhkha et de Magan. Aussi la navigation sur la mer Inférieure est-elle aisée, sans danger car des aiguades sont établies tout au long des rivages qu'on longe pendant tout le voyage. Ainsi avons-nous bientôt atteint les étangs et les marais à travers lesquels le large fleuve qui baigne les murs d'Ur conti-nue de se frayer une route jusqu'à la mer. Après moins d'un mois de navigation nous avons accosté les quais de la grande cité d'Ur.

« À peine avions-nous jeté les amarres que des scribes de la cité, chargés du contrôle des marchandises, sont venus vers nous et ils nous ont contraints à débarquer toutes nos marchandises sur les quais. S'il n'avait tenu qu'à moi, et surtout si j'en avais eu la possibilité, je serais reparti sur-le-champ. Je me suis contenté de demander où se trouvaient les bureaux de Shinab. Je craignais de ne pas recevoir de réponse, mais vois, Hori : Shinab a su si bien conduire les affaires que tu lui as confiées qu'elles n'ont fait que fleurir et il était devenu le négociant le plus réputé de la ville. On m'indiqua aussitôt l'endroit où je pouvais le trouver et je m'y suis rendu de ce pas. Je l'ai trouvé dans ses entrepôts et lorsque j'ai dit que j'étais ton neveu et que je venais le saluer de ta part, il m'a reçu en manifestant une joie qui n'était pas feinte. À sa demande je lui ai donné de tes nouvelles et, afin de le mettre de mon côté, je lui ai confirmé que tu lui laissais bien la propriété de tous les biens dont tu lui avais confié la gestion. Il m'a alors appris que le roi qui avait renversé la reine Puabi, Akalamdug, avait été à son tour détrôné par le fils d'une hiérodule, une courtisane sacrée du temple d'Inanna dans la ville de Kish, tout au nord du pays des Sumériens. Cet homme, appelé Mesanepada, est venu s'établir à Ur où il a finalement réussi, à la suite d'intrigues, à s'emparer du pouvoir. Shinab m'a alors appris que c'est un homme avide qui, sous prétexte d'aider les gens du peuple qui sont dans le besoin, prélève des taxes sur tout ce qui peut être taxé et, plus particulièrement, sur les produits importés et sur les échanges commerciaux. Ainsi, lorsque arrive une caravane ou un bateau chargé de marchandises, il prélève la moitié de la cargaison au profit de l'État, de sorte qu'il devient de plus en plus difficile de commercer. De ce fait, les caravanes se détournent d'un royaume où, même lorsqu'il ne s'agit que d'un transit, elles se voient aussi lourdement imposées. Ainsi Shinab prévoit-il un déclin de plus en plus rapide de la prospérité de la cité et s'il n'avait pas déjà mis suffisamment de biens de côté et si l'âge ne commençait à se faire sentir, il se serait établi volontiers dans une autre cité, car, m'a-t-il assuré, il n'est plus possible de s'enrichir par le commerce dans cette ville tant que le prince écrasera de taxes et d'impôts les hommes qui sont à l'origine de la richesse de la ville et les agents de sa prospérité.

« Ainsi, comme j'en avais été averti par Shinab, les scribes de Mesanepada ont confisqué au profit de leur maître la moitié de nos marchandises, ce qui m'a fait regretter de n'en avoir pas plus distribué à nos amis de Dilmoun. Je m'en suis bien plaint au roi lui-même car, grâce à Shinab, j'ai pu être reçu par lui, dans ce même palais où, en son temps, Hori, tu as rencontré la reine Puabi. Je me suis présenté comme le fils du roi des Deux-Terres, ce qui n'a guère semblé avoir impressionné ce prince qui, même s'il a daigné me croire, ne sait rien de la lointaine Égypte. Comme je protestais contre la saisie de la moitié de ma marchandise, au lieu de m'entendre et de revoir à mon avantage une loi quelque peu abusive, il a fait saisir l'un de mes bateaux afin, a-t-il déclaré, de me punir de mon insolence ; il a ensuite précisé que, tout compte fait, comme je venais avec deux bateaux et que la loi prévoyait le prélèvement de la moitié des biens, il était normal que l'un de mes bateaux soit saisi. Il y avait heureusement auprès de moi Shinab qui s'est précipité le ventre à terre, a humé le parfum de la poussière et s'est confondu en longues excuses, en déclarant que les mœurs des Égyptiens étaient différentes de ceux des gens du Sumer. Ce chacal royal ne m'en a pas pour autant rendu mon bateau, mais Shinab m'a ensuite dit que, si j'avais insisté, non seulement il aurait été capable de me confisquer l'autre bateau, mais encore de me jeter dans l'une de ses geôles.

« Ces abus de pouvoir m'ont mis dans un tel état de colère, que j'ai décidé d'aller commercer dans la ville voisine d'Uruk. Shinab m'y avait incité car le commerce y est libre, le flux de marchandises et le seul passage de caravanes étant suffisants pour créer par eux-mêmes des richesses. Mais Shinab avait cru utile de me mettre en garde contre le plus grand danger que présente cette cité : c'est la ville des courtisanes et des hiérodules, m'a-t-il dit. Les plus belles femmes de toute la vallée des deux fleuves viennent y faire fortune, une fortune qui se fait au détriment des caravaniers, des marins et de tous les gens de passage dans la ville. Là-bas, ce n'est pas le roi qui par ses taxes laisse nus sur la paille les étrangers, mais les prostituées. Avec cette différence que les États rançonnent sous le couvert de leur loi et de la force tandis que nul n'est tenu d'aller dépenser sa fortune chez les courtisanes. Riche de cet avertissement, je mis à la voile vers Uruk avec la moitié de l'équipage qui m'avait accompagné jusqu'à Ur. Car, en revoyant leur pays qu'ils n'avaient pu oublier malgré leur long séjour sur les rives du Nil, la plupart de mes marins originaires d'Ur ont décidé d'y demeurer et n'ont plus voulu quitter cette ville. Ils y ont été d'autant plus incités que, afin d'augmenter la population de son petit royaume, Mesane-pada fait distribuer à ceux qui veulent s'établir dans sa cité, des vivres et tous les moyens de subsistance. Ce n'est que par la suite, m'a fait savoir Shinab, qu'on les met au travail pour un peu de nourriture. Mais ainsi établis et l'habitude aidant, ils acceptent sans trop rechigner de travailler en vivant de rien, pour le plus grand profit du roi et de ses partisans.

« Uruk, la cité de Gilgamesh, est vraiment une ville grande et riche, puissante derrière ses énormes remparts. Elle domine une plaine fertile et, surtout depuis que la politique du roi d'Ur détourne de sa ville les caravanes qui viennent terminer leur route à Uruk, la ville ne cesse de prospérer. Le but que je m'étais fixé était de troquer ce qui me restait de produits égyptiens contre les marchandises du Sumer, à commencer par le lapis-lazuli, car je n'avais pas oublié la promesse que j'avais faite à ma mère de lui rapporter un beau collier fait d'or et de cette précieuse pierre, transportée avec bien de la peine de si lointaines montagnes, à travers d'autres montagnes et des déserts, long et pénible voyage au cours duquel les trafiquants perdent souvent ânes et hommes. Uruk demeure la grande place du commerce de cette pierre, alors que, depuis l'entrée en vigueur des décrets abusifs de Mesane-pada, on ne trouve plus de lapis-lazuli à Ur.

« Malgré mes résolutions et mon désir de terminer rapidement mes affaires à Uruk pour ensuite rentrer en Égypte en évitant de m'arrêter à Ur, je suis resté bien plus longtemps que je ne le pensais dans cette ville aux mille tentations. Car, malgré mon désir de suivre tes pas sur le chemin de la sagesse, mon cher père Hori, j'étais encore jeune et avide de connaître les plaisirs de la vie. En compagnie d'Amarsi et de Mérou, qui m'étaient restés fidèles, j'ai commencé à fréquenter les tavernes où, si l'on ne trouve pas de vin, on vous propose de nombreuses sortes de bière. Ce n'est pourtant pas dans ces maisons de bière où j'ai connu quelques jolies prostituées que j'ai rencontré celle qui allait changer mon destin. Et, ici, ce n'est pas sans quelque vergogne que je vais révéler ce qui a fait ma honte, ce pourquoi vous me pardonnerez, vous tous qui daignez m'écouter d'une oreille indulgente, de rester bref et de ne pas m'appesantir sur des faits qui restent encore douloureux dans ma mémoire.

« C'est en allant sacrifier en compagnie d'Amarsi, dans le temple appelé par les gens du pays Éanna, ce qui signifie dans leur langue la Maison du Ciel, que j'ai connu Enanedou. Ce temple est consacré au dieu céleste Anu et à Inanna, déesse par qui naissent le désir, le sens de la beauté, le besoin de procréer. Et cette Enanedou, une hiérodule de ce temple, m'est bien apparue comme l'incarnation de cette divinité. Dès que mes yeux l'ont vue, j'ai été pris du désir de m'unir à elle. Comme je ne pouvais douter de sa profession, je suis venu à elle, je lui ai parlé, je lui ai fait part de mon désir. Elle a ri, elle m'a aimablement accueilli, elle m'a emmené dans sa demeure. Je lui ai dit qui j'étais, d'où je venais et, à ma surprise, elle ne m'a rien demandé pour s'unir une première fois à moi. Mais le lendemain, plus encore que la veille, après avoir connu les délices de ses étreintes, est monté en moi le désir de faire avec elle de nouvelles maisons de plaisir. « Bien volontiers, bien volontiers, m'at-elle répondu, mais tu comprends que je ne peux vivre de rien. Quel cadeau as-tu l'intention de me donner afin de ne pas laisser celle que tu désires dans le besoin, toute nue sans rien. » Il est vrai qu'elle n'était pas toute nue, car elle portait une longue jupe en laine de chèvre frisée, et que, si elle laissait découverte sa poitrine, comme le font d'ailleurs toutes les hiérodules, c'était pour mieux faire valoir la beauté de ses seins. Pour le reste, elle était parée de riches bijoux en or, en turquoise et en lapis-lazuli. Quoiqu'exerçant sa profession dans le temple, elle possédait aussi une riche demeure dans les faubourgs d'Uruk où vivaient de nombreux serviteurs et des servantes. Je lui ai alors donné de précieuses résines prélevées sur ma cargaison, puis des vases de vin, des vases d'huile, des paniers de dattes, des robes de chez nous, des bijoux de turquoise et d'or. Ainsi ai-je été son hôte privilégié pendant une année entière. Jusqu'à ce que, n'écoutant ni les conseils de Mérou, ni les remontrances d'Amarsi, tout ce que contenait les cales du bateau soit passé dans sa demeure. Mais, au lieu de me lasser de cette liaison, j'étais de plus en plus attaché à cette femme qui avait tout pour séduire et dominer les hommes. De sorte que j'ai finalement fait vendre le bateau par Amarsi. Il avait d'abord refusé de se prêter à mes folies puis, voyant que s'il n'acceptait pas de vendre au mieux le bateau, j'étais disposé à le brader à n'importe quel prix, il s'est chargé de l'affaire et m'a remis l'or qu'il en avait tiré. Un or qui a été bientôt englouti dans le ventre toujours affamé de cette Enane-dou. Et quand je me suis vu dépouillé de tout, elle m'a fermé sa porte. Dans cette folie du désir qui me tenaillait comme un démon de la nuit, alors que j'aurais dû l'étrangler, ou, pour le moins, fuir, trouver refuge à Ur auprès de Shinab, j'ai accepté son ultime exigence : pour encore trois nuits d'amour, j'ai accepté qu'elle me vende comme esclave à un homme d'Uruk. Ainsi, moi qui m'étais embarqué à la tête de deux grands vaisseaux chargés de biens, moi qui avais fait fructifier ces marchandises en les échangeant contre des produits plus précieux encore, je me retrouvais sans plus rien, sans même mon pagne que j'avais vendu, esclave dans la ville sumérienne d'Uruk. »

CHAPITRE XXVI

La nuit était tombée pendant le récit de Nékaourê. Hénoutsen se leva alors, ouvrit la bouche et dit :

– Néky, il est heureux que tu sois devant nous et que nous soyons ainsi certains que tu as réussi à te sortir sain et sauf de pareilles mésaventures. Mais il serait bien maintenant que tu prennes un peu de repos et que nous partagions un premier repas après toutes ces années de séparation. Il est bon que nous demeurions sur l'expectative pour la suite de ton récit après cette fâcheuse aventure. Ce soir, après le repas, nous inviterons des danseuses et des musiciennes pour réjouir ton cœur et, si tu le veux, tu pourras ensuite poursuivre ton récit ou encore attendre jusqu'à demain, nous saurons patienter.

Ils prenaient leur repas, chacun auprès de sa table servie en abondance de toutes les bonnes nourritures et boissons de la Terre noire, lorsque Minkaf fit son apparition. Il déclara qu'on lui avait fait part du retour de son neveu, et il était venu pour se réjouir en sa compagnie et entendre lui aussi le récit d'un voyage qui s'était si longtemps prolongé. Hénoutsen l'invita à partager leur repas pendant lequel Nékaourê résuma ce qu'il avait narré à ses parents dans l'après-midi.

– Je me sens bien coupable, dit alors Minkaf, car c'est moi qui t'ai en quelque sorte initié aux délices des tavernes et au commerce des filles qui y travaillent.

– Cela n'aurait rien changé aux choses, rétorqua Nékaourê, puisque ce n'est pas dans l'une des nombreuses maisons de bière d'Uruk que j'ai rencontré cette fille d'Inanna mais dans le temple de cette déesse.

Chacun était cependant si curieux de savoir de quelle manière l'aventureux jeune homme s'était tiré d'un si mauvais pas que, d'un accord unanime, on renvoya rapidement les musiciennes et les danseuses pour entendre la suite du récit de Nékaourê qui ouvrit la bouche et poursuivit ainsi sa narration.

– L'homme qui m'avait acheté me mit avec d'autres esclaves à travailler dans les champs qu'il possédait dans les environs d'Uruk. J'y appris le dur métier du paysan. Je dus creuser des canaux, élever des digues pour préserver les champs de la montée des eaux du fleuve, les pieds toujours dans la boue ou dans l'eau, j'appris à semer le grain, à couper le blé, à le battre, à soigner les animaux. Et si je n'avais été contraint de travailler ainsi sans pouvoir me libérer, recevant du bâton sur les reins si je travaillais trop lentement, ce dur labeur ne m'aurait pas été trop pénible, tout au contraire. Car je pris goût à travailler ainsi la terre, il me plaisait de voir croître les plantes, résultat de mes efforts, et je m'attachais aux animaux dont on m'avait confié la garde et les soins. Je restais ainsi deux ans esclave, sans chercher à m'enfuir, bien que je pensasse souvent à mes biens perdus et au but de mes navigations. Mais cette vie dans l'effort me permit de me défaire de ma funeste passion et de me détacher de cette Enanedou de sorte que, lorsque je pensais à elle, je m'étonnais d'avoir pu me comporter comme je l'avais fait sans cependant me le reprocher car grâce à cette folle passion j'avais découvert un autre genre de vie.

« Enfin un jour mon maître vint vers moi et me dit qu'il m'avait vendu un bon prix à quelqu'un qui avait tenu à m'acheter, "sans doute, avait précisé mon maître, parce qu'il a pu apprendre je ne sais comment que tu étais robuste, docile et que tu abattais à toi seul le travail de deux hommes normaux et de trois esclaves paresseux, ce qu'ils sont en général dans ce pays d'après ce que j'ai appris". Ce qui se comprend car, lorsqu'on travaille ainsi pour autrui, et qu'on n'attend rien de plus, qu'on travaille beaucoup ou peu, on n'est pas encouragé à fournir d'inutiles efforts. Donc mon maître me retira des champs et me remit entre les mains d'un homme que je ne connaissais pas. Deux années d'esclavage m'avaient appris à demeurer discret et docile, de sorte que je ne lui posai aucune question, je me contentais d'attendre ses ordres pour obéir et qu'il m'interrogeât pour lui répondre. Or il ne me posa aucune question, il se contenta de me demander de le suivre, ce que je fis bien volontiers car, en vérité, je commençais à désirer quitter la glèbe à laquelle j'avais été si longtemps attaché. Il m'a fait monter sur l'un de ces petits bateaux circulaires en forme de couffin, faits en peaux de chèvre cousues et tendues sur des bâtis en bois, sur lesquels les paysans et les pauvres naviguent sur le fleuve qui est comme un Nil inversé, puisque son courant descend du nord et coule vers le sud, et dont le nom est Purartu. Nous descendîmes le fleuve sur un bref parcours puis, ayant abordé sur la rive opposée, nous nous aventurâmes dans des champs bien cultivés et je vis bientôt se dessiner dans le lointain des murailles dominées par une haute tour à étages. Je me rendis bientôt compte que cette ville n'était autre qu'Ur que j'avais quittée trois années plus tôt, rempli d'espoir de m'enrichir et où je revenais complètement démuni et, croyais-je alors, esclave d'un homme qui avait tout pouvoir sur moi.

« J'ai d'abord supputé qu'il allait me conduire dans l'une de ces fermes où les grands propriétaires de ces villes du Sumer logent leurs serviteurs et leurs esclaves destinés aux travaux des champs. Or je fus surpris de voir qu'il se dirigeait droit sur l'une des portes de la ville où nous avons pénétré sans que les gardes, qui se trouvaient là, nous prêtassent la moindre attention. Nous avons parcouru les rues encore animées de la ville à cette heure où le soleil s'apprêtait à se coucher, jusqu'au riche quartier que tu connais bien, Hori, pour y avoir vécu. Car c'est, en fait, dans la maison même de cet Igibar qui a fait de toi son héritier, que je me suis retrouvé. C'était naturellement devenu la résidence de Shinab qui m'y avait hébergé durant mon bref séjour à Ur. Et c'est bien Shinab en personne qui vint vers moi et me salua non comme un esclave, mais avec le respect qu'on manifeste à un hôte de marque dont on sait qu'il est aussi fils de roi.

« Je m'étonnais tout en me réjouissant, enfin j'interrogeais Shinab qui me fit savoir que l'homme qui m'accompagnait était l'un de ses serviteurs et que c'est lui qui m'avait racheté à mon maître. "Néky, m'a-t-il alors révélé, lorsque, après avoir vendu tout ton avoir tu es allé jusqu'à accepter d'être réduit en esclavage pour encore jouir de quelques nuits en compagnie de cette hiérodule, Amarsi est revenu devant moi avec Mérou et les hommes qui t'avaient suivi. Il m'a fait part de ton aventure et m'a supplié, au nom d'Hori à qui je devais ma fortune, de se hâter de te libérer de cet esclavage. Et moi je lui ai répondu que, justement au nom d'Hori, mon intention était de te laisser un certain temps dans cette situation afin de t'apprendre aussi bien le prix de la liberté, qu'à dominer des passions qui conduisent à de tels excès."

« Car, poursuivit Nékaourê, Shinab était persuadé que mon oncle Hori aurait été d'accord avec lui pour que je reçoive une leçon bien méritée et que, par la peine que j'allais endurer, je fortifie mon âme tout en méditant sur ma propre faiblesse.

– J'approuve totalement Shinab que je reconnais bien dans un tel comportement, intervint Djedefhor. Cependant, je ne t'aurais pas condamné à deux ans d'esclavage, j'aurais trouvé suffisante une seule année.

– Maintenant, avec le recul, reconnut Nékaourê, je trouve qu'il a eu raison de me laisser deux années dans une situation qui m'a permis, comme je l'ai dit, non seulement de me détacher d'une passion funeste, mais encore de découvrir un monde nouveau auquel je commençais à m'attacher. J'ai pu alors découvrir la grandeur d'âme de Shinab et me féliciter que tu l'aies choisi

271

comme héritier de tes biens à Ur, Hori, car il avait même réussi à racheter mon bateau qu'il me rendit. Il me fit aussi savoir que si son serviteur ne m'avait pas ramené directement au port, c'était pour m'éviter l'humiliation d'être vu dans mon état d'esclave par ces mêmes scribes du port qui avaient visité mes bateaux lors de mon arrivée dans leur ville, ce dont je lui rendis grâce. Après que j'eus pris quelque temps de repos et avant que je ne sois de nouveau saisi du démon de l'amour qui, craignait-il, vainement il est vrai, risquait de me ramener vers Uruk et la courtisane, voici ce qu'il me proposa : "Néky, me dit-il, je ne peux, même le voudrais-je, te rendre les marchandises que tu as perdues avec une telle inconscience. Mais il m'est venu une idée que je veux te soumettre, puisque, selon ce que tu m'as confié lors de ton premier passage à Ur, il était dans tes intentions de rechercher cette île du Double ou du Ka qui, selon ce que tu as assuré, serait la même que celle dont m'a entretenu si souvent ton oncle Hori, où serait conservé le livre secret de Thot. Je vais confier à tes soins des marchandises qui pour nous sont de peu de prix, des produits de chez nous, dattes exquises, vêtements de laine de mouton et de chèvre, huile, vin de palme, jarres remplies d'huile de pierre qui produit tant de chaleur et brûle avec un tel éclat, et même du cuivre de Magan, ce qui est pour nous plus précieux. D'habitude, nous débarquons ces cargaisons à Dilmoun où nous les troquons contre les produits apportés par les vaisseaux de Meloukhkha. Moi, je te fais une proposition qu'aurait aussi bien pu te faire ton oncle, lui qui s'est aventuré sur la grande mer du Sud, au-delà du pays de Magan, afin d'aller directement chercher les parfums et les épices du pays que nous autres appelons Havilah et vous autres, Égyptiens, si j'en crois Hori, le Pount. Ainsi, au lieu d'aller attendre à Dilmoun que des marins de Meloukhkha viennent te proposer leur marchandise au prix qui leur convient, je te propose d'emporter la cargaison de ton vaisseau jusqu'à Meloukhkha où tu obtiendras à l'évidence des prix défiant toute concurrence."

« Une telle proposition n'était pas pour me déplaire, tout au contraire. Shinab me mit cependant en garde en me marquant tous les dangers que devait présenter une si longue route vers des rivages inconnus. Nous ignorions, en effet, non seulement quelles pouvaient être les embûches qui se dresseraient sur notre route, car lorsqu'on interrogeait les navigateurs de Meloukhkha qu'on rencontrait à Dilmoun, ils dressaient un tel tableau des dangers du voyage qu'ils décourageaient les plus audacieux de se lancer dans une telle entreprise, ce qui leur laissait le monopole du commerce avec leur propre pays. Par ailleurs, une fois parvenus là-bas, il fallait savoir où s'adresser pour trouver la marchandise qu'on était venu chercher, et, en outre, l'obtenir à un très bon prix. Notre seul avantage était qu'Amarsi et moi-même, nous connaissions la langue des gens de Meloukhkha, ce qui devait nous permettre de traiter directement nos affaires sans avoir à passer par un intermédiaire.

« Donc j'acceptais avec enthousiasme la proposition de Shinab. Amarsi, Mérou et une grande partie de nos hommes d'équipage qui furent sollicités, acceptèrent de participer à l'aventure. Le temps d'épalmer la coque de notre bateau, de préparer dans les moindres détails notre voyage, de prévoir tout ce qui convenait pour une telle navigation, et, quelques mois après mon retour à Ur, nous nous embarquions avec notre cale remplie de marchandises. Bientôt les quais, puis les murs, puis la grande tour d'Ur disparurent à nos yeux et nous n'eûmes plus devant nous que l'étendue grise des marais qui s'ouvrent sur la mer Inférieure dans laquelle nous avons pénétré après deux jours de navigation. Mais au lieu de suivre les côtes conduisant vers le sud, et Dilmoun et le pays de Magan, nous avons fait route en direction de l'est, le long des rivages du pays de Pashimé. Après à peine quelques jours de navigation – en vérité, je ne sais plus très bien combien de jours – la côte oblique vers le sud, et le soleil se leva derrière les terres sur notre gauche. L'arrière-pays est là très montagneux, habité par des populations très belli queuses, m'a assuré un homme de Sumer qui s'était embarqué avec nous. Toujours est-il que les gens établis sur les côtes se sont montrés d'autant plus hospitaliers que nous leur offrions des objets sans grande valeur pour nous mais des plus précieux à leurs yeux, en échange de nourriture fraîche, poisson, viande et eau, comme nous l'avions fait pendant tout le périple de la Terre divine.

« Les côtes dans cette région sont moins désertes que celles de Magan, mais nous avons dû souvent faire de gros efforts pour progresser contre des vents contraires qui ont fortement retardé notre navigation. Comme la mer qui borde d'une part l'Égypte et d'autre part le Ta Noutir et forme finalement un immense golfe extrêmement profond avec une étroite ouverture fermée par l'île des Lamentations, la mer Inférieure des Sumériens est aussi un large et profond golfe qui s'ouvre ensuite sur une mer immense par un large détroit partiellement occupé par une île. Mais celle-ci est très vaste et nous avons pu y trouver de l'eau en abondance. L'homme de Sumer qui avait navigué sur cette mer, nous a assuré que l'on pouvait atteindre en une journée de navigation l'autre bord du détroit, formé par une longue péninsule au nord du pays de Magan.

« Le long détroit donnant accès à la mer Inférieure une fois franchi, nous avons continué de naviguer le long de la côte qui s'ouvrait sur l'immensité de la mer. Personne ne sait jusqu'où se déploie cette étendue marine et quels rivages elle peut border. Car aucun marin, aussi audacieux fût-il, n'a osé s'aventurer sur cette mer en gardant toujours le cap au sud. La côte que nous avons dès lors suivie se prolonge en direction de l'est de sorte que désormais le soleil se levait du côté de la proue de notre bateau et naviguait dans le ciel presque au-dessus de nos têtes, suivant la ligne de la côte. De nombreuses rivières, parfois asséchées, il est vrai, nous ont permis de renouveler souvent nos provisions d'eau. Si l'on n'y voit guère de villages de quelque importance, nombreuses sont les familles établies tout au long de la côte. Elles vivent dans des huttes faites en partie d'énormes os de poissons. Ce sont des bêtes gigantesques, semblables à une montagne qui, soudainement, lancent vers le ciel un jet d'eau puis, au moment où l'on s'y attend le moins, disparaissent au sein des eaux. La première fois qu'est apparu à nos regards ce monstre marin, nous avons été pris de panique, ne sachant à quoi nous avions affaire. Nous avions tout d'abord cru qu'il s'agissait d'un îlot puis, en le voyant se mouvoir, plusieurs de nos hommes ont été pris de panique. Si nous n'avions pas été accompagnés par cet homme de Sumer dont j'ai oublié le nom, notre peur aurait été telle que nous aurions rapidement bifurqué vers le rivage. Mais cet homme nous a rassurés, il nous a dit que ces animaux, pour aussi énormes qu'ils fussent, n'étaient pas agressifs, qu'il suffisait de les éviter, de tenir une certaine distance entre eux et nous. Ce que nous avons fait. Car il est vrai que lorsqu'il leur prend l'envie de plonger dans le flot, ils créent de tels tourbillons, à cause de leur masse, qu'ils pourraient facilement faire chavirer un bateau. Il arrive parfois, nous a-t-il fait savoir, que certains d'entre eux s'échouent sur le rivage. Les pêcheurs, qui vivent là de poissons, s'empressent alors de les dépecer, mangent leur chair, utilisent leur graisse pour s'éclairer, leurs os et leur peau pour construire leurs cabanes. J'ignore comment ces animaux peuvent ainsi lancer par un trou aménagé dans leur énorme dos arrondi un tel jet d'eau qui forme une véritable brume au-dessus d'eux. Car ils sont si nombreux dans cette mer que nous avons eu souvent l'occasion d'en rencontrer et d'en observer. Et il est vrai que si leur bouche est immense et que pourrait y passer un bateau de petite taille, cela leur est rendu impossible car elle est entièrement close par des sortes de longues dents étroites rangées côte à côte, si bien que seuls de petits poissons peuvent être aspirés par cette gigantesque ouverture.

« Tout au long de cette côte qui ne peut être parcourue qu'en plusieurs mois de navigation, nous n'avons rencontré qu'une île de belle taille, outre celle qui se trouve à l'entrée du détroit donnant accès à la mer Inférieure. Nous avons appris de la bouche de l'homme de Sumer qu'elle était consacrée au Soleil, le dieu Utu des Sumériens. Comme notre intention était d'y aborder, il nous l'a déconseillé en nous assurant qu'il était interdit d'y mettre les pieds. "Les impies qui ont osé s'aventurer dans cette île n'en sont jamais revenus", a assuré notre guide. J'ai demandé à Mérou si, d'aventure, il ne se serait pas agi de l'île du Ka, mais il a été formel, cette dernière est située au cœur de la Grande Verte, hors de vue de toute côte. Il a d'ailleurs précisé que nous nous trouvions trop éloignés du pays de Pount pour que les vents de la tempête, pour aussi violents et durables qu'ils aient été, aient pu entraîner aussi loin le vaisseau sur lequel il se trouvait. Je me suis alors demandé s'il ne s'agissait pas de l'île où était gardé le livre de Thot. Mais, dans ce cas, me suis-je dit, elle ne devrait pas être consacrée au Soleil. J'ai quand même voulu y aborder mais l'homme de Sumer avait entre-temps parlé de cette île en de tels termes que nos hommes manifestèrent la plus grande frayeur et ils exigèrent que nous nous en éloignions au plus vite. Dans sa sagesse, Amarsi me conseilla de ne pas les provoquer et j'ai ordonné qu'on fît force rames pour nous éloigner le plus rapidement d'une île qui a conservé pour moi tout son mystère. Car notre guide, s'il a su effrayer tout le monde, s'est révélé bien incapable de nous dire ce qu'il y avait de si terrifiant dans cette île. Car il semblait difficile d'imaginer un maître de cette île plus terrifiant que le serpent à tête humaine dont nous avait parlé Mérou à propos de l'île du Double ; or ce monstrueux serpent qui faisait songer à Apopi, le démon qui tente toujours en vain d'avaler la barque nocturne de Rê, ne s'était pas révélé un être particulièrement redoutable et sanguinaire. Il est vrai que nous avons pu discerner au loin dans le ciel d'énormes oiseaux qui volaient au-dessus d'une sorte de petite montagne qui se dresse au centre de l'île. L'homme de Sumer a assuré qu'il s'agissait d'oiseaux géants qui enlèvent les bêtes les plus lourdes dans leurs griffes et les donnent à dévorer à leur

276

progéniture qui vit dans des grottes au flanc de la montagne. Pour ma part, ces oiseaux ne m'ont pas paru suffisamment gros pour avoir la force d'enlever un homme, mais ils étaient trop loin pour que je puisse m'être fait une opinion solidement fondée.

« Après donc des décades et des décades de navigation, nous avons commencé à découvrir des villages d'une certaine importance tandis que la côte bifurquait en direction du sud. Certains villages présentaient des pontons pour qu'y accostent les bateaux de charge et nous avons alors pu nous entretenir avec les villageois qui parlaient la langue des gens de Meloukhkha. Ainsi avons-nous appris par eux que nous allions bientôt parvenir à l'embouchure d'un très large fleuve et qu'il faudrait le remonter pendant des jours et des jours pour enfin parvenir à la cité qui avait donné son nom au pays de Meloukhkha. Or, nous avons pu constater qu'ils ne nous avaient pas menti ; mais, en réalité, ce fleuve qui rappelle le Nil, possède plusieurs bouches. Nous aurions pris la première venue si nous n'avions pas embarqué avec nous un pêcheur d'un village voisin pour nous guider : il nous déconseilla de nous engager dans cette bouche qui traversait une région marécageuse. Il nous fit ainsi tenir encore la mer jusqu'au bras principal, lequel était d'une largeur exceptionnelle, plus encore que le Nil à la hauteur de Memphis. C'est dans ce fleuve que nous nous sommes engagés, quittant les rivages désertiques ou, tout au moins, arides de la côte pour nous engager dans des terres verdoyantes qui nous ont rappelé les rives du Nil ou celles du Purartu dans les environs d'Ur.

« Nous avons remonté ce fleuve pendant des jours et des jours, traversant des campagnes verdoyantes, bordées parfois de forêt très denses, passant au large de villes florissantes où nous relâchions pour une nuit. Nous n'aurions pas pris avec nous le guide de ce pays, nous nous serions arrêtés dès le premier port fluvial rencontré, mais il nous exhortait à poursuivre notre navigation toujours plus vers le nord, toujours plus profondément dans le pays. Nous avons pu voir que, contrairement à l'Égypte,

277

il ne constituait pas un royaume unifié, c'était comme en Sumer, des villes de plus ou moins grande importance qui restaient indépendantes. Mais, ce qui m'a frappé, c'est l'inexistence de remparts, contrairement aux cités du Sumer. Ce qui me laissait penser que ces villes, bien qu'autonomes, n'étaient pas dirigées par des princes ambitieux, désireux d'annexer leurs voisins. Comme j'en faisais la remarque à notre guide, il m'a répondu que les cités sont dirigées par les dieux et que les dieux ne se font pas la guerre.

« Enfin, après de nombreux jours de navigation, nous avons découvert la cité de Meloukhkha [1], entièrement construite en briques rougeâtres, aussi gigantesque que Memphis, qui déployait tout au long du grand fleuve une série de très hauts quais, eux aussi en briques, auxquels étaient amarrés de nombreux bateaux. Ces quais étaient bordés d'immenses entrepôts, témoins de l'activité commerciale de la cité et de l'importance du trafic qui passait par ses docks. Il est vrai que la ville est dominée par une sorte de citadelle enfermée dans un haut rempart de briques. Mais il nous a été dit que cette muraille est destinée à marquer le domaine des dieux plutôt qu'à défendre le lieu contre une armée ennemie, à moins qu'il ne s'agisse de troupes de démons, à ce qu'on m'a ensuite rapporté. Par ailleurs, la hauteur des quais et l'existence de murs épais dans la ville basse, du côté du fleuve, ont pour seule raison d'être de contenir le flot débordant du fleuve lors de trop fortes inondations, et de protéger ainsi les habitations, comme c'est le cas pour les murs de Memphis. »

La nuit étant déjà avancée lorsque Nékaourê fut arrivé à ce point de son récit. Bien que chacun en attendît la suite, et plus

---

1. Il s'agit, à l'évidence, du site voisin de l'Indus, dans l'actuel Pakistan, appelé Mohenjo-Daro, le plus important de cette riche civilisation contemporaine de celles du Sumer et de l'Égypte de l'Ancien Empire. Tout ce qui va être dit concernant les croyances et les mœurs des gens de Meloukhkha est fondé sur les résultats des fouilles archéologiques de la vallée de l'Indus, les représentations gravées sur les sceaux indusiens et les statuettes retrouvées dans les sites.

particulièrement Djedefhor qui songea aussitôt à Sidouri dont il lui avait été dit qu'elle s'en était retournée dans son pays, et qui attendait, sans vouloir poser de questions sur ce point, que son fils pût lui en donner des nouvelles. Il fut décidé d'attendre le lendemain pour écouter la suite des aventures de Nékaourê dans ces contrées lointaines dont personne en Égypte, excepté Djedefhor et les gens de son entourage, ne soupçonnait l'existence.

— Néky, dit Hénoutsen, tu vas pouvoir retrouver la résidence qui t'était réservée dans ce palais telle que tu l'as laissée car personne ne s'y est établi et nous nous sommes contentés de la garder propre et en bon état. Il te reviendra de décider plus tard de te faire construire ailleurs une belle demeure ou encore de t'installer dans l'une des donations que Khafrê t'a faites.

Nékaourê la remercia d'avoir pris un tel soin de ses biens, mais il n'ajouta aucun commentaire, car il préféra temporiser avant de lui faire savoir que son intention était de retrouver l'étroite chambre qu'il partageait avec sa jeune épouse dans un petit village au nord d'Héliopolis.

CHAPITRE XXVII

– Les gens de Meloukhkha, sont peut-être les plus accueillants des peuples de la terre.

Par cette constatation Nékaourê reprit le cours de son récit, lorsqu'en fut venu le temps.

– J'en donnerai d'abord pour témoignage la variété des couleurs de peau de la population de la ville et de tout le pays qui, en réalité, s'étend tout au long d'un fleuve aussi long que le Nil, m'a-t-il semblé, et bien plus large. Alors que nous autres Égyptiens nous nous reconnaissons entre nous, que seulement vers le sud, pardelà la passe méridionale nous trouvons des Nubiens à peau sombre, de la teinte des dattes mûres, on rencontre à Meloukhkha une très grande variété d'individus, comme si toute l'humanité était venue affluer dans cette large vallée. Il m'a semblé que la majorité de la population, dans la grande ville, ressemble aux gens d'Ur. Ils ont la peau claire, de grands yeux noirs, de longs cheveux sombres, mais, contrairement aux gens d'Ur et d'Uruk, ils ont, comme nous, des corps plus élancés. Mais on trouve un très grand nombre d'hommes et de femmes au teint sombre comme les Nubiens, parfois avec des lèvres épaisses et de larges nez comme certains habitants du sud de la Nubie, d'autres aux traits fins et allongés comme les gens de Kharou, d'autres encore qui ont le teint très clair, presque blanc, au point qu'ils m'ont paru être malades, mais j'ai été par la suite détrompé ; on en croise aussi qui ont le teint de la couleur de vieilles feuilles de papyrus et les yeux si étroits qu'ils ressemblent à deux fentes sous les sourcils. J'ai appris par la suite que ces gens au teint blanc et ceux au teint bistre viennent de contrées du nord, par-delà les hautes montagnes qui ferment la vallée au nord et à l'ouest. Plusieurs de ces gens ont souvent les cheveux de la couleur de l'or et des yeux de la teinte de la Grande Verte ou du lapis-lazuli. Tous ces gens vivent en paix et en bonne entente, à ce qu'on m'a dit et à ce qu'il m'a semblé.

« Il me sera donné de vous rapporter quelques-unes des merveilles de ces régions. Sachez, pour l'instant, que, dès que nous avons eu amarré notre bateau, un homme est venu vers nous sur le quai. À cette époque de l'année le fleuve était bas, comme le Nil peu avant la période de l'inondation, et il était cependant incomparablement plus large. Les quais sont très hauts, et s'élèvent en forme de gradins, constituant d'immenses escaliers, de sorte que, quelle que soit la hauteur des eaux, on peut toujours aborder. Cet homme nous a demandé si nous parlions sa langue, puis il a posé la même question dans la langue des gens du Sumer. J'ai répondu que nous parlions les deux langues dans lesquelles il s'était exprimé, ce qui a paru le satisfaire, mais il a continué de s'exprimer dans sa propre langue. Il m'a demandé qui était le capitaine du bateau, je lui ai répondu que c'était Amarsi, mais que j'en étais le propriétaire. Il nous a alors manifesté la surprise que lui causait la forme de notre bateau, car, en effet, nos vaisseaux égyptiens avec leurs coques élancées, leur poupe et leur proue relevées, sont totalement différents de ceux des Sumériens et de ceux de Meloukhkha. Je lui ai alors expliqué d'où nous venions et, profitant de sa présence, je lui ai donné les raisons de notre visite dans sa cité. Je m'attendais à ce qu'il nous fasse débarquer la marchandise pour percevoir des taxes, mais il n'en a rien été. Il nous a dit que si nous désirions procéder au troc de nos marchandises dans la cité de Meloukhkha, nous pourrions entreposer notre marchandise dans un local qui serait mis à notre disposition, car, avons-nous ainsi appris, bien que la ville où nous avions abordé soit la plus importante de la contrée, certains bateaux remontaient le fleuve bien plus en amont pour y trouver à meilleur marché du lapis-lazuli. Je lui ai répondu que, pour l'instant tout au moins, nous aurions aimé nous installer un certain temps dans sa ville pour y écouler une partie de notre marchandise en échange de produits de ce pays.

« J'avais gravi les marches pour me retrouver auprès de notre interlocuteur. Je l'ai salué à la manière de chez nous, ce qui semble l'avoir surpris ; j'en ai compris la raison par la suite, car on ne s'incline que devant la divinité suprême : pour ce faire, ils ne se prosternent pas non plus, ils mettent seulement un genou à terre et écartent les bras. La grande divinité de ce peuple n'est pas comme chez nous le dieu d'un clergé tels Rê, Thot ou Ptah, mais une grande déesse, plus puissante encore qu'Isis ou Hathor, car elle est seule à recevoir un culte. Chez ces gens la divinité se manifeste sous l'aspect d'une femme, le féminin prime sur le masculin.

— Dans ce cas, intervint Djedefhor, ce royaume a-t-il a sa tête un homme ou bien une femme telle cette Puabi qui a régné exceptionnellement sur Ur ?

— Ils ne sont gouvernés ni par un roi ni par une reine. Leur seule maîtresse est la grande déesse. Le pouvoir réel est entre les mains des anciennes, des femmes expérimentées choisies parmi les grandes familles. Néanmoins, elles prennent les ordres de la grande déesse. Car elle a un clergé composé de femmes, avec uniquement un seul homme qui en est le grand prêtre.

— Cette grande déesse a-t-elle un nom ? Une appellation particulière, comme nous avons Isis, Hathor, Nephthys ou Neith ? demanda Djedefhor.

— Oui, affirma Nékaourê en regardant son père, elle a pour nom Sidouri. Et c'est parce que c'est le nom de la grande déesse que nombreuses sont les filles de ce pays qui le portent aussi. »

Djedefhor se contenta de hocher la tête tandis que Nékaourê poursuivait ainsi son récit.

– L'homme qui était venu s'adresser à nous, poursuivit Nékaourê, me dit s'appeler Kanati et il était chargé d'accueillir les bateaux de commerce comme le nôtre. Il me montra un entrepôt dont je pouvais disposer pour stocker la marchandise que j'avais l'intention de troquer et me fit visiter dans le voisinage un local où je pouvais loger avec les hommes de mon équipage pendant mon séjour dans la cité. "Néky, me dit-il ensuite, car je lui avais dit mon nom après qu'il m'eut donné le sien, laisse ton capitaine diriger tes hommes pour le déchargement de ton bateau. Tu es un étranger de marque qui nous vient de loin ; il convient que je te conduise devant notre grand prêtre afin qu'il t'introduise devant le conseil des anciennes." J'ai bien volontiers accepté son invitation car j'étais curieux de rencontrer ces personnages. Il m'a alors entraîné à travers les rues de la ville, qui est une très vaste ville avec des rues larges bordées de hauts murs aveugles, car les maisons ne s'ouvrent pas sur les grandes artères mais sur les rues secondaires par de petites entrées, les pièces s'ordonnant toutes sur des cours intérieures, sur un ou même deux étages. Mais j'aurai l'occasion de parler de cette ville aux rues droites formant un quadrillage comme dans notre jeu de dames.

« La résidence du grand prêtre est située non dans la ville, mais sur cette citadelle que j'ai mentionnée, dont le sommet est entièrement couvert de constructions. Tout en marchant il m'a posé des questions sur mes origines, ma famille, mes intentions. Je lui ai dit que j'étais égyptien, ce qui n'a pas paru signifier grand-chose pour lui, je lui ai dit où se trouvait mon pays, que j'appartenais à une famille riche et puissante, sans lui expliquer ce qu'était un roi car il n'a pas cette notion et je n'ai pas non plus voulu lui dire que le roi chez nous était comme un dieu, ce qui l'aurait bien surpris. De mon côté, je lui ai demandé comment s'appelait le grand prêtre et quels étaient ses pouvoirs. Il m'a dit que, avant de prendre sa fonction, il avait un nom, mais qu'on ne pouvait plus ensuite le prononcer, car une fois qu'ils ont été intronisés dans leur sacerdoce les grands prêtres prennent le nom de Nandi : c'est le nom d'un taureau divin qui incarne la puissance génésique du mâle, un peu comme chez nous le taureau Hapi, ou encore Min dont nous disons qu'il est le taureau de sa mère car par ses capacités génésiques il maintient la puissance créatrice des hommes, il fait que les hommes sont toujours harcelés par le désir et ont le pouvoir de féconder les femmes qui sont dans le même temps leurs mères, leurs épouses et leurs filles.

— Dis-moi, Néky, l'interrompit Djedefhor qui songeait à cette Sidouri qu'il avait aimée à Dilmoun, comment là-bas sont vêtues les femmes ?

— Elles vont toutes les reins ceints d'un pagne étroit maintenu au-dessous du nombril à l'aide d'une large ceinture de peau ou de tissu pourvue d'une grosse boucle en or. C'est leur seul vêtement, mais, en revanche, elles arborent un nombre considérable de colliers en or et en perles, ainsi que des bracelets de poignet, de bras et de cheville. Mais, alors que les femmes de chez nous, lorsqu'elles vont faire leur marché, maintiennent sur leur tête à l'aide d'une main une cruche ou un panier, les femmes de ce pays coiffent un large panier fait de deux petits couffins placés de part et d'autre de la tête, maintenus par un corps central qui épouse la forme de leur crâne, de sorte qu'elles n'ont pas à le tenir. Il leur sert en même temps de chapeau pour les protéger des rayons du soleil. Cependant, il est nécessaire de bien répartir les charges dans chacun de ces petits paniers, afin qu'ils ne basculent pas et s'équilibrent mutuellement. Quant aux hommes, ils ne portent pas de pagne, ils vont nus, comme chez nous les bouviers et les charpentiers de bateaux qui travaillent près du fleuve, mais ils se parent aussi de colliers et de bracelets. Le seul homme qui soit vêtu est justement le grand prêtre. Celui que j'ai rencontré alors était un homme d'un âge moyen, au corps vigoureux. Il était vêtu d'une robe longue propre à sa fonction ; elle est en lin, ornée entièrement de broderies trilobées, maintenue sur une épaule par une broche, et passe sous le bras droit, laissant nue l'épaule droite. C'est, ai-je appris par la suite, le vêtement propre à son sacerdoce. Il portait une barbe très courte et bien taillée, tandis que ses cheveux, luisants de parfums gras, étaient fortement appliqués contre son crâne et maintenus par un bandeau d'or orné en son centre, sur le haut du front, d'une grosse pierre rouge comme du sang, très brillante, dont j'ignore la provenance.

« La colline basse sur laquelle est construit l'ensemble de bâtiments constituant la ville sacrée, est, en réalité, entièrement faite de main d'homme, en brique comme ces tours à étages des gens du Sumer, sur lesquelles on dit que descendent les dieux du ciel. Quoique la muraille qui l'enferme ne soit pas élevée dans un esprit de défense contre l'attaque d'ennemis, comme je vous l'ai précisé, deux tours jumelles encadrent la porte monumentale par laquelle on y accède. Mais cette ville haute sacrée n'est pas un temple avec son adyton où réside la statue du dieu. Il m'a été dit que, selon la croyance généralement répandue parmi les gens de Meloukhkha, Sidouri, qu'ils appellent aussi Kali, réside partout dans la nature qui est son véritable temple : elle se trouve dans les arbres dont elle fait monter la sève, et notamment dans une sorte de figuier aux feuilles oblongues qui lui est plus particulièrement consacré [1], dans les animaux dont elle est la maîtresse, dans tout ce qui est créé, dans tout ce que nous voyons autour de nous. La grande déesse n'est jamais représentée par une statue. Elle est censée se révéler par l'intermédiaire de l'une des femmes qui lui sont temporairement consacrées, comme la puissance fécondante se manifeste dans certains animaux et s'incarne dans le grand prêtre.

« Dans sa résidence sacrée la déesse est desservie exclusivement par des femmes. Je ne parle pas des servantes, chargées des

---

1. Il s'agit du pipal, autrement appelé *Ficus religiosus*, dont il est prouvé qu'il était lié à la grande déesse, tout autant que les représentations de taureaux et de tigres, ce qui marque son aspect de Maîtresse des Fauves.

besognes domestiques, qui sont recrutées dans les campagnes ou dans les familles pauvres de la ville. Les hiérodules attachées au service de la grande déesse sont des jeunes filles qui appartiennent aux plus grandes familles de la cité. Dès qu'elles atteignent l'âge de sept ans, elles sont placées entre les mains de femmes qui vivent dans l'enceinte sacrée et les forment pour devenir les servantes de la déesse : on leur apprend avant toute chose à marcher comme il convient, à parler le langage de la divinité, son histoire sacrée, les prières qui lui sont consacrées ; mais ce qu'on leur enseigne surtout, ce sont les danses qui conviennent au culte, la musique, les chants et, ce qui pour nous peut paraître étranger, les actes de l'amour. Car les gens de Meloukhkha ont élevé les relations amoureuses à un niveau qui fait qu'à leurs yeux c'est une forme de l'art. Et pourtant, il ne faut pas croire qu'on forme ainsi des courtisanes, car, selon ces gens, la connaissance des choses de l'amour appartient au domaine de la religion et apparaît comme un secret divin que l'on acquiert à la suite d'initiations. Ainsi, pendant sept ans ces jeunes filles sont formées pour devenir des servantes de la grande déesse et pendant sept ans elles restent à son service. C'est à elles que reviennent de pratiquer les actes du culte, de danser, chanter pour la divinité, exalter sa puissance et sa beauté, pratiquer son culte qui ne se fait pas devant une statue comme chez nous, mais devant l'une de ces filles, choisie par le grand prêtre, et en qui la déesse est censée s'être incarnée. Je dois aussi préciser qu'elles apportent le plus grand soin à rehausser leur beauté et doivent rester aussi propres que le sont chez nous nos prêtres. Si, contrairement à eux, elles gardent les cheveux longs, car il leur est interdit de les couper pendant toute la durée de leur sacerdoce, comme eux elles s'épilent tous les poils qui couvrent certaines parties de leur corps, les sourcils exceptés. Contrairement aux femmes qu'on croise dans les rues de la ville, elles ne ceignent pas de pagne. Leurs seules parures sont des bracelets qui, en s'accumulant avec les ans, car ils proviennent de cadeaux qui leurs sont faits par les hommes avec qui elles s'unissent, peuvent recouvrir presque complètement l'un de leurs bras et parfois une partie de l'autre, mais, en revanche, elles ne portent qu'un seul collier consistant en un cordon auquel sont suspendues trois grosses perles de lapis-lazuli. C'est par ce signe qu'on reconnaît une hiérodule.

« Pour en terminer avec ces prêtresses, elles exercent cette fonction pendant sept années puis, à l'âge de vingt et un ans, elles n'ont aucun mal à trouver un époux, bien qu'elles aient perdu leur virginité le jour où elles entrent au service de la déesse, à quatorze ans. Il est vrai que comme nous et contrairement aux gens d'Ur et, paraît-il, à ceux du Kharou et de Canaan, non seulement les gens de Meloukhkha n'attachent aucune valeur à la virginité, tout au contraire car, à leurs yeux, la condition de vierge est un état transitoire caractérisant un être imparfait, qui devient contre nature s'il persiste après que la fille a dépassé sa quatorzième année. C'est parmi les anciennes hiérodules de la grande déesse que sont ensuite élues les femmes chargées de gouverner la cité et de rendre la justice.

« Ainsi mon guide m'a conduit dans l'enceinte sacrée où s'accumulent les bâtiments destinés au logement des servantes de la déesse et de leur domesticité, ainsi que ceux qui sont nécessaires à la vie d'une telle communauté, j'entends par là cuisines, salles de repas, greniers à provisions préservés des rongeurs, et enceintes où sont gardés les animaux sacrés chers à la déesse. Parmi ceux-ci il y a quelques taureaux et des zébus assez proches de ceux que nous connaissons chez nous, mais aussi des sortes d'animaux qui ressemblent aux panthères que nous ramenons du pays des Nubiens, mais qui sont infiniment plus gros et dont le pelage, au lieu d'être moucheté, est rayé de bandes rousses, noires et blanches. Ces félins, appelés tigres, abondent dans les forêts de ce pays, et on en trouve même dans des végétations moins denses ; ils sont aussi dangereux et plus agressifs encore que les lionnes de nos déserts. Or, ce dont j'ai pu par la suite m'émerveiller, c'est que, lors de certaines manifestations du culte, la jeune fille qui a eu l'honneur de figurer la grande déesse, tout autant que celle qui a été désignée pour être la prêtresse du moment, après avoir coiffé une paire de cornes et accroché au bas de ses reins une longue queue attachée avec un cordon autour de ses hanches, joue avec ces bêtes, tigres et taureaux, et effectue tout près d'elles toutes sortes de danses sans marquer la moindre crainte, avec une audace impressionnante.

« Le centre de cet ensemble monumental est constitué par un grand bassin semblable aux lacs sacrés de nos temples, de forme rectangulaire, mais beaucoup plus profond puisqu'il mesure une fois et demie la hauteur d'un homme. Il est entièrement fait de briques cuites et muni, sur chacun de ses petits côtés, de marches qui permettent de descendre dans l'eau qui le remplit en permanence. J'ai pu voir, par la suite, que l'eau était amenée dans le bassin par une rigole partant d'un puits voisin d'où elle était tirée en permanence, et vidée au fur et à mesure par une ouverture qu'on pouvait fermer à l'aide d'une vanne, d'où l'eau s'évacuait par un canal couvert. Ce bassin dans lequel les servantes de la déesse font leurs ablutions et où elles nagent chaque matin et avant chaque manifestation du culte, est protégé par un toit soutenu par une série de piliers dressés sur un muret de brique qui entoure entièrement le bassin et dans lequel sont aménagés des accès.

« C'est dans une salle voisine de ce bassin que m'a accueilli le Nandi. Il lui a paru très naturel que je parle sa langue, mais il a tout de même remarqué que j'avais un accent curieux, ce qui venait du fait, selon ce qu'il a déclaré, que je n'avais pas vécu suffisamment longtemps dans son pays. À quoi il a ajouté qu'il serait facile d'y remédier car il m'a invité à séjourner dans la cité tout le temps qu'il me plairait. Incitation pour laquelle je l'ai remercié tout en me disant à part moi que mon seul désir était de me hâter d'écouler ma marchandise et de repartir chargé des trésors que j'étais venu chercher si loin. À la fin de l'entretien que m'a accordé le Nandi, il m'a raccompagné jusqu'à la porte de la cité sacrée pour me laisser entre les mains de mon guide. J'ai alors eu l'occasion de voir les hiérodules qui, lors de mon arrivée, étaient réunies dans diverses salles pour suivre les enseignements qui leur sont dispensés ou encore pour préparer les prochaines cérémonies du culte qui sont nombreuses, mais se font toujours à l'extérieur de la ville. Elles vaquaient alors à diverses occupations tandis que certaines se baignaient dans la piscine. Il faudrait ne pas être un homme pour demeurer insensible aux charmes de ces jeunes filles et ne pas désirer demeurer parmi elles. Mais je n'eus pas réellement l'occasion de m'attarder dans les spectacles qu'elles offraient en toute innocence. Je songeais néanmoins, qu'il valait mieux que les hommes de mon équipage ne les vissent pas de trop près, de crainte qu'ils ne veuillent plus jamais retourner dans leur pays. Et moi-même, ayant encore à l'esprit l'aventure qui m'était arrivée à Uruk, je me hâtais de m'éloigner et de regagner les quais du fleuve où mes hommes terminaient de vider les cales de notre navire. »

CHAPITRE XXVIII

L'arrivée de Khentkaous en compagnie d'Ouserkaf, avait mis un nouveau terme au récit de Nékaourê. Ce dernier fut étonné de voir que la petite reine et le jeune prêtre se tenaient par la main comme aimaient à le faire les amoureux et les jeunes mariés qui se sont unis poussés par la volonté d'Hathor et non par celle de leurs parents. C'est Djedefhor qui se chargea de présenter Khentkaous à Nékaourê qui ne la connaissait pas.

— Hori, lui dit-il, voici la sœur et épouse de ton cousin Shepseskaf. Mais ce n'est un secret pour personne que je suis son véritable père en raison de défaillances de mon neveu Mykérinos. Tu peux donc la regarder non comme ta cousine, mais comme ta sœur, ce qu'elle est en vérité, puisque c'est moi ton véritable père, et non mon frère Khafrê.

Les deux jeunes gens saluèrent le voyageur dont ils apprenaient du même coup qu'il était fils non pas de Khéphren mais de Djedefhor.

— Quelles nouvelles nous apportes-tu de ta mignonne petite fille Maâtkha ? demanda Hénoutsen à la petite reine.

Puis, se tournant vers Néferhétépès avec un sourire, elle lui fit remarquer qu'avec Maâtkha, elle était trisaïeule.

— Hénoutsen, lui dit alors Nékaourê sans flatterie, il est merveilleux que le temps passe sur ton front en ne laissant que de bien légères traces.

290

— Il n'en demeure pas moins qu'il passe et que je me rapproche chaque jour du dernier que je suis destinée à voir ; mais je serais bien ingrate de m'en plaindre moi qui ai vu passer et disparaître tant de rois qui étaient mon beau-père, mon époux, et mes fils et petits-fils.

— Maâtkha est entre les mains de sa nourrice, se décida à répondre Khentkaous. Elle pleure encore beaucoup, ce qui me dérange.

— Il faudra que tu me l'apportes un jour prochain. Et en quel état as-tu laissé ton royal époux ?

— Sa Majesté m'obéit comme je l'entends. Mais il est vrai qu'il est encore malade. Une colique le tient cloué sur son lit. Il a heureusement sa bonne Bounefer pour s'occuper de lui et ses médecins... encore que je ne sache quelle confiance leur accorder, en particulier à Héqeq qui commence à vieillir et dont on dit qu'il n'a su prolonger ni la vie de mon grand-père Khafrê ni celle de Menki. Il est vrai que le royal père de Shepsi a fait tout son possible pour ne pas faire mentir une prophétie lancée par on ne sait trop qui, ni sur quelle initiative.

Chacun dans l'assemblée familiale, Nékaourê excepté, avait saisi toutes les allusions que contenait le petit discours de la jeune reine, et chacun savait qu'elle s'en formalisait d'autant moins qu'elle montrait un goût pour le pouvoir dont on murmurait qu'elle le tenait de son aïeule Hénoutsen, en suite de quoi il n'était pas dans sa nature de déplorer de telles pertes. Hénoutsen ne cachait d'ailleurs pas l'admiration et l'amour qu'elle portait à la jeune fille en qui s'unissaient le sang de son fils bien aimé Khéphren et de Djedefhor pour qui elle avait toujours conservé la plus vive affection mêlée à une profonde admiration.

— Ouserkaf est venu m'avertir que Nékaourê venait de rentrer de son grand voyage, dit ensuite Khentkaous, et j'ai été curieuse de voir et d'entendre ce cousin que je ne connaissais pas. Et voici, mon père, que tu m'apprends en plus qu'il est mon frère, ce qui me le rend plus cher.

– Tu vas pouvoir écouter la suite d'un long récit dont il se chargera sans doute de te conter une autre fois les premiers épisodes, dit Hénoutsen. Mais nous commençons à avoir faim et nous allons nous restaurer avant d'écouter ce que Néky a encore à nous raconter. Car il nous a paru qu'il était encore loin d'en avoir terminé avec son aventureux périple.

– Je ferai tout mon possible pour être bref, assura Nékaourê, quitte à donner plus de détails par la suite à ceux qui désireront les entendre.

– Hâtons-nous alors de manger car je suis impatiente d'entendre ce que mon frère va pouvoir nous apprendre sur les peuples lointains chez qui il a vécu, conclut Khentkaous en allant s'asseoir auprès d'Hénoutsen contre qui elle se serra en lui enlaçant la taille.

Après un repas léger rapidement avalé, Nékaourê reprit ainsi le cours de son récit.

– Je ne me serais sans doute jamais attardé dans une cité si riche en tentations si je n'avais un jour reçu une visite qui changea tout le cours de ma vie.

« L'homme qui nous avait reçus le jour de notre arrivée, Kanati, s'est institué notre guide en toute chose. Il nous a expliqué qu'ils étaient plusieurs scribes comme lui chargés de recevoir les marchands étrangers, de leur procurer logis et entrepôts pour leurs marchandises, de les conseiller en toute chose et de les mettre en relations avec les négociants du pays pour conclure des affaires. Ils ont leurs bureaux sur les quais et attendent qu'abordent les bateaux pour venir à eux et leur proposer leurs services, sans d'ailleurs se les faire payer car ils sont entretenus par la cité. Aussi, non content de nous faire connaître les marchands susceptibles de s'intéresser à notre fret, il nous conseillait les tavernes où il était possible de se nourrir, de faire des maisons de bière et de rencontrer des filles de plaisir. Pour ma part, ce qui m'intéressait, c'est la façon dont ces gens ont organisé leur ville. J'ai dit que les rues sont larges, bordées des hautes maçonneries aveugles de brique des quartiers de maisons et que ces dernières s'ouvrent par d'étroites portes sur des petites rues adjacentes. Ce souci est justifié non par un désir de s'isoler totalement de l'extérieur et d'échapper à la curiosité des voisins, mais pour que les maisons ne soient pas envahies par la poussière soulevée par le passage des piétons et surtout de leurs chariots. Car si l'âne est bien utilisé, les lourds transports se font sur des cadres de bois montés sur deux grandes roues de bois plein, comme on le voit aussi au pays de Sumer. Ces véhicules sont tirés généralement par de robustes bœufs à bosse, car ils sont toujours lourdement chargés. Les rues sont pavées de briques, mais quand le vent souffle de l'ouest, ce qui arrive souvent, il accumule comme chez nous le fait le vent du désert, une fine poussière qui se dépose en masse dans les rues et se soulève très facilement, contrairement au sable de nos déserts qui sont moins légers et restent au sol même foulés par les sabots des ânes.

« Mais ce que j'ai plus admiré que tout, c'est la manière dont ils ont résolu les difficultés que soulève l'évacuation des eaux usées et des déchets de cuisine. Alors que nous sommes obligés de porter ces derniers dans le fleuve et de creuser des fosses profondes dans chacune de nos demeures pour y jeter les eaux sales, ils ont aménagé tout un réseau de canaux souterrains pour conduire eaux et déchets directement dans le fleuve. Au milieu de chacune des grandes rues est creusé un canal ensuite recouvert, mais dans cette couverture de briques sont aménagés des regards qui permettent à des hommes spécialisés, munis de pelles et de bâtons, de retirer les déchets lorsque, trop accumulés, ils bouchent les égouts. Et à ces canaux s'embranchent des conduits qui partent de chacune des maisons. Ils s'ouvrent en général dans une salle où est creusé un puits ; car il faut admirer que dans chaque demeure importante soit creusé un puits par lequel la famille s'approvisionne en eau. La proximité du fleuve fait qu'il n'est pas besoin de creuser profondément pour trouver la nappe phréatique. Et moi, en voyant tout le confort que ces gens ont réussi à instaurer dans leur cité, j'ai songé que nous sommes capables d'ériger des tombes prodigieuses pour nos rois, mais que nous n'avons réussi ni à paver nos rues, ni à construire ces ensembles d'égouts et de puits qui permettent d'avoir une ville toujours propre et de l'eau dans toutes les demeures.

— Voilà certes une chose admirable, reconnut Khentkaous, mais il aurait fallu que nos ancêtres songeassent à tout cela en fondant nos villes, car on voit difficilement maintenant comment remédier à de tels manques. Et vois encore : depuis maintenant trois règnes nous n'avons construit aucun nouveau palais, et moi-même je réside avec mon royal époux dans celui que s'est fait bâtir le dieu Khéops, un ensemble devenu bien hétéroclite qu'on entretient comme on peut. Et ce n'est pas ce pauvre Shepsi qui serait capable de se faire construire un nouveau palais... bien qu'il ait commencé à se faire bâtir sa pyramide, un monument qui, si d'aventure il parvient à en voir l'achèvement, fera bien triste figure à côté de celles de nos ancêtres.

— Khentkaous, intervint Nékaourê, j'ai appris que Mykérinos s'est contenté d'une petite tombe, afin de ne plus épuiser le peuple de la Terre noire en de folles constructions, et je l'en féliciterais s'il était toujours parmi nous. Il faut plus encore louer ton époux de renoncer à se faire ériger un nouveau monument destiné à rivaliser avec ceux de ses ancêtres, tout autant que de se contenter du palais où ont vécu des rois aussi glorieux que Khoufou et Khafrê.

— Je vois que mon frère a acquis cette sagesse tant prisée par notre père, lui répondit Khentkaous. Il faut cependant que tu saches que mon royal époux a entrepris de se faire construire un palais vers la nécropole de Sokaris où il fait bâtir sa tombe, et qu'il a attelé à cette tâche un bon nombre d'hommes. Mais cessons de nous disperser et poursuis ton récit. Dis-nous enfin la raison pour laquelle tu n'es pas parti aussi vite que tu le pensais de cette ville qui semblerait devoir nous servir de modèle.

Nékaourê ouvrit alors la bouche et dit, en regardant Djedefhor :

— Après avoir appris que les femmes portant le nom de Sidouri se comptaient par milliers dans ce pays, je n'ai pas cherché à m'enquérir de celle dont tu nous as parlé, celle que tu as aimée lors de ton séjour dans l'île de Dilmoun. J'avais donc renoncé à m'enquérir d'elle, mais c'est finalement elle qui est venue à moi. Nous étions installés à Meloukhkha depuis de nombreux jours et nous avions commencé à écouler une bonne partie de notre marchandise, lorsqu'une jeune fille est venue me demander dans le bureau où nous nous étions installés. J'étais absent lorsqu'elle s'est présentée à Amarsi à qui on l'avait envoyée. Lorsqu'on me l'eut décrite seulement parée de bracelets, je compris qu'il s'agissait de l'une des hiérodules de la grande déesse. Amarsi me fit savoir qu'elle avait appris qu'un bateau étranger était amarré aux quais, que son équipage venait des mers du couchant et que son propriétaire était un Égyptien, raison qui l'avait conduite à venir nous voir, et elle avait demandé à me rencontrer. Elle lui avait dit s'appeler Eanita et qu'elle reviendrait un autre jour.

« Déjà, la seule description qui m'a été donnée d'elle, car Amarsi m'a vanté sa grâce et sa beauté, m'aurait incité à aller au-devant d'elle si, en outre, je n'avais été profondément intrigué par une telle démarche. Je me suis alors adressé à Kanati après quelques hésitations, car je ne savais pas si la démarche qu'avait faite cette jeune fille était autorisée. Lorsque je lui eus dit son nom, il m'a regardé avec un air que je n'ai su très bien interpréter : réjoui, admiratif, étonné, les trois à la fois ? Il a alors suggéré qu'elle avait dû m'apercevoir lors de notre visite au Nandi et que je l'avais séduite. Il précisa que j'avais bien de la chance car c'était, à son avis, l'une des plus jolies hiérodules de la déesse. Je lui ai demandé ce qu'il pensait qu'elle me voulait, et il m'a assuré qu'elle voulait certainement s'unir à moi. Malgré l'expérience que j'avais eue avec la courtisane d'Uruk, j'avais trop longtemps vécu loin de toute femme pour ne pas me sentir prêt à satisfaire toute requête de ce genre, venant d'une personne dont on me disait tant de bien, en tout cas pour ce qui concernait son apparence. Et comme il m'était apparu que les mœurs des servantes de la grande déesse de Meloukhkha étaient bien différentes de celles des hiérodules d'Inanna, je n'avais pas à redouter de me laisser dépouiller de tous mes biens.

« J'ai alors demandé à Kanati s'il était disposé à me conduire auprès d'elle, mais il me répondit que, ce jour, les filles de la déesse devaient sortir de la ville pour aller dans la jungle voisine célébrer le culte de cette Sidouri qui, précisément, devait être représentée par cette Eanita, de sorte qu'il n'était pas question que j'aille la rencontrer dans la ville sacrée. Mais il me dit que, en revanche, je pourrais la voir tout à mon aise car la fête de ce jour, qui devait commencer lorsque le soleil baisserait sur l'horizon et que monterait dans le ciel la lune pleine avant que ne se couche le soleil, se faisait en public, devant tout le peuple de la ville, ou, tout au moins, ceux qui désiraient y participer passivement. Sa proposition a d'autant plus piqué ma curiosité qu'il ne me déplaisait pas d'assister à une fête de la déesse. Il est donc revenu me chercher à un moment convenu vers la fin de l'après-midi et nous avons pris une barque pour remonter le fleuve sur une certaine distance. Nombreuses étaient d'ailleurs les barques qui transportaient ainsi les gens de la cité, désireux de participer à cette fête de la déesse, mise en relation avec la conjonction dans le ciel de la lune et du soleil. Nous avons débarqué et quitté des champs cultivés pour nous enfoncer dans une végétation clairsemée de hautes herbes et d'arbres feuillus où j'ai pu apercevoir des éléphants différents de ceux que nous pouvons rencontrer en Nubie et que j'avais eu l'occasion de voir lors de ma navigation vers les côtes occidentales du pays de Pount.

« Étant étranger à ce pays, je n'ai pas compris le sens des rites dont j'ai été le spectateur au milieu d'une foule rassemblée dans une grande clairière, mais j'ai vu Eanita, et je n'ai alors plus vu qu'elle tant j'ai été fasciné par la beauté autant de son visage que de son corps. Je ne l'ai d'abord aperçue que de loin car elle se tenait debout à la fourche d'un arbre, la tête surmontée d'une coiffe faite de deux cornes de buffle. Elle restait droite, immobile entre deux grosses branches qui s'élançaient vers le ciel, les bras ouverts. Au bas de l'arbre une hiérodule, devenue pour la cérémonie la prêtresse de la déesse, demeurait un genou sur le sol, près d'un taureau qu'elle tenait par une laisse, comme une offrande. Et un peu en retrait, dansaient sept jeunes filles, une longue feuille d'un arbre inconnu de moi plantée dans leur abondante chevelure.

« Ce n'est pas le lieu de vous rapporter les détails de la liturgie, ce dont je serais d'ailleurs incapable, mais, à la fin de la cérémonie, la jeune fille en qui était censée s'être incarnée la déesse, descendit de son arbre et, à son tour, elle a dansé autour du taureau, sauté entre ses cornes, s'est éloignée comme pour lui laisser du champ pour charger, enfin m'a causé bien des craintes avant de se décider à mettre un terme à cette sorte de jeu sacré. Elle s'est alors avancée parmi la foule qui s'est agenouillée sur son passage et chacun tendait la main pour la toucher, comme pour se charger de la puissance magique de la divinité incarnée en elle. Ainsi est-elle passée devant moi, sans me distinguer des autres, et je n'ai pu m'empêcher de toucher sa peau tiède et douce, à peine une caresse qui a fait que je n'ai dès lors plus pensé qu'à elle.

« Naturellement, après cette première vision, je n'avais plus qu'un désir, la rencontrer et savoir pourquoi elle avait voulu me parler. Ce moment arriva bientôt, dès le lendemain, mais il me sembla que l'attente avait duré plus d'un mois. Elle me parut plus charmante encore dans son aspect de hiérodule que dans son office de déesse. Elle me demanda de ne pas m'offenser de sa curiosité car si elle avait cherché à me rencontrer, c'était pour savoir si je pouvais lui parler de mon pays, car, m'apprit-elle, son père, qu'elle n'avait jamais connu, était un homme venu d'Égypte. Alors, je n'ai pu m'empêcher de lui demander si sa mère ne s'appelait pas Sidouri. Elle a été dans le même temps surprise et heureuse de ma question car elle impliquait que je connaissais son père. Elle me dit que c'était bien son nom et que sa mère avait connu son père alors qu'elle séjournait dans une île lointaine appelée Dilmoun. Oui, Hori, cette Eanita était ta fille et moi, je me croyais son cousin, alors que j'étais son frère ! »

Djedefhor se contenta de hocher la tête car il s'était bien attendu à une semblable révélation.

– Ainsi, continua Nékaourê, je venais de retrouver la fille de celle que je cherchais, sans l'avoir voulu. Lorsque je lui eus fait savoir que je te connaissais et que j'avais entendu de ta bouche l'histoire de tes amours avec sa mère, elle me pria de l'accompagner chez elle, auprès de Sidouri. Et, en voyant la mère, encore si belle et si jeune, j'ai compris que tu en fusses si éperdument tombé amoureux. Il faut que tu saches, Hori, mon père, que Sidouri est originaire de cette ville, et c'est là qu'elle est revenue pour mettre au monde la fille qu'elle a eue de toi. Restant dans le métier qu'elle avait appris avec son père, elle a fondé à Meloukhkha une taverne qu'elle a tenue avec les serviteurs qui l'avaient accompagnée à Dilmoun. Lorsque je lui ai fait savoir que tu étais mon oncle, elle m'a fait part de la douleur qu'elle avait ressentie en voyant que tu l'abandonnais avec l'enfant qui était en elle, et que, sans cela, sans cet enfant, elle se serait abandonnée au flot pour s'y noyer. J'ai alors défendu ton action, lui rappelant que les gens de Dilmoun s'étaient lassés de la présence de ton équipage, que tu avais été obligé de ramener à bon port le bateau, mais que tu étais revenu pour la chercher, pour te faire pardonner d'avoir dû la quitter d'une manière aussi condamnable, sans doute, mais il t'avait été difficile d'agir différemment. J'ai bien précisé que tu avais été désespéré de ne plus la retrouver et que c'est la mort dans l'âme que tu avais repris la route de l'Égypte. Je ne sais si j'ai réussi à la convaincre réellement. Toujours est-il qu'elle m'a accueilli en manifestant une grande joie, et elle m'a finalement déclaré qu'elle te pardonnait parce que tu lui avais laissé le plus grand des trésors qui était sa fille, ce dont je ne disconvins pas.

« Afin de rester bref, je dirai simplement que Sidouri m'a invité à venir m'installer dans son auberge où elle logeait parfois des étrangers de passage, ce que j'ai accepté sans balancer, bien que je susse que sa fille n'y habitait pas, qu'elle ne faisait qu'y venir parfois. Cependant je me trouvais présent chaque fois qu'elle s'y rendait et je m'arrangeais toujours pour lui faire un présent prélevé sur ma cargaison.

« Mais, au bout de trois mois, nous avions trouvé preneur de toute notre marchandise et avions, à la place, rempli l'entrepôt qui nous était alloué de produits à rapporter à Ur. Sidouri, avec qui j'étais devenu intime, à qui j'avais souvent parlé de la Terre noire, de mes navigations et aussi de toi, Hori, car elle ne tarissait pas de questions à ton sujet, Sidouri, donc, sachant que le bateau était prêt à reprendre la mer après avoir redescendu le cours du fleuve, se décida à ouvrir la bouche et me dit : "Néky, quand tu seras parti, je regretterai ta présence, mais je ne serai pas la seule. Car je ne veux pas te cacher que ma chère petite Eanita s'est éprise de toi. Et elle t'aime d'autant plus que, bien que tu aies paru sensible à sa beauté, tu n'as pas cherché à la séduire et à faire avec elle ce que les hommes font pour quelques moments de plaisir puis s'éloignent quand est venue la lassitude. Elle sera certainement très malheureuse en apprenant ton départ." Ce qui est admirable, c'est que cette jeune fille, pourtant si libre pour ce qui concernait les choses de l'amour physique, comme toutes les filles de ce pays, était restée avec moi si pudique et si discrète sur l'amour qu'elle me vouait. Et moi-même j'avais conservé la même contenance, aussi bien parce que je restais encore sur mes gardes dans les relations amoureuses que je pouvais avoir avec des étrangères, que par respect de celle qui avait allumé en mon cœur la grande flamme d'Hathor. Mais enfin, par la révélation qu'elle venait de me faire, Sidouri m'avait rassuré quant aux sentiments que sa fille me portait. Alors je l'ai regardée et je lui ai dit : "Sidouri, ce que tu viens de me dire pourrait changer tout le cours de ma vie. Vois : moi-même je ressens la plus vive passion pour Eanita, même si je suis resté distant, par respect pour elle. Mais si ta bouche est sincère, je suis prêt à laisser partir le bateau sans moi afin de demeurer auprès de toi et d'Eanita car je sais que là est mon bonheur, là est ma raison de vivre." Elle m'a alors demandé de rester, et j'ai fait ce que j'ai dit. Je suis allé voir Amarsi, je lui ai dit de rentrer à Ur avec la cargaison, de voir si le voyage avait été productif et si on avait gagné à aller directement chercher les produits à leur source. Et, s'il en était bien ainsi, de recommencer une telle expédition, d'établir une véritable liaison avec Ur.

« Ainsi a-t-il fait, ainsi suis-je resté à Meloukhkha. J'ai alors pu m'unir à Eanita et je l'ai épousée selon les rites de ce pays lorsqu'elle a atteint sa vingt et unième année et qu'elle a été libérée de ses obligations de hiérodule. Je m'étais installé dans l'auberge de Sidouri, mais, afin de ne pas être à sa charge, j'avais organisé un trafic de marchandises avec les villes qui sont au nord du grand fleuve de Meloukhkha, par lesquelles se fait en particulier le commerce du lapis-lazuli. Par la suite, je suis devenu le représentant de la ville d'Ur à Meloukhkha où j'ai eu mes entrepôts, car Amarsi est revenu commercer au nom de Shinab, non plus avec un mais deux, trois et même, une fois, quatre bateaux. L'année qui a suivi mon mariage, Eanita a mis au monde une fille qui a reçu le nom de sa grand-mère. Deux ans après elle me donnait une seconde fille qui fut appelée Eanita, comme sa mère. Et moi, je m'enrichissais considérablement car je faisais le commerce du lapis-lazuli et j'avais organisé une affaire d'exploitation des mines d'or de la région. Car on trouve de l'or en abondance dans des montagnes où je ne suis jamais allé, ne pouvant m'éloigner de Meloukhkha, aussi bien à cause de mes affaires que d'Eanita qui ne supportait pas que je m'absente plus d'une journée. On m'a assuré que ce précieux métal est mis au jour par des sortes d'énormes fourmis, mais que les régions aurifères sont gardées par d'étranges animaux qui rendent périlleuses son exploitation, des griffons qui sont des sortes de félins pourvus de gros becs d'oiseaux. Je n'en parle que par ouï-dire, car je n'ai jamais vu d'animaux de cette sorte.

« Il m'arrivait de moins en moins de penser à la Terre chérie car le pays de Meloukhkha était devenu ma patrie et y vivait la femme qui était ma compagne et la mère de mes enfants. Il convient maintenant que je précise que mon commerce et celui de Sidouri avec sa taverne nous avaient suffisamment enrichis pour que, à l'instar les gens aisés de la ville, nous ayons pu faire construire une belle maison dans un jardin à une certaine distance au nord de la ville ; nous allions plus particulièremen y passer les grosses chaleurs de l'été. Ce pays, contrairement à la vallée du Nil, connaît une période où il s'abat sur la région de très fortes pluies et où les vents sont souvent d'une violence extrême. Pour nous rendre dans cette maison assez éloignée, nous disposions d'un bateau qui nous appartenait avec lequel nous nous déplacions avec nos serviteurs. Eanita se plaisait de plus en plus dans cette demeure où elle retrouvait les animaux qu'elle aimait : des singes qu'elle élevait, des chiens de petite taille au poil brun, et même des tigres au-devant desquels elle allait dans la jungle toute voisine. Car je ne sais si c'est parce que sa déesse continuait de l'habiter, mais ces redoutables animaux se laissaient approcher par elle sans manifester leur agressivité.

« Or, elle décida un jour de se rendre dans cette maison avec ses enfants, ceci malgré les avis de sa mère qui lui représentait que le temps n'était pas sûr, qu'une tempête risquait de se lever, qu'elle serait alors plus à l'abri en ville que dans la maison de la jungle. Mais aucun argument ne parvenait à faire changer d'avis Eanita lorsqu'elle avait pris une décision. Et moi, de mon côté, il m'était impossible de partir dans l'immédiat avec elle car j'attendais l'arrivée imminente d'un bateau chargé de lapis-lazuli, d'or et de marchandises précieuses dont je devais surveiller personnellement le déchargement. Sidouri a alors décidé d'accompagner sa fille. Et voici : peu de temps après le départ du bateau qui emportait ma femme bien-aimée, nos deux filles et Sidouri, une

301

tempête terrible s'est levée, le vent a soufflé comme jamais je ne l'avais encore vu, une pluie d'une violence inouïe s'est abattue sur la contrée, le ciel, devenu noir en plein jour, était sillonné d'éclairs. Et le pire que je redoutais est arrivé : le bateau, comme tous ceux qui s'étaient encore trouvés sur le fleuve dont les eaux étaient aussi agitées que celles de la Grande Verte lorsque soufflent les vents du nord, a été renversé et en quelques instants j'ai perdu ma famille et tout ce qui faisait mon bonheur. J'ai aussi appris, en même temps que la mort de ma femme, de mes enfants et de ma belle-mère, que le bateau qui m'apportait les marchandises du nord avait aussi coulé, et la violence de la tempête avait été telle que mes entrepôts avaient été ravagés par le flot débordant du fleuve et la force du vent. Mais rien de tout cela m'importait, je n'y prêtais même pas attention.

« Ma douleur a été telle que j'ai cru en perdre mon âme. J'ai alors tout quitté, tout abandonné, et je suis parti dans la forêt, en espérant être rapidement tué par un tigre ou l'un de ces serpents semblables à ceux de chez nous dont la morsure est mortelle. J'ai marché je ne sais combien de temps, comme quelqu'un qui a perdu les sens. Je ne me rappelle plus m'être nourri sinon de racines et de baies, et avoir bu l'eau que je trouvais. Et un jour, alors que j'errais dans une forêt, j'ai rencontré un homme en méditation. Nombreux, dans ce pays, sont les hommes et aussi les femmes qui pratiquent des exercices où sont unies l'ascèse et la méditation. Ils se tiennent comme nos scribes, les jambes croisées sous eux, les mains posées sur les genoux. Je ne sais s'il a compris ou senti mon affliction et mon désarroi, ce qui devait aussi se voir à mon apparence, car j'avais laissé pousser les poils de mon visage, et j'avais fortement maigri. Il m'a parlé d'une voix douce et persuasive, et je suis venu m'asseoir auprès de lui. Il m'a interrogé, je lui ai confié mes malheurs. Il m'a répondu que si je m'étais détaché du monde, si je n'avais pas été dominé par mes désirs et agité par des passions, je n'aurais pas souffert, j'aurais tout envisagé, même les pires infortunes, les plus terribles vicissitudes, comme des maux qui ne pouvaient toucher mon âme sereine.

« Je ne m'attarderai pas sur la vision des choses qu'il m'a inculquée, car sachez que je suis resté auprès de lui pendant près de deux ans ; avec lui j'ai vécu nu dans la forêt, en méditation, me nourrissant de peu de choses, exerçant mon corps et mon esprit à s'abstraire de soi et de toute contingence, dans la mesure du possible. Il faut cependant que vous sachiez que, selon ce sage dont le nom était Agastya, ce qui anime notre corps et garde de soi une conscience, en fait, ce que nous autres appelons l'âme, passe de corps en corps selon le rythme de la naissance et de la mort. Et la vie n'est que souffrance, les passions tiennent nos âme enchaînées aux corps et nous aspirons à une vaine incarnation. Le but de la sagesse est de se dépouiller de toute passion afin de cesser de revivre éternellement, afin de se fondre dans le grand tout. J'ai été amené à lui parler de nos sages, en particulier de ce Djedi qui a vécu dans le désert et a prédit la fin de la lignée de Khéops, et aussi de cet homme que notre grand-père a rencontré en ce lieu où il a fait bâtir la pyramide Lumineuse. Il a déclaré que ce Djedi est un faux sage, alors que Philitis est un sage venu des montagnes du nord. Je vous reparlerai tout à l'heure de ces montagnes. Selon lui, ce Philitis a acquis une forme d'immortalité dans la mesure où il ne cesse de se réincarner par amour de l'humanité et pour la conduire à la sagesse. Et lorsque je l'ai eu entretenu de Khéops et de la disparition de son corps dans la Douat, il n'a pas eu l'air surpris, il m'a dit que sa dépouille était devenue son corps de lumière et qu'il était sans doute parti pour la véritable Douat, celle qui se trouve dans un autre monde. Je n'ai d'ailleurs jamais pu réellement savoir s'il s'agissait, dans son esprit, d'un monde par-delà celui que nous connaissons, derrière les montagnes que j'ai mentionnées à l'instant, ou encore dans le monde des étoiles, loin de notre terre.

« Le temps passant, au fil de mes méditations, en cheminant sur la voie de ce que j'espérais être la sagesse suprême, les blessures de mon cœur se sont cicatrisées et Eanita est restée auprès de moi comme un tendre et heureux souvenir. Et il en est allé de même pour mes enfants et pour Sidouri. J'ai alors cru avoir atteint le degré de sagesse que sanctionne le véritable détachement des choses de ce monde, monde qui serait une illusion de nos sens. Et comme Agastya, le sage de la forêt, m'avait parlé d'un lieu mystérieux, par-delà de très hautes montagnes, j'ai désiré parvenir dans ce monde où, m'avait-il fait savoir, vivent les dieux et les sages qui gouvernent l'Univers. Il ne chercha pas à me retenir lorsque je lui fis savoir que je m'apprêtais à le quitter pour partir en quête de ce lieu. Il me dit qu'il suffisait que je marche toujours en direction du nord. Il me serait alors fait une obligation d'escalader des montagnes où règne le froid. "Si tu as vraiment acquis la connaissance de la sagesse et la totale maîtrise de ton corps, tu pourras aller toujours nu, comme tu l'es en ce moment dans cette chaude forêt, le froid ne t'atteindra pas. Mais si tu ressens la piqûre du froid, la morsure des vents glacés, alors hâte-toi de redescendre dans la vallée, car tu n'as pas atteint la véritable maîtrise de toi, jamais tu ne pourras parvenir dans cette grotte parfaite dont tu m'as parlé, dans ce que tu appelles la Douat et que nous nommons d'une autre façon, mais qui est toujours le monde mystérieux où résident ceux que les humains nomment pompeusement les dieux."

« Ainsi l'ai-je quitté. Pendant des jours j'ai marché, pendant des mois j'ai poursuivi ma route. J'ai franchi des collines, traversé à la nage des fleuves, rencontré des humains et des animaux. Et je me suis trouvé au pied de montagnes d'une hauteur prodigieuse. J'ai commencé à m'y engager, et, en effet, la chaleur des basses plaines faisait lentement place à une fraîcheur de l'air qui devint de plus en plus sensible à mesure que je m'élevais. Jusqu'au jour où je commençai à trembler malgré moi. Et je marchais dans une sorte de sable d'une blancheur éclatante, mou, glacé, qui se transformait en eau. Et alors que je tremblais de froid, je rencontrai un homme, aussi nu que moi. Il était dans la même posture que m'avait apprise Agastya, et je vis qu'il ne tremblait pas. Il restait immobile, les yeux clos, figé comme une statue. Et je vis une sorte de rosée qui tombait sur sa peau et se changeait alors en vapeur. Je l'ai touché et j'ai senti que sa peau était très chaude, ceci malgré le froid extérieur. Alors il a soulevé les paupières, il m'a regardé, il a souri et il m'a dit ces paroles qui ont traversé mon cœur comme un coup de poing : "En vérité, je te vois trembler. Étranger, hâte-toi de redescendre dans les chaudes plaines car tu n'es pas prêt à affronter le froid des routes du monde divin. Et ce n'est certes pas dans cette vie que tu réussiras dans ton entreprise. Je sais d'où tu viens, je sais ce que tu veux, je connais les raisons de ta quête de l'impossible. Tu prétends maîtriser ton âme et je vois que tu ne domines même pas ton corps. Qu'espères-tu donc en parcourant ces routes qui te sont interdites ? Tu n'y trouveras que la mort." Je lui ai répondu que je n'avais pas peur de la mort, que je l'espérais. Il m'a dit qu'il était facile de s'ôter la vie, mais que c'était un acte inutile, car je devrais recommencer une autre vie, plus pénible que celle que je vivais dans celle-ci. Il n'a pas eu à me parler longtemps de cette manière. J'ai compris qu'il avait été placé sur mon chemin pour me barrer la route, que je devais retourner sur mes pas, car il n'était pas dans le destin de l'existence qui est encore la mienne que je pénètre vivant dans la Douat, que je rencontre, comme l'avait fait Gilgamesh, l'homme devenu immortel. Car j'imaginais que c'est bien dans ces montagnes que vivait cet homme qui ne pouvait mourir et qu'avait rencontré le roi d'Uruk. Et comme ce dernier, je devais rentrer chez moi en ayant acquis une autre sagesse que celle que j'espérais trouver, sans avoir abordé à l'île du Ka où devait se trouver ce livre de Thot dont j'ai alors compris qu'il n'est qu'un symbole, une image, qu'il existe uniquement dans une autre réalité que celle du monde où nous vivons. »

Un lourd silence accueillit la chute du récit de Nékaourê ; c'est Neferhétepès qui, la première, le rompit, car Nékaourê était tombé dans une sorte de profonde rêverie.

305

— Néky, dit-elle, c'est un affreux drame que tu as vécu, mais ce grand malheur t'a peut-être montré ce qu'était la véritable sagesse ; c'est sans doute un dieu bienveillant qui a placé sur ta route une autre tentation du bonheur avec cette Nekennebti dont tu as fait ta nouvelle épouse.

— Je le crois aussi, opina-t-il. Car le sage, en m'incitant à revenir vers les plaines, m'a dit de continuer de cheminer sur les routes du monde, et que je ne manquerai pas d'y croiser ce que je devais rencontrer et de saisir au passage la tentation du bonheur. C'est la raison pour laquelle je me suis arrêté devant ce champ et j'ai répondu à l'invitation des moissonneurs, poussé par une force qui était en moi et pourtant hors de moi. Mais avant de me retrouver dans la Terre chérie, j'ai marché, marché pendant des mois et des mois, j'ai à nouveau traversé des montagnes, des vallées, des déserts, des rivières, des villes. Je voulais repasser par Ur pour avertir Shinab de ce qui s'était passé et récupérer si possible le collier de lapis-lazuli que j'avais promis à ma mère. Mais il faut que tu saches, Hori, que Shinab est mort, à la suite de je ne sais quelle maladie. Et le roi d'Ur en a profité pour s'emparer de ses biens, car il n'avait pas d'héritier. De sorte que je n'ai retrouvé aucun des hommes qui s'étaient embarqués avec moi tant d'années auparavant. J'ai cependant appris qu'Amarsi s'était établi dans une ville du nord du Sumer et je ne sais ce qu'est devenu Mérou. Peut-être le verrons-nous un jour reparaître dans les tavernes de Memphis.

« Pour moi, il est temps que je retourne auprès de celle qui m'attend et qui m'est devenue une autre Eanita, car, en vérité, ces deux femmes se ressemblent, comme si l'une était la sœur jumelle de l'autre, et c'est pourquoi je l'ai remarquée et mon cœur a éclaté en la voyant. Mais je sais que ce n'est pas elle, qu'elle est une autre. Néanmoins, j'ai découvert à ses côtés ce qu'est la vraie sagesse, et aussi le seul vrai bonheur qu'on peut attendre dans ce monde : ce n'est ni l'acquisition de richesses, ni le pouvoir royal, et c'est pourquoi je ne cherche ni l'un ni l'autre.

En vérité, c'est vivre selon nos propres besoins, nos propres inclinations, en restant toujours serein, toujours égal à soi-même, auprès de ceux que l'on aime, et avant tout d'une épouse qui sache combler nos désirs. Et ceci, je crois l'avoir trouvé auprès de Nekennebti, la fille d'un simple paysan. »

CHAPITRE XXIX

Moins d'un an après la naissance de Maâtkha, la fille que Khentkaous avait donnée à son époux Shepseskaf, la jeune reine mettait au monde un garçon qui reçut le nom de Néferirkarê. Mais il était de notoriété publique que le père de l'enfant était Ouserkaf, le fils du Grand Voyant de Rê, Raouser. De ce jour, les deux jeunes époux royaux vécurent totalement séparés. Car, comme Khentkaous l'avait déclaré à Nékaourê, Shepseskaf s'était résolu à se faire construire un petit palais plus au sud, dans les environs du complexe funéraire que Djeser avait laissé à l'ouest de Memphis. Il s'était installé dans cette nouvelle résidence près de laquelle il s'occupait à diriger la construction de sa tombe. Car il n'avait pas voulu se donner une pyramide, mais simplement une grande tombe comme celles des courtisans et des parents du roi, pareille à un immense sarcophage rectangulaire. Afin de vivre en paix en compagnie de Bounefer, le roi s'était hâté de s'établir dans ce nouveau palais, avant même que ne soit achevée sa construction. Il avait pris avec lui son demi-frère Henti, le fils que Bounefer avait eu de Mykérinos. Il avait laissé le gouvernement du royaume comme l'avait fait son père, entre les mains de l'éternel vizir, Minkaf. Mais le fils d'Hénoutsen se sentait vieillir et il cherchait à fuir une fonction qui ne semblait pas vouloir le lâcher. Comme le centre de l'administration du royaume se trouvait toujours dans le Grand Palais qu'avait abandonné le roi, Khentkaous n'avait pas tardé à prendre la place de son époux. Deux fauteuils couverts de fines feuilles d'or et ornés entre les jambes de la représentation harmonieuse des plantes figurant l'union des Deux-Terres, avaient été disposés sur une estrade basse, au fond de la vaste salle. L'un était celui du roi, l'autre était réservé à son épouse royale. Mais le trône d'Horus restait vide tandis que la jeune reine ne manquait aucune audience du vizir, qui se tenait debout auprès d'elle. Ainsi apprenait-elle les tâches et les devoirs de la fonction royale.

Et lorsque, après seulement quatre années de règne, le pitoyable Shepseskaf fut emporté par l'une des maladies qui n'avaient cessé de le torturer depuis son enfance, nul ne s'étonna de voir que la petite reine avait fait retirer le siège sur lequel elle prenait place habituellement pour s'asseoir sur le trône d'Horus resté vide si longtemps. Et elle se contenta de déclarer qu'elle assumait la régence pendant la minorité de son fils Néferirkarê. Elle fut soutenue dans cette prise du pouvoir par son père Djedefhor qui vint un temps la seconder, par Hénoutsen et, finalement par Minkaf qui réussit enfin à s'éloigner du trône et goûter un repos mérité dans sa demeure de Khem. Mais il n'en jouit pas longtemps ou, plutôt, il put goûter au repos éternel à peine deux ans après qu'il eut réussi à se retirer des affaires du royaume.

Hénoutsen ne lui survécut que de quelques mois et elle put enfin inaugurer sa demeure des millions d'années, la petite pyramide que Khéops avait fait ériger à son intention au pied de son propre monument, auprès des deux autres pyramides secondaires où reposaient depuis déjà de nombreuses années ses deux autres épouses, Mérititès et Noubet.

Ouserkaf, qui était passé de la fonction de prêtre-pur dans le temple de Rê, à celle de vizir, vint s'installer dans le Grand Palais. Une fois que les courtisans et les anciens Amis du roi eurent pris l'habitude de s'adresser à la reine assise sur le trône d'Horus, comme si elle était le dieu vivant, ils ne furent pas surpris de la voir un jour apparaître non plus comme une reine, mais comme le roi. Car au lieu de la robe étroite des femmes, elle osa apparaître simplement vêtue du pagne masculin, le pectoral royal suspendu entre ses seins, le front dominé par l'uræus royal, la tête coiffée du pschent dont elle s'était fait couronner officiellement par le Grand Voyant de Rê, dans le temple d'Héliopolis où elle avait fait la double apparition. Et lors des grandes cérémonies, elle se fixait au menton la fausse barbe des rois et tenait contre sa poitrine le flagellum et la crosse. Elle prit alors le nom royal de Djedefptah, en l'honneur de son père Djedefhor, et en hommage aux prêtres de Ptah qu'elle s'attachait ainsi afin de gommer la rivalité qui aurait pu naître entre les deux clergés à la suite de son couronnement dans le temple de Rê.

Une fois ainsi sûre de son fait et après avoir osé s'imposer comme la première reine régnante des Deux-Terres, elle épousa officiellement Ouserkaf, sans cependant le faire couronner. Sahourê naquit de ce mariage, et, de ce fait, quoique n'étant pas l'aîné, c'est lui qui fut désigné comme prince héritier, son frère Néferirkarê étant né avant le mariage, alors qu'Ouserkaf n'était que prêtre. Enfin, s'étant instituée « roi » avec une belle audace, Khentkaous entreprit de se faire construire une tombe pyramidale au-dessus des temples d'accueil des pyramides de Khéphren et de son père Mykérinos. Mais, par modestie, assura-t-elle, elle se contenta d'un monument à un étage, renouant ainsi avec la tradition de la pyramide à étages inaugurée par Imhotep, l'architecte de Djeser.

Malgré sa volonté de rester dans l'obscurité et de vivre comme un paysan, parmi les paysans qui travaillaient dans les champs et élevaient les troupeaux du temple de Rê, Nékaourê ne put cacher encore longtemps son identité. Il lui arrivait souvent de s'absenter du village pour aller rendre visite à Hénoutsen et à son père. Mais comme il restait secret sur ces visites, Nekennebti en conçut des soupçons et, finalement, une jalousie car elle pensait qu'il allait dans les tavernes et qu'il y faisait non seulement des maisons de bière, mais aussi des maisons de plaisir. Elle s'en ouvrit à son père qui s'inquiéta et un jour, il lança sur ses pas un homme de confiance afin de savoir ce qu'il en était. Lorsque l'espion raconta à Izi que son gendre s'était rendu dans la résidence royale de Memphis, le bon chef de village s'en étonna. Il décida alors de s'assurer personnellement de la véracité de cette révélation. Il réussit à suivre son gendre et vit que, en effet, il se rendait directement à la résidence royale. Il vint alors devant l'un des gardes et lui demanda qui était donc cet homme portant la ceinture des paysans qui entrait ainsi dans le palais où régnait encore Hénoutsen.

— C'est le prince Nékaourê, lui répondit le garde. On dit qu'il a été saisi par le démon de la folie au cours de longs voyages dont il est rentré et depuis, il vit comme un pauvre paysan dans un petit village, je ne pourrais te dire lequel. Il vient dans ce palais où il a à sa disposition une belle résidence, pour voir son oncle, le prince Djedefhor, et sa grand-mère la reine Hénoutsen. Mais on rapporte qu'en vérité, son père n'est pas le dieu Khéphren, mais le prince Djedefhor en personne.

Ébahi par une telle révélation, Izi se hâta de rentrer à son village où il convoqua sa femme et sa fille, et il ouvrit la bouche et leur dit d'une voix tremblante :

— Ma femme, ma fille, savez-vous, toi, Nekennebti que tu es mariée non pas un paysan mais à un prince et toi, Irou, que ton beau-fils est un fils de roi ?

— Eh ! lui répondit sa femme, la belle affaire ! Parles-tu de notre Néky ?

— Eh ! de qui pourrais-je donc parler ? Ma fille a-t-elle épousé quelqu'un d'autre que lui et ne lui a-t-elle pas donné une fille ?

— Dans ce cas, si son mari est un prince, il est tout à fait naturel que mon gendre soit le fils d'un roi, non ?

— Là n'est pas l'affaire ! s'exclama Izi. Qu'allons-nous faire ?

— Et que veux-tu que nous fassions ? s'étonna sa femme. Nous n'allons tout de même pas demander qu'Hori répudie notre

311

fille parce que tu découvres soudain qu'il est fils de roi pour moi et prince pour elle ?

— Pour moi, intervint Nekennebti, peu m'importe que mon bien-aimé soit prince ou paysan, il est comme il est et c'est ainsi que je l'aime. Et si je dois le perdre parce qu'il doit aller vivre dans un palais, je préfère le garder et vivre avec lui dans notre demeure, ici même, moissonner avec lui et l'aider à soigner les troupeaux du Soleil.

Lorsque Nékaourê fut de retour et qu'Izi vint devant lui, s'inclina et lui dit qu'il savait qui il était, le prince le prit par le bras et lui dit :

— J'insulterai Maât si je niais la vérité de tes paroles, lui dit-il. Il est vrai que je suis prince et que mon père est le prince Djedefhor. Mais moi je veux rester Néky, ton gendre, et vivre dans ta famille, avec l'amour de Nekennebti. Aussi, garde pour toi ce que tu as appris je ne sais comment, et nous continuerons à vivre comme par le passé. Seulement, lorsque je deviendrai vieux et que l'enfant que m'a donné ta fille et les autres enfants que je souhaite avoir avec elle, seront devenus adultes, je leur ferai des donations car j'ai reçu du dieu Khéphren quatorze villes ou gros villages pour l'entretien de ma maison. Mais pour moi, je ne veux rien de tout cela, je veux continuer de vivre comme je l'ai fait depuis que je suis arrivé ici. Car sois persuadé que nous ne serons pas plus heureux en vivant dans un palais avec les revenus de ces villes. Le travail de la terre me plaît, il est mon plaisir car il est bon de la faire fructifier et de voir les troupeaux se multiplier. Mais toi, quand tu te sentiras incapable de travailler, je ferai en sorte que tu aies tout ce que tu désires et que tu vieillisses dans l'opulence, ainsi que ton épouse qui est comme ma mère.

Ainsi Nékaourê continua-t-il de vivre dans l'obscurité, dans le soleil de sa campagne, des champs du dieu Rê, entre sa femme, ses enfants, son beau-père et sa belle-mère. Et lorsqu'il fut devenu vieux, il se fit faire une tombe pour que son corps y demeure pour l'éternité, sans savoir ce qu'il adviendrait de son âme, et il fit, comme il l'avait dit, donations des biens qu'il possédait sans en avoir jamais joui, à son épouse et à ses enfants.

On ne sait pour quelle raison, mais, a-t-on dit, convaincue par les conseils de son père et l'exemple de son frère Nékaourê, Khentkaous se décida à faire couronner Ouserkaf roi des Deux-Terres, mais elle garda la régence. Car son époux ne resta sur le trône que sept années et le prince héritier, Sahourê, était encore mineur. Lorsqu'il fut déclaré apte à régner, elle se décida à lui céder le trône d'Horus, et elle désigna son frère aîné Néferirkarê comme prince héritier. Heureuse précaution, car le jeune roi ne vécut que sept ans avant de quitter le monde des humains, et il laissa sa place à son grand frère.

Peu après ce fut le tour du sage Djedefhor de prendre place dans la barque de Rê pour s'élever dans le monde des étoiles et naviguer dans le ciel. Et il avait pu ainsi voir que s'était réalisée la prophétie de ce Djedi qu'il avait conduit, jadis, devant son père Khéops puis son frère Khéphren : la ligné directe masculine de Snéfrou s'était éteinte avec Shepseskaf, et avait succédé sur le trône d'Horus Ouserkaf, le fils d'un prêtre d'Héliopolis, Raouser. Mais le sang divin de la dynastie avait continué de se transmettre par la reine qui avait été l'instrument de la prophétie, Khentkaous, la fille de Khamernebti et de Djedefhor, le premier grand sage de cette lignée de sages que donna l'Égypte dans la suite des temps.

FIN

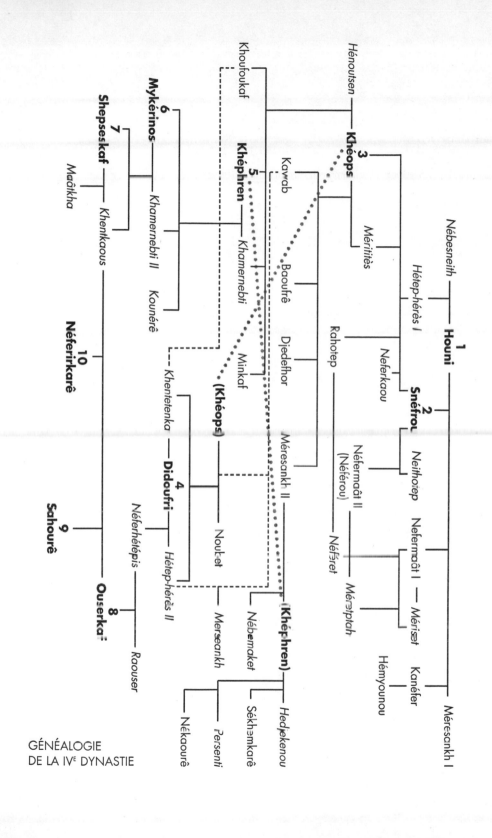

GÉNÉALOGIE
DE LA IVᵉ DYNASTIE

DU MÊME AUTEUR

OUVRAGES RELATIFS À L'ÉGYPTE :

Dictionnaire de la civilisation égyptienne, Larousse, 1968. Nouvelle édition revue, mise à jour et largement augmentée dans la collection « les Référents », 1998. Éditions Le Grand Livre du Mois (trad. italienne, anglaise, allemande, polonaise, roumaine, espagnole et portugaise).

Les Vergers d'Osiris, Olivier Orban, 1981, Prix R.T.L. Grand Public. Paru à France-Loisirs et en poche J'ai Lu. Réédition, éditions du Rocher, 1993.

Vers le bel Occident (roman), Olivier Orban 1981. Paru à France-Loisirs. Réédition, éditions du Rocher, 1993 sous le titre *Le Prêtre d'Amon*. Édition de poche Le Livre de Poche.

Néfertiti, reine du Nil (biographie romancée) Robert Laffont 1984. Édition de poche J'ai Lu. Réédition, éditions du Rocher, 1995. Édition de poche Le Livre de Poche.

L'Égypte, coll. « Merveilles du Monde », Nathan 1986. (trad. italienne).

L'Égypte mystique et légendaire, Sand 1987. Réédition, éditions du Rocher, 1996.

Égypte, Sun 1989. Réédition, Hermé, 1996.

Voyage en Égypte de David Roberts (choix d'aquarelles et commentaires par Guy Rachet), Bibliothèque de l'Image, 1992.

Voyages en Égypte, images, histoires et impressions, Sélection du Reader's Digest, 1992.

Cléopâtre, le crépuscule d'une reine, Critérion, 1994.

Le Livre des morts des anciens Égyptiens (Le papyrus d'Ani), traduction, introduction, commentaires et notes par Guy Rachet, éditions du Rocher, 1996 (trad. italienne).

Le Roman des Pyramides (en 5 tomes), éditions du Rocher 1996-1998 (publications faites ou prévues au Grand Livre du Mois, France-Loisirs, Le Livre de poche, trad. allemande et espagnole) :
Tome 1 : *Khéops et la pyramide du Soleil.*
Tome 2 : *Le Rêve de pierre de Khéops.*
Tome 3 : *Khéphren et Didoufri, la pyramide inachevée.*
Tome 4 : *Khéphren et la pyramide du Sphinx.*
Tome 5 : *Mykérinos et la pyramide divine.*

OUVRAGES RELATIFS À L'ANTIQUITÉ CLASSIQUE :

Dictionnaire de la civilisation grecque, Larousse, 1969. Nouvelle édition revue, mise à jour et largement augmentée, 1992 (trad. italienne, anglaise, bulgare, portugaise, allemande)

Archéologie de la Grèce préhistorique, Marabout Université, 1969 (trad. brésilienne).

La Tragédie grecque, Payot, 1973 (trad. roumaine).

La Gaule romaine, tome II de l'« Histoire de la France » C.A.L. 1973.

Vie et activités des hommes dans l'Antiquité, Hachette, 1981.

Delfi, il santuario della Grecia, Mondadori, 1981. Édition française : *Delphes*, Robert Laffont, 1984.

Théodora (biographie romancée), Olivier Orban, 1984.

La Grèce et Rome, Nouvelle encyclopédie Nathan, 1986.

Messaline (en collaboration avec Violaine Vanoyeke), Robert Laffont, 1988 (trad. portugaise, espagnole, grecque, coréenne, bulgare, polonaise).

Les Douze Travaux d'Hercule, éditions du Rocher, 1989. Paru à France-Loisirs, au Cercle Maxi-Livres (1996), et en édition de poche Gallimard/Folio.

Civilisations et archéologie de la Grèce préhellénique, éditions du Rocher, 1993.

Le Pèlerinage de Grèce, éditions du Rocher, 1996 (trad. grecque).

OUVRAGES RELATIFS À L'ORIENT (SAUF L'ÉGYPTE) :

Massada, les guerriers de Dieu (roman), Jean-Claude Lattès, 1979. Nouvelle édition partiellement réécrite et augmentée, parue sous le titre *Pleure, Jérusalem*, Le Pré aux Clercs 1991. Édition du Grand Livre du Mois.

Le Roi David (Biographie romancée), Denoël, 1985 (trad. brésilienne). Édition de poche Gallimard/Folio.

Le Soleil de la Perse (vie romancée de Cyrus le Grand), La Table Ronde, 1988. Paru dans la Sélection du Reader's Digest. Édition de poche Gallimard/Folio (trad. espagnole).

Tunisie, Sun, 1989. Réédition, Hermé, 1997.

Le Manuscrit secret du Nil, éditions du Rocher, 1993. Paru à France-Loisirs sous le titre *Caravanes d'Arabie*. Édition de poche Le Livre de Poche.

La Route du roi. Le Voyage de Jordanie, en collaboration avec C. Vincent, éditions du Rocher, 1996.

Sémiramis, reine de Babylone, Critérion, 1997.

Le Maroc, Hermé 1998.

Syrie, Jordanie et Liban, Hermé 1998.

Dictionnaire des civilisations de l'Orient ancien (en préparation, à paraître chez Larousse en 1999).

ARCHÉOLOGIE ET PRÉHISTOIRE :

L'Univers de l'Archéologie, 2 vol., Marabout Université, 1970 (trad. roumaine).

Préhistoire et Gaule celtique, Tome I de l'« Histoire de la France », C.A.L. 1973.

Des mondes disparus, Hachette, 1976 (trad. espagnole, portugaise, allemande, hollandaise).

Guide-Explo de l'archéologie, Hachette, 1978.

Preistoria e culture primitive, volume de la *Storia della scultura nel mondo*, Mondadori 1981. Édition française : *Préhistoire et cultures primitives*, Céliv, 1983.

L'Archéologie et ses secrets, Nathan, 1983 (trad. américaine).

Dictionnaire de l'archéologie, coll. « Bouquins », Robert Laffont, 1983-1994.

Les Matins de la France, éditions Bartillat (à paraître en 1999).

MOYEN ÂGE, RENAISSANCE, XVIIᵉ SIÈCLE :

Guillaume le Conquérant, Olivier Orban, 1982, prix littéraire de Normandie (téléfilm, scénario de Serge Laroche).

Le Signe du Taureau, vie de César Borgia, Mercure de France, 1987. Édition de poche Gallimard/Folio.

Catherine Sforza, la dame de Forli, Denoël, 1987.

Duchesse de la nuit (série romanesque), Robert Laffont :
   Tome 1 : *Le Sceau de Satan*, 1986, édition de poche J'ai Lu.
   Tome 2 : *Le Lion du Nord*, 1988, édition de poche J'ai Lu.
   Tome 3 : *Les Chemins de l'aurore*, 1988, édition de poche J'ai Lu.

Le Jardin de la Rose. Les amours de Pétrarque et de Laure, Éditions R.M.C. 1989.

DIVERS :

Les Chemins de l'autre monde, anthologie commentée des visions de l'au-delà dans les religions et les philosophies antiques et orientales, éditions Bartillat, 1998.

Conception, direction, choix de textes et présentation de *La Grande Aventure de l'archéologie*, 15 vol., Robert Laffont 1979-1982.

Conception, direction, choix de textes, présentation, lexique et notes de la « Bibliothèque de la Sagesse » (France-Loisirs, 1994-1995) :
Traités de Sénèque ;
Livre des morts des anciens Égyptiens ;
Confessions (saint Augustin) ;
Marche à la lumière et *Entretiens du Bouddha* (Sûttânta) ;
Sagesse du confucianisme (*Ta Hio, Tchoung-young, Lun-Yu, Meng-tseu*) ;
Sagesse biblique (*Proverbes, Ecclésiaste, Job, Sagesse de Salomon*) ;
Lois de Manou ;
Livre des morts (Bardo Thobol) tibétain et *Milarépa* ;
Dialogues de Plutarque ;
Sagesse taoïste (*Tao-tê-king, Lie-tzeu, Tchouang-tzeu*).

Direction, présentation, lexique et notes de la collection « Spiritualité-Sagesse », éditions Sand, 1995-1996 :
Plutarque, *Traité d'Isis et d'Osiris* ;
Pythagore, *Les Vers d'or, avec les commentaires d'Hiéroclès* ;
Philostrate, *Vie d'Apollonius de Tyane* ;
Les Upanishads ;
Hermès Trismégiste ;
L'Avesta, T. I (T. I et II parus en un seul volume en 1997 au Grand Livre du mois) ;
Lalitâvistara. Vie et doctrine du Bouddha (version tibétaine sous le titre de *Rgya tch'er Rol pa*).

Direction et rédaction partielle d'ouvrages collectifs :
Petite encyclopédie Larousse, 1976.
Chefs-d'œuvre du génie humain, Sélection du Reader's Digest, 1986.

Participation à des ouvrages collectifs :
Encyclopédie Groslier ;
Le Monde autour de... l'an 33, Larousse 1972.
La Grande Encyclopédie Larousse, 1971 sq.
Larousse des citations françaises et étrangères, Larousse 1976.
xxᵉ siècle. Encyclopédie du monde contemporain, Larousse.
Les Grandes Civilisations disparues, Sélection du Reader's Digest, 1980.
La Mer, Larousse 1982.
L'Égypte, coll. « Monde et Voyages », Larousse 1987.
Dictionnaire des citations de l'histoire de France (ouvrage dirigé et conçu par Michèle Ressi), éditions du Rocher, 1990.
Encyclopédie Atlas (rédacteur et conseiller scientifique) 1997-1998.

Traductions et adaptations :
L'Aventure de l'archéologie, Hachette, 1977 (trad. de l'italien).
Pompéi, résurrection d'une cité, Hachette, 1979 (trad. de l'anglais).
Lire et comprendre les hiéroglyphes, de Hilary Wilson, Sand, 1996 (trad. de l'anglais avec notes complémentaires).

Guy Rachet a aussi publié de nombreux articles dans des revues spécialisées françaises et étrangères et dans divers magazines grand public (*Archéologia, Science et Vie, Géo, Historia, Historama, Le Figaro Magazine*, etc.) ainsi qu'un grand nombre de critiques littéraires dans *Les Nouvelles Littéraires*, soit un total de plus de deux cents articles et conférences.

Achevé d'imprimer sur presse Cameron
*par **Bussière Camedan Imprimeries***
à Saint-Amand (Cher), en septembre 1998

Éditions du Rocher
28, rue Comte-Félix-Gastaldi
Monaco

Dépôt légal : septembre 1998. N° d'Impression : 981192/1
N° d'Édition : CNE section commerce et industrie Monaco 19023
Imprimé en France